au petit-fils

Dans la même collection :

ALLARD, Gérald, *Le Discours sur l'inégalité de Rousseau*, texte, notes et commentaires.

DESCARTES, *Discours de la méthode*, textes et commentaires (collectif).

MACHIAVEL, *La Mandragore*, traduction et commentaire.

PLATON, *Euthyphron*, *Apologie de Socrate*, *Kriton*, *Phédon* (extrait), textes et commentaires (collectif).

PLATON, *Allégorie de la caverne*, *Les Amoureux rivaux*, *Lakhès*, *Ion*, textes et commentaires (collectif).

LE DISCOURS SUR
LES SCIENCES ET LES ARTS
DE ROUSSEAU

LE DISCOURS SUR LES SCIENCES ET LES ARTS DE ROUSSEAU

Texte établi, annoté et commenté par
GÉRALD ALLARD

Collection Résurgences, Québec, 2008

Collection Résurgences
1660, rue Garnier
Québec (Québec)
Téléphone : (418) 681-7432
Télécopieur : (418) 681-2022

Couverture : d'après *J.-J. Rousseau* par La Tour, Musée de Genève.
Infographie pour la couverture : Parution
Marque de l'éditeur : Alain Côté
Impression : Marquis Imprimeur inc.

Publié par Bernard Boulet
ISBN 2-9804186-0-9
ISBN13 978-2-9804186-0-0
Dépôt légal — Bibliothèque nationale du Québec, 2008
Dépôt légal — Bibliothèque nationale du Canada, 2008

TABLE DES MATIÈRES

AVANT-PROPOS

L'apologie de l'œuvre philosophique de Jean-Jacques Rousseau n'est plus à faire. Depuis quelques décennies maintenant, on reconnaît communément que le citoyen de Genève, comme il aimait s'appeler au début de sa carrière, ou le promeneur solitaire, nom qu'il se donna peu avant sa mort, fut un penseur et un grand penseur, ce qu'il ne cessa jamais de proclamer. Pour conforter le jugement de nos contemporains, qu'il suffise de rappeler ici l'avis d'Emmanuel Kant: «La première impression qu'un lecteur qui ne lit pas seulement par vanité et pour passer le temps reçoit des écrits de Jean-Jacques Rousseau, c'est qu'il se trouve devant une rare pénétration d'esprit, un noble élan de génie et une âme toute pleine de sensibilité, à un tel degré que peut-être jamais aucun écrivain, en quelque temps ou en quelque pays que ce soit, ne peut avoir possédé ensemble de pareils dons.»

Aussi le grand Rousseau eut-il une influence marquée sur le philosophe allemand: «Je suis par goût un chercheur. Je sens la soif de connaître tout entière, le désir inquiet d'étendre mon savoir, ou encore la satisfaction de tout progrès accompli. Il fut un temps où je croyais que tout cela pouvait constituer l'honneur de l'humanité, et je méprisais le peuple, qui est ignorant de tout. C'est Rousseau qui m'a désabusé. Cette illusoire supériorité s'évanouit; j'apprends à honorer les hommes; et je me trouverais bien plus inutile que le commun des travailleurs, si je ne croyais que ce sujet d'étude peut donner à tous les autres une valeur qui consiste en ceci: faire ressortir les droits de l'humanité (*Remarques touchant les observations sur le sentiment du beau et du sublime*).»

Ainsi l'influence de Rousseau fut d'éclairer Kant sur la valeur des lettres et donc de la philosophie, sur la supériorité intellectuelle et le devoir politique et moral qu'elle entraîne. Or ce sont là les thèmes du *Discours sur les sciences et les arts*.

Le présent ouvrage vise à introduire à la lecture de l'œuvre de Rousseau en examinant son premier écrit important : le court, mais incisif, *Discours sur les sciences et les arts* ou *Premier Discours*, et deux autres, moins connus, qui en prolongent et en développent les prises de position : la *Préface au Narcisse* et la *Fiction ou Morceau allégorique sur la révélation*. À cette fin, il s'agit d'abord d'offrir les textes eux-mêmes, accompagnés de notes historiques et philologiques qui en faciliteront la lecture. De plus, les paragraphes sont numérotés pour permettre de se retrouver plus facilement. Cet appareil de notes est utile, sinon nécessaire, lorsqu'il s'agit d'aborder Rousseau, surtout les premières fois : assez tôt, le lecteur se rend compte que cet adversaire du développement des sciences et des arts fut lui-même un homme aux nombreuses connaissances littéraires et historiques, doublé d'un écrivain d'une grande finesse, mais qui prisait, un peu trop pour nos habitudes actuelles, les allusions et les circonlocutions. Le lecteur trouvera, à la suite des trois textes de Rousseau, une deuxième section qui contient un commentaire en neuf chapitres : on s'efforce alors de reprendre la lecture des pages de Rousseau en soulignant quelques-unes des lignes de force d'une pensée puissante et nette, mais qui demande une méditation suivie pour être sondée adéquatement. Des neuf thèmes abordés, les quatre premiers tournent autour du *Premier Discours*, les trois suivants s'appuient sur la *Préface au Narcisse* et les deux derniers sont consacrés à la mystérieuse *Fiction*. Ce commentaire est complété par deux appendices offrant certaines réflexions et informations de nature plutôt philologique. La section suivante regroupe les notes qui accompagnent les textes de Rousseau et celles qui appartiennent au commentaire. L'avant-dernière section offre quelques informations biographiques et historiques qui permettent de connaître les grandes étapes de la vie de Rousseau, ainsi que les événements politiques et littéraires importants qui traversent cette existence. Suit une brève bibliographie : on y propose quelques titres, façon de souligner le nom de quelques-uns des interprètes les plus autorisés des premiers grands textes de Rousseau.

Le lecteur comprendra que ce livre ne prétend être qu'une introduction à une œuvre complexe et riche : il sera justifié s'il se révèle un instrument utile, et en même temps une incitation à un exercice intellectuel encore à faire ; il n'aura de sens que pour autant qu'il marque un début. En revanche, l'offrir aujourd'hui au public, c'est marquer le terme d'une réflexion commencée avec et pour des étudiants et poursuivie avec l'aide de confrères et d'amis. Ce sont eux tous qu'il faut remercier à ce moment: leurs questions en classe, leurs suggestions lors de discussions, leurs remarques sur le manuscrit sont à la source de tout ce qu'il peut y avoir d'utile ici. Ce livre est donc un terme pour l'auteur et, espérons-le, un début pour le lecteur. Et pourtant ce serait là simplifier les choses: ce terme est devenu, à mesure qu'il prenait forme, un nouveau début pour l'auteur. Car avec Jean-Jacques on n'a jamais fini de penser et de repenser: comme me le rappelait justement un témoin de mes toutes premières rencontres avec Rousseau, le citoyen de Genève est un de ces rares individus qui, par le simple fait de leur existence, donnent à la pauvre nôtre du goût et de la couleur.

«Satyre, tu ne le connais pas.»

DISCOURS

QUI A REMPORTÉ LE PRIX

À L'ACADÉMIE DE DIJON

EN L'ANNÉE 1750

SUR CETTE QUESTION PROPOSÉE PAR LA MÊME ACADÉMIE

SI LE RÉTABLISSEMENT DES SCIENCES ET DES ARTS

A CONTRIBUÉ À ÉPURER LES MŒURS [1]*

PAR UN CITOYEN DE GENÈVE [2]

Barbarus his ego sum quia non intelligor illis. Ovid [3]

* Les notes de G. Allard sont regroupées à partir de la page 187.

PRÉFACE

1. Voici une des grandes et des plus belles[4] questions qui aient jamais été agitées. Il ne s'agit point dans ce discours de ces subtilités métaphysiques qui ont gagné toutes les parties de la littérature et dont les programmes d'académie ne sont pas toujours exempts ; mais il s'agit d'une de ces vérités qui tiennent au bonheur du genre humain.

2. Je prévois qu'on me pardonnera difficilement le parti que j'ai osé prendre. Heurtant de front tout ce qui fait aujourd'hui l'admiration des hommes, je ne puis m'attendre qu'à un blâme universel ; et ce n'est pas pour avoir été honoré de l'approbation de quelques sages que je dois compter sur celle du public. Aussi mon parti est-il pris : je ne me soucie de plaire ni aux beaux esprits, ni aux gens à la mode. Il y aura dans tous les temps des hommes faits pour être subjugués par les opinions de leur siècle, de leur pays, de leur société : tel fait aujourd'hui l'esprit fort et le philosophe, qui, par la même raison, n'eût été qu'un fanatique du temps de la Ligue[5]. Il ne faut point écrire pour de tels lecteurs, quand on veut vivre au-delà de son siècle.

3. Un mot encore, et je finis. Comptant peu sur l'honneur que j'ai reçu, j'avais, depuis l'envoi, refondu et augmenté ce discours, au point d'en faire, en quelque manière, un autre ouvrage ; aujourd'hui, je me suis cru obligé de le rétablir dans l'état où il a été couronné. J'y ai seulement jeté quelques notes et laissé deux additions faciles à reconnaître[6] et que l'Académie n'aurait peut-être pas approuvées. J'ai pensé que l'équité, le respect et la reconnaissance exigeaient de moi cet avertissement.

DISCOURS

Decipimur specie recti[7]

4. Le rétablissement des sciences et des arts a-t-il contribué à épurer ou à corrompre les mœurs ? Voilà ce qu'il s'agit d'examiner. Quel parti dois-je prendre dans cette question ? Celui, messieurs, qui convient à un honnête homme qui ne sait rien et qui ne s'en estime pas moins.

5. Il sera difficile, je le sens, d'approprier ce que j'ai à dire au tribunal où je comparais. Comment oser blâmer les sciences devant une des plus savantes compagnies de l'Europe, louer l'ignorance dans une célèbre académie et concilier le mépris pour l'étude avec le respect pour les vrais savants ? J'ai vu ces contrariétés, et elles ne m'ont point rebuté. Ce n'est point la science que je maltraite, me suis-je dit ; c'est la vertu que je défends devant des hommes vertueux. La probité est encore plus chère aux gens de bien que l'érudition aux doctes. Qu'ai-je donc à redouter ? Les lumières[8] de l'assemblée qui m'écoute ? Je l'avoue ; mais c'est pour la constitution du discours, et non pour le sentiment de l'orateur. Les souverains équitables n'ont jamais balancé à se condamner eux-mêmes dans des discussions douteuses et la position la plus avantageuse au bon droit est d'avoir à se défendre contre une partie intègre et éclairée, juge en sa propre cause.

6. À ce motif qui m'encourage, il s'en joint un autre qui me détermine : c'est qu'après avoir soutenu, selon ma lumière naturelle, le parti de la vérité, quel que soit mon succès, il est un prix qui ne peut me manquer : je le trouverai dans le fond de mon cœur.

PREMIÈRE PARTIE

7. C'est un grand et beau spectacle de voir l'homme sortir en quelque manière du néant par ses propres efforts; dissiper, par les lumières de sa raison, les ténèbres dans lesquelles la nature l'avait enveloppé; s'élever au-dessus de soi-même; s'élancer par l'esprit jusque dans les régions célestes; parcourir à pas de géant ainsi que le Soleil la vaste étendue de l'Univers; et, ce qui est encore plus grand et plus difficile, rentrer en soi pour y étudier l'homme et connaître sa nature, ses devoirs et sa fin. Toutes ces merveilles se sont renouvelées depuis peu de générations.

8. L'Europe était retombée dans la barbarie des premiers âges. Les peuples de cette partie du monde aujourd'hui si éclairée vivaient, il y a quelques siècles, dans un état pire que l'ignorance. Je ne sais quel jargon scientifique, encore plus méprisable que l'ignorance, avait usurpé le nom du savoir et opposait à son retour un obstacle presque invincible [9]. Il fallait une révolution pour ramener les hommes au sens commun; elle vint enfin du côté d'où on l'aurait le moins attendu. Ce fut le stupide Musulman, ce fut l'éternel fléau des lettres qui les fit renaître parmi nous. La chute du trône de Constantin porta dans l'Italie les débris de l'ancienne Grèce [10]. La France s'enrichit à son tour de ces précieuses dépouilles [11]. Bientôt les sciences suivirent les lettres; à l'art d'écrire se joignit l'art de penser – gradation qui paraît étrange et qui n'est peut-être que trop naturelle; et l'on commença à sentir le principal avantage du commerce des Muses [12], celui de rendre les hommes plus sociables en leur inspirant le désir de se plaire les uns aux autres par des ouvrages dignes de leur approbation mutuelle.

9. L'esprit a ses besoins, ainsi que le corps. Ceux-ci font les fondements de la société, les autres en font l'agrément. Tandis que le gouvernement et les lois pourvoient à la sûreté et au bien-être des hommes assemblés, les sciences, les lettres et les arts [13], moins despotiques et plus puissants peut-être, étendent des guirlandes de fleurs sur les chaînes de fer dont ils sont chargés, étouffent en eux le sentiment de cette liberté originelle pour laquelle ils semblaient être nés, leur font aimer leur esclavage et en forment ce qu'on appelle des peuples policés. Le besoin éleva les trônes; les sciences et les arts les ont affermis. Puissances de la terre, aimez les talents et protégez ceux qui les cultivent[a]. Peuples policés, cultivez-les; heureux esclaves, vous leur devez ce goût délicat et fin dont vous vous piquez: cette douceur de caractère et cette urbanité de mœurs qui rendent parmi vous le commerce si liant et si facile, en un mot, les apparences de toutes les vertus sans en avoir aucune.

10. C'est par cette sorte de politesse, d'autant plus aimable qu'elle affecte moins de se montrer, que se distinguèrent autrefois Athènes et Rome dans les jours si vantés de leur magnificence et de leur éclat; c'est par elle, sans doute, que notre siècle et notre nation [15] l'emporteront sur tous les temps et sur tous les peuples. Un ton philosophe sans pédanterie, des manières naturelles et pourtant prévenantes, également éloignées de la rusticité tudesque et de la pantomime ultramontaine [16]: voilà les fruits du goût acquis par de bonnes études et perfectionné dans le commerce du monde.

11. Qu'il serait doux de vivre parmi nous, si la contenance extérieure était toujours l'image des dispositions du cœur, si la décence était la vertu, si nos maximes nous servaient de règles, si la véritable philosophie était inséparable du titre de philosophe! Mais tant de qualités vont trop rarement ensemble, et la vertu ne marche guère en si grande pompe. La richesse de la parure peut annoncer un homme opulent et son élégance un homme de goût; l'homme sain et robuste se reconnaît à d'autres marques: c'est sous l'habit rustique d'un laboureur, et non sous la dorure d'un courtisan, qu'on trouvera la force et la vigueur du corps. La parure n'est pas moins étrangère à la vertu, qui est la force et la vigueur de l'âme. L'homme de bien est un athlète qui se

---

a. Les princes voient toujours avec plaisir le goût des arts agréables et des superfluités, dont l'exportation de l'argent ne résulte pas, s'étendre parmi leurs sujets. Car outre qu'ils les nourrissent ainsi dans cette petitesse d'âme si propre à la servitude, ils savent très bien que tous les besoins que le peuple se donne sont autant de chaînes dont il se charge. Alexandre, voulant maintenir les Ichtyophages dans sa dépendance, les contraignit de renoncer à la pêche et de se nourrir des aliments communs aux autres peuples [14]; et les sauvages de l'Amérique, qui vont tout nus et qui ne vivent que du produit de leur chasse, n'ont jamais pu être domptés. En effet, quel joug imposerait-on à des hommes qui n'ont besoin de rien?

plaît à combattre nu : il méprise tous ces vils ornements qui gêneraient l'usage de ses forces et dont la plupart n'ont été inventés que pour cacher quelque difformité.

12. Avant que l'art eût façonné nos manières et appris à nos passions à parler un langage apprêté, nos mœurs étaient rustiques, mais naturelles, et la différence des procédés annonçait au premier coup d'œil celle des caractères. La nature humaine, au fond, n'était pas meilleure, mais les hommes trouvaient leur sécurité dans la facilité de se pénétrer réciproquement et cet avantage, dont nous ne sentons plus le prix, leur épargnait bien des vices.

13. Aujourd'hui que des recherches plus subtiles et un goût plus fin ont réduit l'art de plaire en principes, il règne dans nos mœurs une vile et trompeuse uniformité, et tous les esprits semblent avoir été jetés dans un même moule : sans cesse la politesse exige, la bienséance ordonne ; sans cesse on suit des usages, jamais son propre génie. On n'ose plus paraître ce qu'on est ; et dans cette contrainte perpétuelle, les hommes qui forment ce troupeau qu'on appelle société, placés dans les mêmes circonstances, feront tous les mêmes choses si des motifs plus puissants ne les en détournent. On ne saura donc jamais bien à qui l'on a affaire. Il faudra donc, pour connaître son ami, attendre les grandes occasions, c'est-à-dire attendre qu'il n'en soit plus temps, puisque c'est pour ces occasions mêmes qu'il eût été essentiel de le connaître.

14. Quel cortège de vices n'accompagnera point cette incertitude ? Plus d'amitiés sincères, plus d'estime réelle, plus de confiance fondée. Les soupçons, les ombrages, les craintes, la froideur, la réserve, la haine, la trahison se cacheront sans cesse sous ce voile uniforme et perfide de politesse, sous cette urbanité si vantée que nous devons aux lumières de notre siècle. On ne profanera plus par des jurements le nom du Maître de l'Univers, mais on l'insultera par des blasphèmes, sans que nos oreilles scrupuleuses en soient offensées. On ne vantera pas son propre mérite, mais on rabaissera celui d'autrui. On n'outragera point grossièrement son ennemi, mais on le calomniera avec adresse. Les haines nationales s'éteindront, mais ce sera avec l'amour de la patrie. À l'ignorance méprisée, on substituera un dangereux pyrrhonisme. Il y aura des excès proscrits, des vices déshonorés, mais d'autres seront décorés du nom de vertus : il faudra ou les avoir ou les affecter. Vantera qui voudra la sobriété des sages du temps, je n'y vois, pour moi, qu'un raffinement d'intempérance autant indigne de mon éloge que leur artificieuse simplicité [b].

15. Telle est la pureté que nos mœurs ont acquise. C'est ainsi que nous sommes devenus gens de bien. C'est aux lettres, aux sciences et aux arts à revendiquer ce qui leur appartient dans un si salutaire ouvrage. J'ajouterai seulement une réflexion ; c'est qu'un habitant de quelques contrées éloignées qui chercherait à se former une idée des mœurs européennes sur l'état des sciences parmi nous, sur la perfection de nos arts, sur la bienséance de nos spectacles, sur la politesse de nos manières, sur l'affabilité de nos discours, sur nos démonstrations perpétuelles de bienveillance et sur ce concours tumultueux d'hommes de tout âge et de tout état qui semblent empressés depuis le lever de l'aurore jusqu'au coucher du Soleil à s'obliger réciproquement; c'est que cet étranger, dis-je, devinerait exactement de nos mœurs le contraire de ce qu'elles sont[20].

16. Où il n'y a nul effet, il n'y a point de cause à chercher ; mais ici l'effet est certain, la dépravation réelle et nos âmes se sont corrompues à mesure que nos sciences et nos arts se sont avancés à la perfection. Dira-t-on que c'est un malheur particulier à notre âge ? Non, messieurs, les maux causés par notre vaine curiosité sont aussi vieux que le monde. L'élévation et l'abaissement journaliers des eaux de l'océan n'ont pas été plus régulièrement assujettis au cours de l'astre qui nous éclaire durant la nuit que le sort des mœurs et de la probité au progrès des sciences et des arts [21]. On a vu la vertu s'enfuir à mesure que leur lumière s'élevait sur notre horizon, et le même phénomène s'est observé dans tous les temps et dans tous les lieux.

17. Voyez l'Égypte, cette première école de l'univers, ce climat si fertile sous un ciel d'airain, cette contrée célèbre, d'où Sésostris [22] partit autrefois pour conquérir le monde. Elle devient la mère de la philosophie et des beaux-arts, et bientôt après [23] la conquête de Cambyse, puis celle des Grecs, des Romains, des Arabes, et enfin des Turcs [24].

---

b. « J'aime, dit Montaigne [17], contester et discourir, mais c'est avec peu d'hommes et pour moi. Car servir de spectacle aux grands et faire à l'envi parade de son esprit et de son caquet, je trouve que c'est un métier qui ne convient pas du tout à un homme d'honneur [18]. » C'est celui de tous nos beaux esprits, hors un [19].

18. Voyez la Grèce, jadis peuplée de héros qui vainquirent deux fois l'Asie, l'une devant Troie et l'autre dans leurs propres foyers [25]. Les lettres naissantes n'avaient point porté encore la corruption dans les cœurs de ses habitants ; mais le progrès des arts, la dissolution des mœurs et le joug du Macédonien se suivirent de près ; et la Grèce, toujours savante, toujours voluptueuse, et toujours esclave n'éprouva plus dans ses révolutions que des changements de maîtres [26]. Toute l'éloquence de Démosthène [27] ne put jamais ranimer un corps que le luxe et les arts avaient énervé.

19. C'est au temps des Ennius et des Térence [28] que Rome, fondée par un pâtre [29] et illustrée par des laboureurs [30], commence à dégénérer. Mais après les Ovide, les Catulle, les Martial [31] et cette foule d'auteurs obscènes dont les noms seuls alarment la pudeur, Rome, jadis le temple de la vertu, devient le théâtre du crime, l'opprobre des nations et le jouet des barbares. Cette capitale du monde tombe enfin sous le joug qu'elle avait imposé à tant de peuples, et le jour de sa chute fut la veille de celui où l'on donna à l'un de ses citoyens le titre d'arbitre du bon goût [32].

20. Que dirai-je de cette métropole de l'Empire d'Orient [33], qui par sa position semblait devoir l'être du monde entier, de cet asile des sciences et des arts proscrits du reste de l'Europe, plus peut-être par sagesse que par barbarie ? Tout ce que la débauche et la corruption ont de plus honteux, les trahisons, les assassinats et les poisons de plus noir, le concours de tous les crimes de plus atroce, voilà ce qui forme le tissu de l'histoire de Constantinople [34] ; voilà la source pure d'où nous sont émanées les lumières dont notre siècle se glorifie.

21. Mais pourquoi chercher dans des temps reculés des preuves d'une vérité dont nous avons sous nos yeux des témoignages subsistants ? Il est en Asie une contrée immense où les lettres honorées conduisent aux premières dignités de l'État. Si les sciences épuraient les mœurs, si elles apprenaient aux hommes à verser leur sang pour la patrie, si elles animaient le courage, les peuples de la Chine devraient être sages, libres et invincibles. Mais s'il n'y a point de vice qui ne les domine, point de crime qui ne leur soit familier, si les lumières des ministres, ni la prétendue sagesse des lois, ni la multitude des habitants de ce vaste empire n'ont pu le garantir du joug du Tartare [35] ignorant et grossier, de quoi lui ont servi tous ses savants ? Quel fruit a-t-il retiré des honneurs dont ils sont comblés ? Serait-ce d'être peuplé d'esclaves et de méchants [36] ?

22. Opposons à ces tableaux celui des mœurs du petit nombre de peuples qui, préservés de cette contagion des vaines connaissances, ont par leurs vertus fait leur propre bonheur et l'exemple des autres nations. Tels furent les premiers Perses, nation singulière chez laquelle on apprenait la vertu comme chez nous on apprend la science [37], qui subjugua l'Asie avec tant de facilité et qui seule a eu cette gloire que l'histoire de ses institutions ait passé pour un roman de philosophie [38]. Tels furent les Scythes, dont on nous a laissé de si magnifiques éloges [39]. Tels les Germains, dont une plume, lasse de tracer les crimes et les noirceurs d'un peuple instruit, opulent et voluptueux, se soulageait à peindre la simplicité, l'innocence et les vertus [40]. Telle avait été Rome même dans les temps de sa pauvreté et de son ignorance. Telle enfin s'est montrée jusqu'à nos jours cette nation rustique si vantée pour son courage que l'adversité n'a pu abattre et pour sa fidélité que l'exemple n'a pu corrompre [c] [44].

23. Ce n'est point par stupidité que ceux-ci ont préféré d'autres exercices à ceux de l'esprit. Ils n'ignoraient pas que dans d'autres contrées des hommes oisifs passaient leur vie à disputer sur le souverain bien, sur le vice et sur la vertu et que d'orgueilleux raisonneurs, se donnant à eux-mêmes les plus grands éloges, confondaient les autres peuples sous le nom méprisant de barbares [45] ; mais ils ont considéré leurs mœurs et appris à dédaigner leur doctrine [d].

24. Oublierais-je que ce fut dans le sein même de la Grèce qu'on vit s'élever cette cité aussi célèbre par son heureuse ignorance que par la

---

c. Je n'ose parler de ces nations heureuses qui ne connaissent pas même de nom les vices que nous avons tant de peine à réprimer, de ces sauvages de l'Amérique dont Montaigne ne balance point à préférer la simple et naturelle police [41], non seulement aux lois de Platon [42], mais même à tout ce que la philosophie pourra jamais imaginer de plus parfait pour le gouvernement des peuples. Il en cite quantité d'exemples frappants pour qui les saurait admirer. « Mais quoi ! dit-il, ils ne portent point de chausses [43] ! »

d. De bonne foi, qu'on me dise quelle opinion les Athéniens mêmes devaient avoir de l'éloquence, quand ils l'écartèrent avec tant de soin de ce tribunal intègre des jugements duquel les dieux mêmes n'appelaient pas [46] ? Que pensaient les Romains de la médecine, quand ils la bannirent de leur république [47] ? Et quand un reste d'humanité porta les Espagnols à interdire à leurs gens de loi l'entrée de l'Amérique, quelle idée fallait-il qu'ils eussent de la jurisprudence [48] ? Ne dirait-on pas qu'ils ont cru réparer par ce seul acte tous les maux qu'ils avaient faits à ces malheureux Indiens ?

sagesse de ses lois, cette république de demi-dieux plutôt que d'hommes, tant leurs vertus semblaient supérieures à l'humanité ? Ô Sparte ! opprobre éternel d'une vaine doctrine ! Tandis que les vices conduits par les beaux-arts s'introduisaient ensemble dans Athènes, tandis qu'un tyran y rassemblait avec tant de soin les ouvrages du prince des poètes [49], tu chassais de tes murs les arts et les artistes, les sciences et les savants.

25. L'événement marqua cette différence. Athènes devint le séjour de la politesse et du bon goût, le pays des orateurs et des philosophes. L'élégance des bâtiments y répondait à celle du langage. On y voyait de toutes parts le marbre et la toile animés par les mains des maîtres les plus habiles. C'est d'Athènes que sont sortis ces ouvrages surprenants qui serviront de modèles dans tous les âges corrompus. Le tableau de Lacédémone [50] est moins brillant. « Là, disaient les autres peuples, les hommes naissent vertueux, et l'air même du pays semble inspirer la vertu. » Il ne nous reste de ses habitants que la mémoire de leurs actions héroïques. De tels monuments vaudraient-ils moins pour nous que les marbres curieux qu'Athènes nous a laissés [51] ?

26. Quelques sages, il est vrai, ont résisté au torrent général et se sont garantis du vice dans le séjour des Muses [52]. Mais qu'on écoute le jugement que le premier et le plus malheureux d'entre eux portait des [53] savants et des artistes de son temps.

27. « J'ai examiné, dit-il, les poètes et je les regarde comme des gens dont le talent en impose à eux-mêmes et aux autres, qui se donnent pour sages, qu'on prend pour tels et qui ne sont rien moins.

28. « Des poètes, continue Socrate [54], j'ai passé aux artistes. Personne n'ignorait plus les arts que moi ; personne n'était plus convaincu que les artistes possédaient de fort beaux secrets. Cependant, je me suis aperçu que leur condition n'est pas meilleure que celle des poètes et qu'ils sont, les uns et les autres, dans le même préjugé. Parce que les plus habiles d'entre eux excellent dans leur partie, ils se regardent comme les plus sages des hommes. Cette présomption a terni tout à fait leur savoir à mes yeux. De sorte que me mettant à la place de l'oracle et me demandant ce que j'aimerais le mieux être : ce que je suis ou ce qu'ils sont, savoir ce qu'ils ont appris ou savoir que je ne sais rien, j'ai répondu à moi-même et au dieu : “ Je veux rester ce que je suis. ” »

29. « Nous ne savons, ni les sophistes, ni les poètes, ni les orateurs, ni les artistes, ni moi ce que c'est que le vrai, le bon et le beau. Mais il y a entre nous cette différence, que, quoique ces gens ne sachent rien, tous croient savoir quelque chose ; au lieu que moi, si je ne sais rien, au moins je n'en suis pas en doute. De sorte que toute cette supériorité de sagesse qui m'est accordée par l'oracle se réduit seulement à être bien convaincu que j'ignore ce que je ne sais pas[55]. »

30. Voilà donc le plus sage des hommes au jugement des dieux et le plus savant des Athéniens au sentiment de la Grèce entière, Socrate, faisant l'éloge de l'ignorance ! Croit-on que s'il ressuscitait parmi nous, nos savants et nos artistes lui feraient changer d'avis ? Non, messieurs : cet homme juste continuerait de mépriser nos vaines sciences ; il n'aiderait point à grossir cette foule de livres dont on nous inonde de toutes parts et ne laisserait, comme il a fait, pour tout précepte à ses disciples et à nos neveux[56] que l'exemple et la mémoire de sa vertu. C'est ainsi qu'il est beau d'instruire les hommes !

31. Socrate avait commencé dans Athènes, le vieux Caton[57] continua dans Rome de se déchaîner contre ces Grecs artificieux et subtils qui séduisaient la vertu et amollissaient le courage de ses concitoyens. Mais les sciences, les arts et la dialectique prévalurent encore : Rome se remplit de philosophes et d'orateurs ; on négligea la discipline militaire, on méprisa l'agriculture, on embrassa des sectes et l'on oublia la patrie. Aux noms sacrés de liberté, de désintéressement, d'obéissance aux lois, succédèrent les noms d'Épicure[58], de Zénon[59], d'Arcésilas[60]. « Depuis que les savants ont commencé à paraître parmi nous, disaient leurs propres philosophes, les gens de bien se sont éclipsés[61]. » Jusqu'alors les Romains s'étaient contentés de pratiquer la vertu ; tout fut perdu quand ils commencèrent à l'étudier.

32. Ô Fabricius[62] ! qu'eût pensé votre grande âme, si, pour votre malheur rappelé à la vie, vous eussiez vu la face pompeuse de cette Rome sauvée par votre bras et que votre nom respectable avait plus illustrée que toutes ses conquêtes ? « Dieux ! eussiez-vous dit, que sont devenus ces toits de chaume et ces foyers rustiques qu'habitaient jadis la modération et la vertu ? Quelle splendeur funeste a succédé à la simplicité romaine ? Quel est ce langage étranger[63] ? Quelles sont ces mœurs efféminées ? Que signifient ces statues, ces tableaux, ces édifices ? Insensés, qu'avez-vous fait ? Vous, les maîtres des nations, vous vous êtes rendus les esclaves des hommes frivoles que vous avez vaincus ? Ce sont des rhéteurs qui vous gouvernent ? C'est pour enrichir des architectes, des peintres, des statuaires et des histrions que vous avez arrosé de votre sang la Grèce et l'Asie ? Les dépouilles de Carthage sont la proie d'un joueur de flûte[64] ? Romains, hâtez-vous de renverser ces amphithéâtres ; brisez ces marbres ; brûlez ces tableaux ; chassez ces esclaves qui vous subjuguent et dont les funestes arts vous corrompent. Que d'autres mains s'illustrent par de vains talents ; le seul talent digne de Rome est celui de conquérir le monde et d'y faire régner la vertu. Quand Cynéas[65] prit notre sénat pour une assemblée de rois, il ne fut ébloui ni par une pompe vaine, ni par une élégance recherchée. Il n'y entendit point cette éloquence frivole, l'étude et le charme des hommes futiles. Que vit donc Cynéas de si majestueux ? Ô citoyens ! Il vit un spectacle que ne donneront jamais vos richesses, ni tous vos arts, le plus beau spectacle qui ait jamais paru sous le ciel : l'assemblée de deux cents hommes vertueux, dignes de commander à Rome et de gouverner la terre. »

33. Mais franchissons la distance des lieux et des temps et voyons ce qui s'est passé dans nos contrées et sous nos yeux. Ou plutôt, écartons des peintures odieuses qui blesseraient notre délicatesse et épargnons-nous la peine de répéter les mêmes choses sous d'autres noms. Ce n'est point en vain que j'évoquais les mânes de Fabricius ; et qu'ai-je fait dire à ce grand homme que je n'eusse pu mettre dans la bouche de Louis XII[66] ou de Henri IV[67] ? Parmi nous, il est vrai, Socrate n'eût point bu la ciguë ; mais il eût bu dans une coupe encore plus amère la raillerie insultante et le mépris pire cent fois que la mort.

34. Voilà comment le luxe, la dissolution et l'esclavage ont été de tout temps le châtiment des efforts orgueilleux que nous avons faits pour sortir de l'heureuse ignorance où la sagesse éternelle nous avait placés. Le voile épais dont elle a couvert toutes ses opérations semblait nous avertir assez qu'elle ne nous a point destinés à de vaines recherches. Mais est-il quelqu'une de ses leçons dont nous ayons su profiter ou que nous ayons négligée impunément ? Peuples, sachez donc une fois que la nature a voulu vous préserver de la science, comme une mère arrache une arme dangereuse des mains de son enfant, que tous les secrets qu'elle vous cache sont autant de maux dont elle vous garantit et que la peine que vous trouvez à vous instruire n'est pas le moindre de ses bienfaits. Les hommes sont pervers ; ils seraient pires encore, s'ils avaient eu le malheur de naître savants.

35. Que ces réflexions sont humiliantes pour l'humanité ! Que notre orgueil en doit être mortifié ! Quoi ! la probité serait fille de l'ignorance ? La science et la vertu seraient incompatibles ? Quelles conséquences ne tirerait-on point de ces préjugés ? Mais pour concilier ces contrariétés apparentes, il ne faut qu'examiner de près la vanité et le néant de ces titres orgueilleux qui nous éblouissent et que nous donnons si gratuitement aux connaissances humaines. Considérons donc les sciences et les arts en eux-mêmes. Voyons ce qui doit résulter de leur progrès. Et ne balançons plus à convenir de tous les points où nos raisonnements se trouveront d'accord avec les inductions historiques.

SECONDE PARTIE

36. C'était une ancienne tradition passée de l'Égypte en Grèce, qu'un dieu ennemi du repos des hommes était l'inventeur des sciences[e][71]. Quelle opinion fallait-il donc qu'eussent d'elles les Égyptiens mêmes, chez qui elles étaient nées ? C'est qu'ils voyaient de près les sources qui les avaient produites. En effet, soit qu'on feuillette les annales du monde, soit qu'on supplée à des chroniques incertaines par des recherches philosophiques[72], on ne trouvera pas aux connaissances humaines une origine qui réponde à l'idée qu'on aime à s'en former. L'astronomie est née de la superstition[73] ; l'éloquence, de l'ambition, de la haine, de la flatterie, du mensonge ; la géométrie, de l'avarice[74] ; la physique, d'une vaine curiosité ; toutes, et la morale même, de l'orgueil humain. Les sciences et les arts doivent donc leur naissance à nos vices : nous serions moins en doute sur leurs avantages, s'ils la devaient à nos vertus.

37. Le défaut de leur origine ne nous est que trop retracé dans leurs objets. Que ferions-nous des arts, sans le luxe qui les nourrit ? Sans les injustices des hommes, à quoi servirait la jurisprudence ? Que deviendrait l'histoire s'il n'y avait ni tyrans, ni guerres, ni conspirateurs ? Qui voudrait en un mot passer sa vie à de stériles contemplations, si chacun, ne consultant que les devoirs de l'homme et les besoins de la nature, n'avait de temps que pour la patrie, pour les malheureux et pour ses amis ? Sommes-nous donc faits pour mourir attachés sur les bords du puits où la vérité s'est retirée[75] ? Cette seule réflexion devrait rebuter dès les premiers pas tout homme qui chercherait sérieusement à s'instruire par l'étude de la philosophie.

---

e. On voit aisément l'allégorie de la fable de Prométhée[68] : et il ne paraît pas que les Grecs qui l'ont cloué sur le Caucase en pensassent guère plus favorablement que les Égyptiens de leur dieu Teuthe. « Le satyre, dit une ancienne fable, voulut baiser et embrasser le feu, la première fois qu'il le vit ; mais Prométhée lui cria : " Satyre, tu pleureras la barbe de ton menton. car il brûle quand on y touche[69]. " » C'est le sujet du frontispice[70].

38. Que de dangers ! Que de fausses routes dans l'investigation des sciences ! Par combien d'erreurs, mille fois plus dangereuses que la vérité n'est utile, ne faut-il point passer pour arriver à elle ? Le désavantage est visible ; car le faux est susceptible d'une infinité de combinaisons ; mais la vérité n'a qu'une manière d'être[76]. Qui est-ce, d'ailleurs, qui la cherche bien sincèrement ? Même avec la meilleure volonté, à quelles marques est-on sûr de la reconnaître ? Dans cette foule de sentiments différents, quel sera notre critérium pour en bien juger[f] ? Et ce qui est le plus difficile, si par bonheur nous la trouvons à la fin, qui de nous en saura faire un bon usage[79] ?

39. Si nos sciences sont vaines dans l'objet qu'elles se proposent, elles sont encore plus dangereuses par les effets qu'elles produisent. Nées dans l'oisiveté, elles la nourrissent à leur tour, et la perte irréparable du temps est le premier préjudice qu'elles causent nécessairement à la société. En politique, comme en morale, c'est un grand mal que de ne point faire de bien ; et tout citoyen inutile peut être regardé comme un homme pernicieux. Répondez-moi donc, philosophes illustres ; vous par qui nous savons en quelles raisons les corps s'attirent dans le vide ; quels sont, dans les révolutions des planètes, les rapports des aires parcourues en temps égaux ; quelles courbes ont des points conjugués, des points d'inflexion et de rebroussement ; comment l'homme voit tout en Dieu ; comment l'âme et le corps se correspondent sans communication, ainsi que feraient deux horloges ; quels astres peuvent être habités ; quels insectes se reproduisent d'une manière extraordinaire[80]. Répondez-moi, dis-je, vous de qui nous avons reçu tant de sublimes connaissances. Quand vous ne nous auriez jamais rien appris de ces choses, en serions-nous moins nombreux, moins bien gouvernés, moins redoutables, moins florissants ou plus pervers ? Revenez donc sur l'importance de vos productions ; et si les travaux des plus éclairés de nos savants et de nos meilleurs citoyens nous procurent si peu d'utilité, dites-nous ce que nous devons penser de cette foule d'écrivains obscurs et de lettrés oisifs, qui dévorent en pure perte la substance de l'État.

f. Moins on sait, plus on croit savoir, Les péripatéticiens[77] doutaient-ils de rien ? Descartes[78] n'a-t-il pas construit l'Univers avec des cubes et des tourbillons ? Et y a-t-il aujourd'hui même en Europe si mince physicien qui n'explique hardiment ce profond mystère de l'électricité, qui fera peut-être à jamais le désespoir des vrais philosophes ?

40. Que dis-je ? Oisifs ? Et plût à Dieu qu'ils le fussent en effet ! Les mœurs en seraient plus saines et la société plus paisible. Mais ces vains et futiles déclamateurs vont de tous côtés, armés de leurs funestes paradoxes, sapant les fondements de la foi et anéantissant la vertu. Ils sourient dédaigneusement à ces vieux mots de patrie et de religion et consacrent leurs talents et leur philosophie à détruire et avilir tout ce qu'il y a de sacré parmi les hommes. Non qu'au fond ils haïssent ni la vertu ni nos dogmes ; c'est de l'opinion publique qu'ils sont ennemis ; et pour les ramener aux pieds des autels, il suffirait de les reléguer parmi les athées. Ô fureur de se distinguer, que ne pouvez-vous point ?

41. C'est un grand mal que l'abus du temps. D'autres maux pires encore suivent les lettres et les arts. Tel est le luxe, né comme eux de l'oisiveté et de la vanité des hommes. Le luxe va rarement sans les sciences et les arts, et jamais ils ne vont sans lui. Je sais que notre philosophie, toujours féconde en maximes singulières, prétend, contre l'expérience de tous les siècles, que le luxe fait la splendeur des États. Mais après avoir oublié la nécessité des lois somptuaires [81], osera-t-elle nier encore que les bonnes mœurs ne soient essentielles à la durée des empires et que le luxe ne soit diamétralement opposé aux bonnes mœurs ? Que le luxe soit un signe certain des richesses, qu'il serve même si l'on veut à les multiplier, que faudra-t-il conclure de ce paradoxe si digne d'être né de nos jours ? Et que deviendra la vertu, quand il faudra s'enrichir à quelque prix que ce soit ? Les anciens politiques parlaient sans cesse de mœurs et de vertu ; les nôtres [82] ne parlent que de commerce et d'argent. L'un vous dira qu'un homme vaut en telle contrée la somme qu'on le vendrait à Alger ; un autre en suivant ce calcul trouvera des pays où un homme ne vaut rien, et d'autres où il vaut moins que rien [83]. Ils évaluent les hommes comme des troupeaux de bétail. Selon eux, un homme ne vaut à l'État que la consommation qu'il y fait. Ainsi un Sybarite aurait bien valu trente Lacédémoniens [84]. Qu'on devine donc laquelle de ces deux républiques, de Sparte ou de Sybaris, fut subjuguée par une poignée de paysans, et laquelle fit trembler l'Asie.

42. La monarchie de Cyrus a été conquise avec trente mille hommes par un prince plus pauvre que le moindre des satrapes de Perse [85] ; et les Scythes, le plus misérable de tous les peuples a résisté aux plus puissants monarques de l'univers. Deux fameuses républiques se disputèrent l'empire du monde ; l'une était très riche, l'autre n'avait rien, et ce fut celle-ci qui détruisit l'autre [86]. L'Empire romain à son tour, après avoir englouti toutes les richesses de l'univers, fut la proie de gens qui ne savaient pas même ce que c'était que richesse [87]. Les Francs conquirent les Gaules, les Saxons l'Angleterre sans autres trésors que leur bravoure et leur pauvreté [88]. Une troupe de pauvres montagnards dont toute l'avidité se bornait à quelques peaux de moutons, après avoir dompté la fierté autrichienne, écrasa cette opulente et redoutable Maison de Bourgogne, qui faisait trembler les potentats de l'Europe [89]. Enfin, toute la puissance et toute la sagesse de l'héritier de Charles Quint, soutenues de tous les trésors des Indes, vinrent se briser contre une poignée de pêcheurs de hareng [90]. Que nos politiques daignent suspendre leurs calculs pour réfléchir à ces exemples, et qu'ils apprennent une fois qu'on a de tout avec de l'argent, hormis des mœurs et des citoyens.

43. De quoi s'agit-il donc précisément dans cette question du luxe ? De savoir lequel importe le plus aux empires, d'être brillants et momentanés ou vertueux et durables. Je dis brillants, mais de quel éclat ? Le goût du faste ne s'associe guère dans les mêmes âmes avec celui de l'honnête. Non, il n'est pas possible que des esprits dégradés par une multitude de soins futiles s'élèvent jamais à rien de grand ; et quand ils en auraient la force, le courage leur manquerait.

44. Tout artiste veut être applaudi. Les éloges de ses contemporains sont la partie la plus précieuse de sa récompense. Que fera-t-il donc pour les obtenir, s'il a le malheur d'être né chez un peuple et dans des temps où les savants devenus à la mode ont mis une jeunesse frivole en état de donner le ton ; où les hommes ont sacrifié leur goût aux tyrans de leur liberté [g] ; où, l'un des sexes n'osant approuver que ce qui est proportionné à la pusillanimité de l'autre, on laisse tomber des chefs-d'œuvre de poésie dramatique et des prodiges d'harmonie sont rebutés ? Ce qu'il fera, messieurs ? Il rabaissera son génie au niveau de son siècle et aimera mieux composer des ouvrages

g. Je suis bien éloigné de penser que cet ascendant des femmes soit un mal en soi. C'est un présent que leur a fait la nature pour le bonheur du genre humain : mieux dirigé, il pourrait produire autant de bien qu'il fait de mal aujourd'hui. On ne sent point assez quels avantages naîtraient dans la société d'une meilleure éducation donnée à cette moitié du genre humain qui gouverne l'autre. Les hommes seront toujours ce qu'il plaira aux femmes : si vous voulez donc qu'ils deviennent grands et vertueux, apprenez aux femmes ce que c'est que grandeur d'âme et vertu. Les réflexions que ce sujet fournit, et que Platon a faites autrefois, mériteraient fort d'être mieux développées par une plume digne d'écrire d'après un tel maître et de défendre une si grande cause [91].

communs qu'on admire pendant sa vie que des merveilles qu'on n'admirerait que longtemps après sa mort. Dites-nous, célèbre Arouet[92], combien vous avez sacrifié de beautés mâles et fortes à notre fausse délicatesse, et combien l'esprit de la galanterie si fertile en petites choses vous en a coûté de grandes.

45. C'est ainsi que la dissolution des mœurs, suite nécessaire du luxe, entraîne à son tour la corruption du goût. Que si, par hasard, entre les hommes extraordinaires par leurs talents, il s'en trouve quelqu'un qui ait de la fermeté dans l'âme et qui refuse de se prêter au génie de son siècle et de s'avilir par des productions puériles, malheur à lui ! Il mourra dans l'indigence et dans l'oubli. Que n'est-ce ici un pronostic que je fais et non une expérience que je rapporte ! Carle[93], Pierre[94], le moment est venu où ce pinceau, destiné à augmenter la majesté de nos temples par des images sublimes et saintes, tombera de vos mains ou sera prostitué à orner de peintures lascives les panneaux d'un vis-à-vis[95]. Et toi, rival des Praxitèle et des Phidias[96], toi dont les Anciens auraient employé le ciseau à leur faire des dieux capables d'excuser à nos yeux leur idolâtrie, inimitable Pigalle[97], ta main se résoudra à ravaler le ventre d'un magot, ou il faudra qu'elle demeure oisive.

46. On ne peut réfléchir sur les mœurs qu'on ne se plaise à se rappeler l'image de la simplicité des premiers temps. C'est un beau rivage, paré des seules mains de la nature, vers lequel on tourne incessamment les yeux et dont on se sent éloigner à regret. Quand les hommes innocents et vertueux aimaient à avoir les dieux pour témoins de leurs actions, ils habitaient ensemble sous les mêmes cabanes. Mais bientôt devenus méchants, ils se lassèrent de ces incommodes spectateurs et les reléguèrent dans des temples magnifiques. Ils les en chassèrent enfin pour s'y établir eux-mêmes, ou du moins les temples des dieux ne se distinguèrent plus des maisons des citoyens. Ce fut alors le comble de la dépravation ; et les vices ne furent jamais poussés plus loin que quand on les[98] vit, pour ainsi dire, soutenus à l'entrée des palais des grands sur des colonnes de marbre et gravés sur des chapiteaux corinthiens.

47. Tandis que les commodités de la vie se multiplient, que les arts se perfectionnent et que le luxe s'étend, le vrai courage s'énerve, les vertus militaires s'évanouissent, et c'est encore l'ouvrage des sciences et de tous ces arts qui s'exercent dans l'ombre du cabinet. Quand les Goths ravagèrent la Grèce[99], toutes les bibliothèques ne furent sauvées du feu que par cette opinion semée par l'un d'entre eux qu'il fallait laisser aux ennemis des meubles si propres à les détourner de l'exercice militaire et à les amuser à des occupations oisives et sédentaires. Charles VIII se vit maître de la Toscane et du Royaume de Naples sans avoir presque tiré l'épée [100] ; et toute sa cour attribua cette facilité inespérée à ce que les princes et la noblesse d'Italie s'amusaient plus à se rendre ingénieux et savants qu'ils ne s'exerçaient à devenir vigoureux et guerriers. En effet, dit l'homme de sens qui rapporte ces deux traits [101], tous les exemples nous apprennent qu'en cette martiale police [102] et en toutes celles qui lui sont semblables, l'étude des sciences est bien plus propre à amollir et efféminer les courages qu'à les affermir et les animer.

48. Les Romains [103] ont avoué que la vertu militaire s'était éteinte parmi eux, à mesure qu'ils avaient commencé à se connaître en tableaux, en gravures, en vases d'orfèvrerie et à cultiver les beaux-arts. Et comme si cette contrée fameuse était destinée à servir sans cesse d'exemple aux autres peuples, l'élévation des Médicis [104] et le rétablissement des lettres ont fait tomber derechef et peut-être pour toujours cette réputation guerrière que l'Italie semblait avoir recouvrée il y a quelques siècles.

49. Les anciennes républiques de la Grèce, avec cette sagesse qui brillait dans la plupart de leurs institutions, avaient interdit à leurs citoyens tous ces métiers tranquilles et sédentaires qui, en affaissant et corrompant le corps, énervent sitôt la vigueur de l'âme [105]. De quel œil, en effet, pense-t-on que puissent envisager la faim, la soif, les fatigues, les dangers et la mort, des hommes que le moindre besoin accable et que la moindre peine rebute ? Avec quel courage les soldats supporteront-ils des travaux excessifs dont ils n'ont aucune habitude ? Avec quelle ardeur feront-ils des marches forcées sous des officiers qui n'ont pas même la force de voyager à cheval ? Qu'on ne m'objecte point la valeur renommée de tous ces modernes guerriers si savamment disciplinés. On me vante bien leur bravoure en un jour de bataille, mais on ne me dit point comment ils supportent l'excès du travail, comment ils résistent à la rigueur des saisons et aux intempéries de l'air. Il ne faut qu'un peu de soleil ou de neige, il ne faut que la privation de quelques superfluités pour fondre et détruire en peu de jours la meilleure de nos armées. Guerriers intrépides, souffrez une fois la vérité qu'il vous est si rare d'entendre ; vous êtes braves, je le sais ; vous eussiez triomphé avec Annibal [106] à Cannes et à Trasimène ; César [107] avec vous eût passé le

Rubicon et asservi son pays ; mais ce n'est point avec vous que le premier eût traversé les Alpes et que l'autre eût vaincu vos aïeux.

50. Les combats ne font pas toujours le succès de la guerre, et il est pour les généraux un art supérieur à celui de gagner des batailles. Tel court au feu avec intrépidité, qui ne laisse pas d'être un très mauvais officier ; dans le soldat même, un peu plus de force et de vigueur serait peut-être plus nécessaire que tant de bravoure qui ne le garantit pas de la mort ; et qu'importe à l'État que ses troupes périssent par la fièvre et le froid ou par le fer de l'ennemi.

51. Si la culture des sciences est nuisible aux qualités guerrières, elle l'est encore plus aux qualités morales. C'est dès nos premières années qu'une éducation insensée orne notre esprit et corrompt notre jugement. Je vois de toutes parts des établissements immenses, où l'on élève à grands frais la jeunesse pour lui apprendre toutes choses, excepté ses devoirs. Vos enfants ignoreront leur propre langue, mais ils en parleront d'autres qui ne sont en usage nulle part[108] ; ils sauront composer des vers qu'à peine ils pourront comprendre ; sans savoir démêler l'erreur de la vérité, ils posséderont l'art de les rendre méconnaissables aux autres par des arguments spécieux[109]. Mais ces mots de magnanimité, d'équité, de tempérance, d'humanité, de courage, ils ne sauront ce que c'est ; ce doux nom de patrie ne frappera jamais leur oreille ; et s'ils entendent parler de Dieu, ce sera moins pour le craindre que pour en avoir peur[h]. J'aimerais autant, disait un sage[111], que mon écolier eût passé le temps dans un jeu de paume, au moins le corps en serait plus dispos. Je sais qu'il faut occuper les enfants et que l'oisiveté est pour eux le danger le plus à craindre. Que faut-il donc qu'ils apprennent ? Voilà certes une belle question[112] ! Qu'ils apprennent ce qu'ils doivent faire étant hommes[i][113], et non ce qu'ils doivent oublier.

---

h. *Pens. Philosoph.*[110].

i. Telle était l'éducation des Spartiates, au rapport du plus grand de leurs rois. « C'est, dit Montaigne, chose digne de très grande considération qu'en cette excellente législation de Lycurgue[114], en vérité monstrueuse par sa perfection, mais très soucieuse de l'éducation des enfants, comme de sa principale charge, et au gîte même des Muses[115], il s'y fasse si peu mention de la science. Comme si cette généreuse jeunesse dédaignant tout autre joug, on a dû lui fournir, au lieu de nos maîtres de science, seulement des maîtres de vaillance, de prudence et de justice. »

Voyons maintenant comment le même auteur parle des anciens Perses, « Platon, dit-il, raconte que le fils aîné de leur famille royale était éduqué comme suit. Après sa

52. Nos jardins sont ornés de statues et nos galeries de tableaux. Que penseriez-vous que représentent ces chefs-d'œuvre de l'art exposés à l'admiration publique ? Les défenseurs de la patrie ? Ou ces hommes plus grands encore qui l'ont enrichie par leurs vertus ? Non. Ce sont des images de tous les égarements du cœur et de la raison, tirées soigneusement de l'ancienne mythologie et présentées de bonne heure à la curiosité de nos enfants, sans doute afin qu'ils aient sous leurs yeux des modèles de mauvaises actions, avant même que de savoir lire.

53. D'où naissent tous ces abus, si ce n'est de l'inégalité funeste introduite entre les hommes par la distinction des talents et par l'avilissement des vertus ? Voilà l'effet le plus évident de toutes nos études et la plus dangereuse de toutes leurs conséquences. On ne demande plus d'un homme s'il a de la probité, mais s'il a des talents, ni d'un livre s'il est utile, mais s'il est bien écrit. Les récompenses sont prodiguées au bel esprit, et la vertu reste sans honneurs. Il y a mille prix pour les beaux discours, aucun pour les belles actions. Qu'on me dise, cependant, si la gloire attachée au meilleur des discours qui seront couronnés dans cette académie est comparable au mérite d'en avoir fondé le prix ?

54. Le sage ne court point après la fortune, mais il n'est pas insensible à la gloire ; et quand il la voit si mal distribuée, sa vertu, qu'un peu d'émulation aurait animée et rendu [120] avantageuse à la société,

---

naissance, on le donnait, non à des femmes, mais à des eunuques de la première autorité auprès du roi à cause de leur vertu. Ceux-ci se chargeaient de lui rendre le corps beau et sain et, après sept ans, lui apprenaient à monter à cheval et aller à la chasse. Quand il avait quatorze ans, ils le déposaient entre les mains de quatre maîtres : le plus sage, le plus juste, le plus tempérant, le plus vaillant de la nation. Le premier lui apprenait la religion, le second à être toujours véridique, le troisième à vaincre ses désirs, le quatrième à ne rien craindre. Tous, ajouterai-je, à le rendre bon, aucun à le rendre savant.

« Astyage, dans l'œuvre de Xénophon [116], demande compte à Cyrus de sa dernière leçon : " C'est, dit-il, qu'en notre école un grand garçon qui avait un petit manteau le donna à l'un de ses compagnons de plus petite taille, en lui ôtant son manteau qui était plus grand. Notre professeur m'ayant fait juge de ce différend, je jugeai qu'il fallait laisser les choses comme ça et que l'un et l'autre semblaient être mieux accommodés. Sur quoi il me montra que j'avais mal fait ; car je m'étais arrêté à considérer la bienséance, alors qu'il fallait premièrement avoir pourvu à la justice, qui voulait que nul ne fut obligé de céder ce qui lui appartenait. " Et Cyrus dit qu'il fut puni pour cela, comme on nous punit en nos villages pour avoir oublié le premier aoriste de *τυπτω* [117]. Mon professeur me ferait une belle harangue, *in genere demonstrativo* [118], avant qu'il me persuadât que son école vaut celle-là [119]. »

tombe en langueur et s'éteint dans la misère et dans l'oubli. Voilà ce qu'à la longue doit produire partout la préférence des talents agréables sur les talents utiles et ce que l'expérience n'a que trop confirmé depuis le renouvellement des sciences et des arts. Nous avons des physiciens, des géomètres, des chimistes, des astronomes, des poètes, des musiciens, des peintres ; nous n'avons plus de citoyens ; ou s'il nous en reste encore, dispersés dans nos campagnes abandonnées, ils y périssent indigents et méprisés. Tel est l'état où sont réduits, tels sont les sentiments qu'obtiennent de nous ceux qui nous donnent du pain et qui donnent du lait à nos enfants [121].

55. Je l'avoue, cependant : le mal n'est pas aussi grand qu'il aurait pu le devenir. La prévoyance éternelle, en plaçant à côté de diverses plantes nuisibles des simples [122] salutaires et dans la substance de plusieurs animaux malfaisants le remède à leurs blessures, a enseigné aux souverains, qui sont ses ministres, à imiter sa sagesse. C'est à son exemple que du sein même des sciences et des arts, sources de mille dérèglements, ce grand monarque dont la gloire ne fera qu'acquérir d'âge en âge un nouvel éclat [123] tira ces sociétés célèbres, chargées à la fois du dangereux dépôt des connaissances humaines et du dépôt sacré des mœurs par l'attention qu'elles ont d'en maintenir chez elles toute la pureté et de l'exiger dans les membres qu'elles reçoivent.

56. Ces sages institutions, affermies par son auguste successeur [124] et imitées par tous les rois de l'Europe, serviront du moins de frein aux gens de lettres qui, tous aspirant à l'honneur d'être admis dans les académies, veilleront sur eux-mêmes et tâcheront de s'en rendre dignes par des ouvrages utiles et des mœurs irréprochables. Celles de ces compagnies qui, pour les prix dont elles honorent le mérite littéraire, feront un choix de sujets propres à ranimer l'amour de la vertu dans les cœurs des citoyens, montreront que cet amour règne parmi elles et donneront aux peuples ce plaisir si rare et si doux de voir des sociétés savantes se dévouer à verser sur le genre humain, non seulement des lumières agréables, mais aussi des instructions salutaires.

57. Qu'on ne m'oppose donc point une objection qui n'est pour moi qu'une nouvelle preuve. Tant de soins ne montrent que trop la nécessité de les prendre, et l'on ne cherche point des remèdes à des maux qui n'existent pas. Pourquoi faut-il que ceux-ci portent encore par leur insuffisance le caractère des remèdes ordinaires ? Tant d'établissements faits à l'avantage des savants n'en sont que plus capables d'en imposer sur les objets des sciences et de tourner les esprits à leur culture. Il semble, aux précautions qu'on prend, qu'on ait trop de laboureurs et qu'on craigne de manquer de philosophes. Je ne veux point hasarder ici une comparaison de l'agriculture et de la philosophie: on ne la supporterait pas. Je demanderai seulement: «Qu'est-ce que la philosophie? Que contiennent les écrits de philosophes les plus connus? Quelles sont les leçons de ces amis de la sagesse [125]?» À les entendre, ne les prendrait-on pas pour une troupe de charlatans criant, chacun de son côté sur une place publique: «Venez à moi, c'est moi seul qui ne trompe point?» L'un prétend qu'il n'y a point de corps et que tout est en représentation [126]; l'autre, qu'il n'y a d'autre substance que la matière ni d'autre dieu que le monde [127]. Celui-ci avance qu'il n'y a ni vertus ni vices et que le bien et le mal moral sont des chimères [128]; celui-là, que les hommes sont des loups et peuvent se dévorer en sûreté de conscience [129]. Ô grands philosophes! que ne réservez-vous pour vos amis et pour vos enfants ces leçons profitables; vous en recevriez bientôt le prix, et nous ne craindrions pas de trouver dans les nôtres quelqu'un de vos sectateurs.

58. Voilà donc les hommes merveilleux à qui l'estime de leurs contemporains a été prodiguée pendant leur vie et l'immortalité réservée après leur trépas! Voilà les sages maximes que nous avons reçues d'eux et que nous transmettrons d'âge en âge à nos descendants. Le paganisme, livré à tous les égarements de la raison humaine, a-t-il laissé à la postérité rien qu'on puisse comparer aux monuments honteux que lui a préparés l'imprimerie sous le règne de l'Évangile? Les écrits impies des Leucippes [130] et des Diagoras [131] sont péris [132] avec eux. On n'avait point encore inventé l'art d'éterniser les extravagances de l'esprit humain. Mais grâce aux caractères typographiques [j] et à l'usage

---

j. À considérer les désordres affreux que l'imprimerie a déjà causés en Europe, à juger de l'avenir par le progrès que le mal fait d'un jour à l'autre, on peut prévoir aisément que les souverains ne tarderont pas à se donner autant de soins pour bannir cet art terrible de leurs États qu'ils en ont pris pour l'y établir. Le sultan Achmet [133] cédant aux importunités de quelques prétendus gens de goût avait consenti d'établir [134] une imprimerie à Constantinople. Mais à peine la presse fut-elle en train qu'on fut contraint de la détruire et d'en jeter les instruments dans un puits. On dit que le calife Omar, consulté sur ce qu'il fallait faire de la bibliothèque d'Alexandrie, répondit en ces termes: «Si les livres de cette bibliothèque contiennent des choses opposées à l'Alcoran, ils sont mauvais, et il faut les brûler. S'ils ne contiennent que la doctrine de l'Alcoran, brûlez-les encore: ils sont superflus [135].» Nos savants [136] ont cité ce raisonnement comme le comble de l'absurdité. Cependant, supposé Grégoire le Grand [137] à la place d'Omar et

que nous en faisons, les dangereuses rêveries des Hobbes et des Spinozas resteront à jamais. Allez, écrits célèbres dont l'ignorance et la rusticité de nos pères n'auraient point été capables [138]; accompagnez chez nos descendants ces ouvrages plus dangereux encore d'où s'exhale la corruption des mœurs de notre siècle [139], et portez ensemble aux siècles à venir une histoire fidèle du progrès et des avantages de nos sciences et de nos arts. S'ils vous lisent, vous ne leur laisserez aucune perplexité sur la question que nous agitons aujourd'hui et, à moins qu'ils ne soient plus insensés que nous, ils lèveront leurs mains au Ciel et diront dans l'amertume de leur cœur: «Dieu tout-puissant, toi qui tiens dans tes mains les esprits, délivre-nous des lumières et des funestes arts de nos pères et rends-nous l'ignorance, l'innocence et la pauvreté, les seuls biens qui puissent faire notre bonheur et qui soient précieux devant toi.»

59. Mais si le progrès des sciences et des arts n'a rien ajouté à notre véritable félicité, s'il a corrompu nos mœurs et si la corruption des mœurs a porté atteinte à la pureté du goût, que penserons-nous de cette foule d'auteurs élémentaires qui ont écarté du temple des Muses les difficultés qui défendaient son abord et que la nature y avait répandues comme une épreuve des forces de ceux qui seraient tentés de savoir? Que penserons-nous de ces compilateurs d'ouvrages [140] qui ont indiscrètement [141] brisé la porte des sciences et introduit dans leur sanctuaire une populace indigne d'en approcher, tandis qu'il serait à souhaiter que tous ceux qui ne pouvaient avancer loin dans la carrière des lettres eussent été rebutés dès l'entrée et se fussent jetés dans des arts utiles à la société? Tel qui sera toute sa vie un mauvais versificateur, un géomètre subalterne, serait peut-être devenu un grand fabricateur d'étoffes. Il n'a point fallu de maîtres à ceux que la nature destinait à faire des disciples. Les Verulams [142], les Descartes et les Newtons [142], ces précepteurs du genre humain, n'en ont point eu eux-mêmes. Et quels guides les eussent conduits jusqu'où leur vaste génie les a portés? Des maîtres ordinaires n'auraient pu que rétrécir leur entendement en le resserrant dans l'étroite capacité du leur: c'est par les premiers obstacles qu'ils ont appris à faire des efforts et qu'ils se sont exercés à franchir l'espace immense qu'ils ont parcouru. S'il faut permettre à quelques hommes de se livrer à l'étude des sciences et des

---

l'Évangile à la place de l'Alcoran, la bibliothèque aurait encore été brûlée, et ce serait peut-être le plus beau trait de la vie de cet illustre pontife.

arts, ce n'est qu'à ceux qui se sentiront la force de marcher seuls sur leurs traces et de les devancer. C'est à ce petit nombre qu'il appartient d'élever des monuments à la gloire de l'esprit humain. Mais si l'on veut que rien ne soit au-dessus de leur génie, il faut que rien ne soit au-dessus de leurs espérances. Voilà l'unique encouragement dont ils ont besoin. L'âme se proportionne insensiblement aux objets qui l'occupent, et ce sont les grandes occasions qui font les grands hommes. Le prince de l'éloquence [144] fut consul de Rome, et le plus grand, peut-être, des philosophes, chancelier d'Angleterre [145]. Croit-on que si l'un n'eût occupé qu'une chaire dans quelque université et que l'autre n'eût obtenu qu'une modique pension d'académie ; croit-on, dis-je, que leurs ouvrages ne se sentiraient pas de leur état ? Que les rois ne dédaignent donc pas d'admettre dans leurs conseils les gens les plus capables de les bien conseiller : qu'ils renoncent à ce vieux préjugé, inventé par l'orgueil des grands, que l'art de conduire les peuples est plus difficile que celui de les éclairer, comme s'il était plus aisé d'engager les hommes à bien faire de leur bon gré que de les y contraindre par la force. Que les savants du premier ordre trouvent dans leurs cours d'honorables asiles. Qu'ils y obtiennent la seule récompense digne d'eux : celle de contribuer par leur crédit au bonheur des peuples à qui ils auront enseigné la sagesse. C'est alors seulement qu'on verra ce que peuvent la vertu, la science et l'autorité animées d'une noble émulation et travaillant de concert à la félicité du genre humain. Mais tant que la puissance sera seule d'un côté, les lumières et la sagesse seules d'un autre, les savants penseront rarement de grandes choses, les princes en feront plus rarement de belles et les peuples continueront d'être vils, corrompus et malheureux.

60. Pour nous, hommes vulgaires, à qui le ciel n'a point départi de si grands talents et qu'il ne destine pas à tant de gloire, restons dans notre obscurité. Ne courons point après une réputation qui nous échapperait et qui, dans l'état présent des choses, ne nous rendrait jamais ce qu'elle nous aurait coûté quand nous aurions tous les titres pour l'obtenir. À quoi bon chercher notre bonheur dans l'opinion d'autrui si nous pouvons le trouver en nous-mêmes ? Laissons à d'autres le soin d'instruire les peuples de leurs devoirs, et bornons-nous à bien remplir les nôtres ; nous n'avons pas besoin d'en savoir davantage.

61. Ô vertu ! Science sublime des âmes simples, faut-il donc tant de peines et d'appareil pour te connaître ? Tes principes ne sont-ils pas gravés dans tous les cœurs, et ne suffit-il pas pour apprendre tes lois de rentrer en soi-même et d'écouter la voix de sa conscience dans le silence des passions ? Voilà la véritable philosophie, sachons nous en contenter ; et sans envier la gloire de ces hommes célèbres qui s'immortalisent dans la république des lettres [146], tâchons de mettre entre eux et nous cette distinction glorieuse qu'on remarquait jadis entre deux grands peuples, que l'un savait bien dire et l'autre, bien faire [147].

FIN

PRÉFACE AU NARCISSE

1. J'ai écrit cette comédie[148] à l'âge de dix-huit ans, et je me suis gardé de la montrer aussi longtemps que j'ai tenu quelque compte de la réputation d'auteur. Je me suis enfin senti le courage de la publier, mais je n'aurai jamais celui d'en rien dire. Ce n'est donc pas de ma pièce, mais de moi-même qu'il s'agit ici.

2. Il faut, malgré ma répugnance, que je parle de moi ; il faut que je convienne des torts que l'on m'attribue ou que je m'en justifie[149]. Les armes ne seront pas égales, je le sens bien ; car on m'attaquera avec des plaisanteries, et je ne me défendrai qu'avec des raisons. Mais pourvu que je convainque mes adversaires, je me soucie très peu de les persuader ; en travaillant à mériter ma propre estime, j'ai appris à me passer de celle des autres, qui, pour la plupart, se passent bien de la mienne. Mais s'il ne m'importe guère qu'on pense bien ou mal de moi, il m'importe que personne n'ait droit d'en mal penser, et il importe à la vérité que j'ai soutenue que son défenseur ne soit point accusé justement de ne lui avoir prêté son secours que par caprice ou par vanité, sans l'aimer et la connaître.

3. Le parti que j'ai pris dans la question que j'examinais il y a quelques années n'a pas manqué de me susciter une multitude d'adversaires[a] plus attentifs peut-être à l'intérêt des gens de lettres qu'à

---

a. On m'assure que plusieurs trouvent mauvais que j'appelle mes adversaires mes adversaires, et cela me paraît assez croyable dans ce siècle où l'on n'ose plus rien appeler par son nom. J'apprends aussi que chacun de mes adversaires se plaint, quand je réponds à d'autres objections que les siennes, que je perds mon temps à me battre contre des chimères : ce qui me prouve une chose dont je me doutais déjà bien, savoir

l'honneur de la littérature. Je l'avais prévu, et je m'étais bien douté que leur conduite en cette occasion prouverait en ma faveur plus que tous mes discours. En effet, ils n'ont déguisé ni leur surprise, ni leur chagrin, de ce qu'une académie s'était montrée intègre si mal à propos. Ils n'ont épargné contre elle ni les invectives indiscrètes [154], ni même les faussetés [b], pour tâcher d'affaiblir le poids de son jugement. Je n'ai pas non plus été oublié dans leurs déclamations. Plusieurs ont entrepris de me réfuter hautement ; les sages ont pu voir avec quelle force, et le public avec quel succès, ils l'ont fait. D'autres, plus adroits, connaissant le danger de combattre directement des vérités démontrées, ont habilement détourné sur ma personne une attention qu'il ne fallait donner qu'à mes raisons, et l'examen des accusations qu'ils m'ont intentées a fait oublier les accusations plus graves que je leur intentais moi-même. C'est donc à ceux-ci qu'il faut répondre une fois.

4. Ils prétendent que je ne pense pas un mot des vérités que j'ai soutenues et qu'en démontrant une proposition, je ne laissais pas de croire le contraire. C'est-à-dire que j'ai prouvé des choses si

---

qu'ils ne perdent point le leur à se lire ou à s'écouter les uns les autres. Quant à moi, c'est une peine que j'ai cru devoir prendre, et j'ai lu les nombreux écrits qu'ils ont publiés contre moi, depuis la première réponse dont je fus honoré [150] jusqu'aux quatre sermons allemands dont l'un commence à peu près de cette manière : « Mes frères, si Socrate revenait parmi nous et qu'il vît l'état florissant où les sciences sont en Europe ; que dis-je, en Europe ? en Allemagne : que dis-je, en Allemagne ? en Saxe ; que dis-je, en Saxe ? à Leipzig ; que dis-je, à Leipzig ? dans cette université. Alors saisi d'étonnement. et pénétré de respect, Socrate s'assiérait modestement parmi nos écoliers : et recevant nos leçons avec humilité, il perdrait bientôt avec nous cette ignorance dont il se plaignait si justement [151]. » J'ai lu tout cela et n'y ai fait que peu de réponses [151] ; peut-être en ai-je encore trop fait, mais je suis fort aise que ces messieurs les aient trouvées assez agréables pour être jaloux de la préférence. Pour les gens qui sont choqués du mot d'adversaires, je consens de bon cœur à le leur abandonner, pourvu qu'ils veuillent bien m'en indiquer un autre par lequel je puisse désigner, non seulement tous ceux qui ont combattu mon sentiment, soit par écrit, soit, plus prudemment et plus à leur aise, dans les cercles de femmes et de beaux esprits, où ils étaient bien sûrs que je n'irais pas me défendre, mais encore ceux qui, feignant aujourd'hui de croire que je n'ai point d'adversaires, trouvaient d'abord sans réplique les réponses de mes adversaires, puis, quand j'ai répliqué. m'ont blâmé de l'avoir fait, parce que, selon eux, on ne m'avait point attaqué. En attendant, ils permettront que je continue d'appeler mes adversaires mes adversaires : car, malgré la politesse de mon siècle, je suis grossier comme les Macédoniens de Philippe [153].

b. On peut voir, dans le Mercure d'août 1752, le désaveu de l'Académie de Dijon au sujet de je ne sais quel écrit attribué faussement par l'auteur à l'un des membres de cette académie [155].

extravagantes qu'on peut affirmer que je n'ai pu les soutenir que par jeu. Voilà un bel honneur qu'ils font en cela à la science qui sert de fondement à toutes les autres ; et l'on doit croire que l'art de raisonner sert de beaucoup à la découverte de la vérité, quand on le voit employer avec succès à démontrer des folies !

5. Ils prétendent que je ne pense pas un mot des vérités que j'ai soutenues ; c'est sans doute de leur part une manière nouvelle et commode de répondre à des arguments sans réponse, de réfuter les démonstrations même d'Euclide[156] et tout ce qu'il y a de démontré dans l'univers. Il me semble à moi que ceux qui m'accusent si témérairement de parler contre ma pensée ne se font pas eux-mêmes un grand scrupule de parler contre la leur ; car ils n'ont assurément rien trouvé dans mes écrits ni dans ma conduite qui ait dû leur inspirer cette idée, comme je le prouverai bientôt ; et il ne leur est pas permis d'ignorer que dès qu'un homme parle sérieusement, on doit penser qu'il croit ce qu'il dit, à moins que ses actions ou ses discours ne le démentent ; encore cela même ne suffit-il pas toujours pour s'assurer qu'il n'en croit rien.

6. Ils peuvent donc crier autant qu'il leur plaira qu'en me déclarant contre les sciences, j'ai parlé contre mon sentiment ; à une assertion aussi téméraire, dénuée également de preuve et de vraisemblance, je ne sais qu'une réponse ; elle est courte et énergique, et je les prie de se la tenir pour faite.

7. Ils prétendent encore que ma conduite est en contradiction avec mes principes, et il ne faut pas douter qu'ils n'emploient cette seconde instance à établir la première ; car il y a beaucoup de gens qui savent trouver des preuves à ce qui n'est pas. Ils diront donc qu'en faisant de la musique et des vers, on a mauvaise grâce à déprimer les beaux-arts et qu'il y a dans les belles-lettres, que j'affecte de mépriser, mille occupations plus louables que d'écrire des comédies. Il faut répondre aussi à cette accusation.

8. Premièrement, quand même on l'admettrait dans toute sa rigueur, je dis qu'elle prouverait que je me conduis mal, mais non que je ne parle pas de bonne foi. S'il était permis de tirer des actions des hommes la preuve de leurs sentiments, il faudrait dire que l'amour de la justice est banni de tous les cœurs et qu'il n'y a pas un seul chrétien sur la terre. Qu'on me montre des hommes qui agissent toujours conséquemment à leurs maximes, et je passe condamnation sur les miennes. Tel est le sort de l'humanité : la raison nous montre le but, et les passions nous en écartent. Quand il serait vrai que je n'agis pas selon mes principes, on n'aurait donc pas raison de m'accuser pour cela seul de parler contre mon sentiment, ni d'accuser mes principes de fausseté.

9. Mais si je voulais passer condamnation sur ce point, il me suffirait de comparer les temps pour concilier les choses. Je n'ai pas toujours eu leur bonheur de penser comme je fais. Longtemps séduit par les préjugés de mon siècle, je prenais l'étude pour la seule occupation digne d'un sage, je ne regardais les sciences qu'avec respect et les savants avec admiration [c]. Je ne comprenais pas qu'on pût s'égarer en démontrant toujours, ni mal faire en parlant toujours de sagesse. Ce n'est qu'après avoir vu les choses de près que j'ai appris à les estimer ce qu'elles valent; et quoique dans mes recherches j'aie toujours trouvé *satis loquentiæ sapientiæ parum* [157], il m'a fallu bien des réflexions, bien des observations et bien du temps pour détruire en moi l'illusion de toute cette vaine pompe scientifique. Il n'est pas étonnant que durant ces temps de préjugés et d'erreurs où j'estimais tant la qualité d'auteur, j'aie quelquefois aspiré à l'obtenir moi-même. C'est alors que furent composés les vers et la plupart des autres écrits qui sont sortis de ma plume, et entre autres cette petite comédie. Il y aurait peut-être de la dureté à me reprocher aujourd'hui ces amusements de ma jeunesse, et on aurait tort au moins de m'accuser d'avoir contredit en cela des principes qui n'étaient pas encore les miens. Il y a longtemps que je ne mets plus à toutes ces choses aucune espèce de prétention ; et hasarder de les donner au public dans ces circonstances, après avoir eu la prudence de les garder si longtemps, c'est dire assez que je dédaigne également la louange et le blâme qui peuvent leur être dus, car je ne pense plus comme l'auteur dont ils sont l'ouvrage. Ce sont des enfants illégitimes que l'on caresse encore avec plaisir en rougissant d'en être le père, à qui l'on fait ses derniers adieux ; et qu'on envoie chercher fortune, sans beaucoup s'embarrasser de ce qu'ils deviendront [158].

---

c. Toutes les fois que je songe à mon ancienne simplicité, je ne puis m'empêcher d'en rire. Je ne lisais pas un livre de morale ou de philosophie que je ne crusse y voir l'âme et les principes de l'auteur. Je regardais tous ces graves écrivains comme des hommes modestes, sages, vertueux, irréprochables. Je me formais de leur commerce des idées angéliques, et je n'aurais approché de la maison de l'un d'eux que comme d'un sanctuaire. Enfin je les ai vus, un préjugé puéril s'est dissipé, et c'est la seule erreur dont ils m'aient guéri.

10. Mais c'est trop raisonner d'après des suppositions chimériques. Si l'on m'accuse sans raison de cultiver les lettres que je méprise, je m'en défends sans nécessité ; car, quand le fait serait vrai, il n'y aurait en cela aucune inconséquence. C'est ce qui me reste à prouver.

11. Je suivrai pour cela, selon ma coutume, la méthode simple et facile qui convient à la vérité. J'établirai de nouveau l'état de la question, j'exposerai de nouveau mon sentiment et j'attendrai que sur cet exposé on veuille me montrer en quoi mes actions démentent mes discours. Mes adversaires de leur côté n'auront garde de demeurer sans réponse, eux qui possèdent l'art merveilleux de disputer pour et contre sur toutes sortes de sujets. Ils commenceront, selon leur coutume, par établir une autre question à leur fantaisie ; ils me la feront résoudre comme il leur conviendra : pour m'attaquer plus commodément, ils me feront raisonner, non à ma manière mais à la leur ; ils détourneront habilement les yeux du lecteur de l'objet essentiel pour les fixer à droite et à gauche ; ils combattront un fantôme et prétendront m'avoir vaincu. Mais j'aurai fait ce que je dois faire, et je commence.

12. « La science n'est bonne à rien et ne fait jamais que du mal, car elle est mauvaise par sa nature. Elle n'est pas moins inséparable du vice que l'ignorance de la vertu. Tous les peuples lettrés ont toujours été corrompus ; tous les peuples ignorants ont été vertueux ; en un mot, il n'y a de vices que parmi les savants, ni d'homme vertueux que celui qui ne sait rien. Il y a donc un moyen pour nous de redevenir honnêtes gens ; c'est de nous hâter de proscrire la science et les savants, de brûler nos bibliothèques, de fermer nos académies, nos collèges, nos universités et de nous replonger dans toute la barbarie des premiers siècles. »

13. Voilà ce que mes adversaires ont très bien réfuté ; aussi jamais n'ai-je dit ni pensé un seul mot de tout cela, et l'on ne saurait rien imaginer de plus opposé à mon système que cette absurde doctrine qu'ils ont la bonté de m'attribuer. Mais voici ce que j'ai dit et qu'on n'a point réfuté.

14. Il s'agissait de savoir si le rétablissement des sciences et des arts a contribué à épurer nos mœurs [158].

15. En montrant, comme je l'ai fait, que nos mœurs ne se sont point épurées [d], la question était à peu près résolue.

16. Mais elle en renfermait implicitement une autre plus générale et plus importante sur l'influence que la culture des sciences doit avoir en toute occasion sur les mœurs des peuples. C'est celle-ci, dont la première n'est qu'une conséquence, que je me proposais d'examiner avec soin.

17. Je commençai par les faits, et je montrai que les mœurs ont dégénéré chez tous les peuples du monde, à mesure que le goût de l'étude et des lettres s'est étendu parmi eux.

18. Ce n'était pas assez ; car sans pouvoir nier que ces choses eussent toujours marché ensemble, on pouvait nier que l'une eût amené l'autre ; je m'appliquai donc à montrer cette liaison nécessaire. Je fis voir que la source de nos erreurs sur ce point vient de ce que nous confondons nos vaines et trompeuses connaissances avec la souveraine intelligence qui voit d'un coup d'œil la vérité de toutes choses. La science prise d'une manière abstraite mérite toute notre admiration. La folle science des hommes n'est digne que de risée et de mépris.

---

d. Quand j'ai dit que nos mœurs s'étaient corrompues, je n'ai pas prétendu dire pour cela que celles de nos aïeux fussent bonnes, mais seulement que les nôtres étaient encore pires. Il y a parmi les hommes mille sources de corruption et, quoique les sciences soient peut-être la plus abondante et la plus rapide, il s'en faut bien que ce soit la seule. La ruine de l'Empire romain. les invasions d'une multitude de barbares ont fait un mélange de tous les peuples, qui a dû nécessairement détruire les mœurs et les coutumes de chacun d'eux. Les croisades. le commerce, la découverte des Indes, la navigation, les voyages de long cours et d'autres causes encore que je ne veux pas dire [160] ont entretenu et augmenté le désordre. Tout ce qui facilite la communication entre les diverses nations porte aux unes, non les vertus des autres, mais leurs crimes. et altère chez tous les mœurs qui sont propres à leur climat et à la constitution de leur gouvernement [161]. Les sciences n'ont donc pas fait tout le mal, elles y ont seulement leur bonne part ; et celui surtout qui leur appartient en propre, c'est d'avoir donné à nos vices une couleur agréable, un certain air honnête qui nous empêche d'en avoir horreur. Quand on joua pour la première fois la comédie du *Méchant* [162], je me souviens qu'on ne trouvait pas que le rôle principal répondît au titre. Cléon ne parut qu'un homme ordinaire : il était, disait-on, comme tout le monde. Ce scélérat abominable, dont le caractère si bien exposé aurait dû faire frémir sur eux-mêmes tous ceux qui ont le malheur de lui ressembler, parut un caractère tout à fait manqué, et les noirceurs passèrent pour des gentillesses, parce que tel qui se croyait un fort honnête homme s'y reconnaissait trait pour trait [163].

19. Le goût des lettres annonce toujours chez un peuple un commencement de corruption qu'il accélère très promptement. Car ce goût ne peut naître ainsi dans toute une nation que de deux mauvaises sources que l'étude entretient et grossit à son tour, savoir l'oisiveté et le désir de se distinguer. Dans un État bien constitué, chaque citoyen a ses devoirs à remplir, et ces soins importants lui sont trop chers pour lui laisser le loisir de vaquer à de frivoles spéculations. Dans un État bien constitué, tous les citoyens sont si bien égaux que nul ne peut être préféré aux autres comme le plus savant, ni même comme le plus habile, mais tout au plus comme le meilleur. Encore cette dernière distinction est-elle souvent dangereuse, car elle fait des fourbes et des hypocrites.

20. Le goût des lettres, qui naît du désir de se distinguer, produit nécessairement des maux infiniment plus dangereux que tout le bien qu'elles font n'est utile ; c'est de rendre à la fin ceux qui s'y livrent très peu scrupuleux sur les moyens de réussir. Les premiers philosophes se firent une grande réputation en enseignant aux hommes la pratique de leurs devoirs et les principes de la vertu. Mais bientôt ces préceptes étant devenus communs, il fallut se distinguer en frayant des routes contraires. Telle est l'origine des systèmes absurdes des Leucippes[164], des Diogènes[165], des Pyrrhons[166], des Protagoras[167], des Lucrèces[168]. Les Hobbes[169], les Mandevilles[170] et mille autres ont affecté de se distinguer de même parmi nous ; et leur dangereuse doctrine a tellement fructifié que, quoiqu'il nous reste de vrais philosophes ardents à rappeler dans nos cœurs les lois de l'humanité et de la vertu, on est épouvanté de voir jusqu'à quel point notre siècle raisonneur a poussé dans ses maximes le mépris des devoirs de l'homme et du citoyen.

21. Le goût des lettres, de la philosophie et des beaux-arts anéantit l'amour de nos premiers devoirs et de la véritable gloire. Quand une fois les talents ont envahi les honneurs dus à la vertu, chacun veut être un homme agréable, et nul ne se soucie d'être homme de bien. De là naît encore cette autre inconséquence, qu'on ne récompense dans les hommes que les qualités qui ne dépendent pas d'eux ; car nos talents naissent avec nous, nos vertus seules nous appartiennent.

22. Les premiers et presque les uniques soins qu'on donne à notre éducation sont les fruits et les semences de ces ridicules préjugés. C'est pour nous enseigner les lettres qu'on tourmente notre misérable jeunesse : nous savons toutes les règles de la grammaire avant que d'avoir ouï parler des devoirs de l'homme ; nous savons tout ce qui s'est fait jusqu'à présent avant qu'on nous ait dit un mot de ce que nous devons faire ; et pourvu qu'on exerce notre babil, personne ne se soucie que nous sachions agir ni penser. En un mot, il n'est prescrit d'être savant que dans les choses qui ne peuvent nous servir de rien ; et nos enfants sont précisément élevés comme les anciens athlètes des jeux publics, qui, destinant leurs membres robustes à un exercice inutile et superflu, se gardaient de les employer jamais à aucun travail profitable.

23. Le goût des lettres, de la philosophie et des beaux-arts amollit les corps et les âmes. Le travail de cabinet rend les hommes délicats, affaiblit leur tempérament, et l'âme garde difficilement sa vigueur quand le corps a perdu la sienne. L'étude use la machine[171], épuise les esprits[171], détruit la force, énerve le courage, et cela seul montre assez qu'elle n'est pas faite pour nous : c'est ainsi qu'on devient lâche et pusillanime, incapable de résister également à la peine et aux passions. Chacun sait combien les habitants des villes sont peu propres à soutenir les travaux de la guerre, et l'on n'ignore pas quelle est la réputation des gens de lettres en fait de bravoure[e]. Or rien n'est plus justement suspect que l'honneur d'un poltron.

24. Tant de réflexions sur la faiblesse de notre nature ne servent souvent qu'à nous détourner des entreprises généreuses. À force de méditer sur les misères de l'humanité, notre imagination nous accable de leur poids, et trop de prévoyance nous ôte le courage en nous ôtant la sécurité. C'est bien en vain que nous prétendons nous munir contre les accidents imprévus « si la science, en essayant de nous armer de nouvelles défenses contre les inconvénients naturels, a imprimé plus fortement en notre imagination leur grandeur et leur poids qu'elle n'a imprimé en nous ses raisons et ses vaines subtilités afin de nous en protéger[174]. »

25. Le goût de la philosophie relâche tous les liens d'estime et de bienveillance qui attachent les hommes à la société, et c'est peut-être le plus dangereux des maux qu'elle engendre. Le charme de l'étude rend bientôt insipide tout autre attachement. De plus, à force de réfléchir sur

e. Voici un exemple moderne pour ceux qui me reprochent de n'en citer que d'anciens. La république de Gênes. cherchant à subjuguer plus aisément les Corses, n'a pas trouvé de moyen plus sûr que d'établir chez eux une académie[173]. Il ne me serait pas difficile d'allonger cette note, mais ce serait faire tort à l'intelligence des seuls lecteurs dont je me soucie.

l'humanité, à force d'observer les hommes, le philosophe apprend à les apprécier selon leur valeur, et il est difficile d'avoir bien de l'affection pour ce qu'on méprise. Bientôt il réunit en sa personne tout l'intérêt que les hommes vertueux partagent avec leurs semblables : son amour-propre augmente en même proportion que son indifférence pour le reste de l'univers. La famille, la patrie deviennent pour lui des mots vides de sens : il n'est ni parent, ni citoyen, ni homme ; il est philosophe.

26. En même temps que la culture des sciences retire en quelque sorte de la presse[175] le cœur du philosophe, elle y engage en un autre sens celui de l'homme de lettres et toujours avec un égal préjudice pour la vertu. Tout homme qui s'occupe des talents agréables veut plaire, être admiré, et il veut être admiré plus qu'un autre. Les applaudissements publics appartiennent à lui seul ; je dirais qu'il fait tout pour les obtenir, s'il ne faisait encore plus pour en priver ses concurrents. De là naissent, d'un côté, les raffinements du goût et de la politesse : vile et basse flatterie, soins séducteurs, insidieux, puérils qui, à la longue, rapetissent l'âme et corrompent le cœur ; et, de l'autre, les jalousies, les rivalités, les haines d'artistes si renommées, la perfide calomnie, la fourberie, la trahison et tout ce que le vice a de plus lâche et de plus odieux. Si le philosophe méprise les hommes, l'artiste s'en fait bientôt mépriser, et tous deux concourent enfin à les rendre méprisables.

27. Il y a plus ; et de toutes les vérités que j'ai proposées à la considération des sages, voici la plus étonnante et la plus cruelle. Nos écrivains regardent tous comme le chef-d'œuvre de la politique de notre siècle les sciences, les arts, le luxe, le commerce, les lois et les autres liens qui, resserrant entre les hommes les nœuds de la société[f] par l'intérêt personnel, les mettent tous dans une dépendance mutuelle, leur donnent des besoins réciproques et des intérêts communs et obligent chacun d'eux de concourir au bonheur des autres pour pouvoir faire le sien. Ces idées sont belles, sans doute, et présentées sous un jour favorable. Mais en les examinant avec attention et sans partialité, on

f. Je me plains de ce que la philosophie relâche les liens de la société qui sont formés par l'estime et la bienveillance mutuelle, et je me plains de ce que les sciences, les arts et tous les autres objets de commerce resserrent les liens de la société par l'intérêt personnel. C'est qu'en effet on ne peut resserrer un de ces liens que l'autre ne se relâche d'autant. Il n'y a donc point en ceci de contradiction[176].

trouve beaucoup à rabattre des avantages qu'elles semblent présenter d'abord.

28. C'est donc une chose bien merveilleuse que d'avoir mis les hommes dans l'impossibilité de vivre entre eux sans se prévenir, se supplanter, se tromper, se trahir, se détruire mutuellement ! Il faut désormais se garder de nous laisser jamais voir tels que nous sommes ; car pour deux hommes dont les intérêts s'accordent, cent mille peut-être leur sont opposés, et il n'y a d'autre moyen pour réussir que de tromper ou perdre tous ces gens-là. Voilà la source funeste des violences, des trahisons, des perfidies et de toutes les horreurs qu'exige nécessairement un état de choses où chacun, feignant de travailler à la fortune ou à la réputation des autres, ne cherche qu'à élever la sienne au-dessus d'eux et à leurs dépens [177].

29. Qu'avons-nous gagné à cela ? Beaucoup de babil, des riches et des raisonneurs, c'est-à-dire des ennemis de la vertu et du sens commun. En revanche, nous avons perdu l'innocence et les mœurs. La foule rampe dans la misère ; tous sont les esclaves du vice. Les crimes non commis sont déjà dans le fond des cœurs, et il ne manque à leur exécution que l'assurance de l'impunité.

30. Étrange et funeste constitution, où les richesses accumulées facilitent toujours les moyens d'en accumuler de plus grandes et où il est impossible à celui qui n'a rien d'acquérir quelque chose, où il faut nécessairement renoncer à la vertu pour devenir un honnête homme ! Je sais que les déclamateurs ont dit cent fois tout cela ; mais ils le disaient en déclamant, et moi je le dis sur des raisons ; ils ont aperçu le mal, et moi j'en découvre les causes, et je fais voir surtout une chose très consolante et très utile en montrant que tous ces vices n'appartiennent pas tant à l'homme, qu'à l'homme mal gouverné [g].

---

g. Je remarque qu'il règne actuellement dans le monde une multitude de petites maximes qui séduisent les simples par un faux air de philosophie et qui, outre cela, sont très commodes pour terminer les disputes d'un ton important et décisif, sans avoir besoin d'examiner la question. Telle est celle-ci : « Les hommes ont partout les mêmes passions ; partout l'amour-propre et l'intérêt les conduisent ; donc ils sont partout les mêmes. » Quand les géomètres ont fait une supposition qui, de raisonnement en raisonnement, les conduit à une absurdité, ils reviennent sur leurs pas et démontrent ainsi la supposition fausse. Le même méthode appliquée à la maxime en question en montrerait aisément l'absurdité. Mais raisonnons autrement. Un sauvage est un homme et un Européen est un homme. Le demi-philosophe conclut aussitôt que l'un ne vaut pas mieux que l'autre ; mais le philosophe dit : « En Europe, le gouvernement, les lois,

31. Telles sont les vérités que j'ai développées et que j'ai tâché de prouver dans les divers écrits que j'ai publiés sur cette matière[180]. Voici maintenant les conclusions que j'en ai tirées. La science n'est point faite pour l'homme en général. Il s'égare sans cesse dans sa recherche ; et s'il l'obtient quelquefois, ce n'est presque jamais qu'à son préjudice. Il est né pour agir et penser, et non pour réfléchir. La réflexion ne sert qu'à le rendre malheureux sans le rendre meilleur ni plus sage : elle lui fait regretter les biens passés et l'empêche de jouir du présent ; elle lui présente l'avenir heureux pour le séduire par l'imagination et le tourmenter par les désirs, et l'avenir malheureux pour le lui faire sentir d'avance. L'étude corrompt ses mœurs, altère sa santé, détruit son tempérament[181] et gâte souvent sa raison : si elle lui apprenait quelque chose, je le trouverais encore fort mal dédommagé.

32. J'avoue qu'il y a quelques génies sublimes qui savent pénétrer à travers les voiles dont la vérité s'enveloppe, quelques âmes privilégiées, capables de résister à la bêtise de la vanité, à la basse jalousie et aux autres passions qu'engendre le goût des lettres. Le petit nombre de ceux qui ont le bonheur de réunir ces qualités est la lumière et l'honneur du genre humain ; c'est à eux seuls qu'il convient pour le bien de tous de s'exercer à l'étude, et cette exception même confirme la règle, car si

---

les coutumes, l'intérêt, tout met les particuliers dans la nécessité de se tromper mutuellement et sans cesse ; tout leur fait un devoir du vice ; il faut qu'ils soient méchants pour être sages, car il n'y a point de plus grande folie que de faire le bonheur des fripons aux dépens du sien. Parmi les sauvages, l'intérêt personnel parle aussi fortement que parmi nous, mais il ne dit pas les mêmes choses : l'amour de la société et le soin de leur commune défense sont les seuls liens qui les unissent ; ce mot de propriété, qui coûte tant de crimes à nos honnêtes gens, n'a presque aucun sens parmi eux ; ils n'ont entre eux nulle discussion d'intérêt qui les divise ; rien ne les porte à se tromper l'un l'autre ; l'estime publique est le seul bien auquel chacun aspire et qu'ils méritent tous. Il est très possible qu'un sauvage fasse une mauvaise action, mais il n'est pas possible qu'il prenne l'habitude de mal faire, car cela ne lui serait bon à rien. » Je crois qu'on peut faire une très juste estimation des mœurs des hommes sur la multitude des affaires qu'ils ont entre eux : plus ils commercent ensemble, plus ils admirent leurs talents et leur industrie, plus ils se friponnent[178] décemment et adroitement, et plus ils sont dignes de mépris. Je le dis à regret : l'homme de bien est celui qui n'a besoin de tromper personne, et le sauvage est cet homme-là.

Illum non populi fasces, non purpura regnum
Flexit, et infidos agitans discordia fratres ;
Non res romanæ, perituraque regna. Neque ille
Aut doluit miserans inopem aut invidit habenti[179].

tous les hommes étaient des Socrates, la science alors ne leur serait pas nuisible, mais ils n'auraient aucun besoin d'elle.

33. Tout peuple qui a des mœurs et qui par conséquent respecte ses lois et ne veut point raffiner sur ses anciens usages doit se garantir avec soin des sciences, et surtout des savants, dont les maximes sentencieuses et dogmatiques lui apprendraient bientôt à mépriser ses usages et ses lois ; ce qu'une nation ne peut jamais faire sans se corrompre. Le moindre changement dans les coutumes, fût-il même avantageux à certains égards, tourne toujours au préjudice des mœurs. Car les coutumes sont la morale du peuple ; et dès qu'il cesse de les respecter, il n'a plus de règle que ses passions ni de frein que les lois, qui peuvent quelquefois contenir les méchants, mais jamais les rendre bons. D'ailleurs, quand la philosophie a une fois appris au peuple à mépriser ses coutumes, il trouve bientôt le secret d'éluder ses lois. Je dis donc qu'il est des mœurs d'un peuple comme de l'honneur d'un homme ; c'est un trésor qu'il faut conserver, mais qu'on ne recouvre plus quand on l'a perdu [h].

34. Mais quand un peuple est une fois corrompu à un certain point, soit que les sciences y aient contribué ou non, faut-il les bannir ou l'en préserver pour le rendre meilleur ou pour l'empêcher de devenir pire ? C'est une autre question, dans laquelle je me suis positivement déclaré pour la négative. Car premièrement, puisqu'un peuple vicieux ne revient jamais à la vertu, il ne s'agit pas de rendre bons ceux qui ne le sont plus, mais de conserver tels ceux qui ont le bonheur de l'être. En second lieu, les mêmes causes qui ont corrompu les peuples servent quelquefois à prévenir une plus grande corruption ; c'est ainsi que celui qui s'est gâté le tempérament par un usage indiscret de la médecine est

---

h. Je trouve dans l'histoire un exemple unique mais frappant, qui semble contredire cette maxime : c'est celui de la fondation de Rome faite par une troupe de bandits, dont les descendants devinrent en peu de générations le plus vertueux peuple qui ait jamais existé. Je ne serais pas en peine d'expliquer ce fait si c'en était ici le lieu. Mais je me contenterai de remarquer que les fondateurs de Rome étaient moins des hommes dont les mœurs fussent corrompues que des hommes dont les mœurs n'étaient point formées : ils ne méprisaient pas la vertu, mais ils ne la connaissaient pas encore ; car ces mots *vertus* et *vices* sont des notions collectives qui ne naissent que de la fréquentation des hommes. Au surplus, on tirerait un mauvais parti de cette objection en faveur des sciences ; car des deux premiers rois [182] de Rome qui donnèrent une forme à la république et instituèrent ses coutumes et ses mœurs, l'un ne s'occupait que de guerres, l'autre que de rites sacrés, les deux choses du monde les plus éloignées de la philosophie.

forcé de recourir encore aux médecins pour se conserver en vie ; et c'est ainsi que les arts et les sciences, après avoir fait éclore les vices, sont nécessaires pour les empêcher de se tourner en crimes ; elles[182] les couvrent au moins d'un vernis qui ne permet pas au poison de s'exhaler aussi librement. Elles détruisent la vertu, mais elles en laissent le simulacre public[i] qui est toujours une belle chose. Elles introduisent à sa place la politesse et les bienséances, et à la crainte de paraître méchant, elles substituent celle de paraître ridicule.

35. Mon avis est donc, et je l'ai déjà dit plus d'une fois, de laisser subsister et même d'entretenir avec soin les académies, les collèges, les universités, les bibliothèques, les spectacles et tous les autres amusements qui peuvent faire quelque diversion à la méchanceté des hommes et les empêcher d'occuper leur oisiveté à des choses plus dangereuses. Car dans une contrée où il ne serait plus question d'honnêtes gens ni de bonnes mœurs, il vaudrait encore mieux vivre avec des fripons qu'avec des brigands.

36. Je demande maintenant où est la contradiction de cultiver moi-même des goûts dont j'approuve le progrès ? Il ne s'agit plus de porter les peuples à bien faire, il faut seulement les distraire de faire le mal ; il faut les occuper à des niaiseries pour les détourner des mauvaises actions ; il faut les amuser au lieu de les prêcher. Si mes écrits ont édifié le petit nombre des bons, je leur ai fait tout le bien qui dépendait de moi, et c'est peut-être les servir utilement encore que d'offrir aux autres des objets de distraction qui les empêchent de songer à eux. Je m'estimerais trop heureux d'avoir tous les jours une pièce à faire siffler, si je pouvais à ce prix contenir pendant deux heures les mauvais desseins d'un seul des spectateurs et sauver l'honneur de la fille ou de la femme de son ami, le secret de son confident ou la fortune de son créancier. Lorsqu'il n'y a plus de mœurs, il ne faut songer qu'à la police[184] ; et l'on sait assez que la musique et les spectacles en sont un des plus importants objets.

i. Ce simulacre est une certaine douceur de mœurs qui supplée quelquefois à leur pureté, une certaine apparence d'ordre qui prévient l'horrible confusion, une certaine admiration des belles choses qui empêche les bonnes de tomber tout à fait dans l'oubli. C'est le vice qui prend le masque de la vertu, non comme l'hypocrisie pour tromper et trahir, mais pour s'ôter sous cette aimable et sacrée effigie l'horreur qu'il a de lui-même quand il se voit à découvert.

37. S'il reste quelque difficulté à ma justification, j'ose le dire hardiment, ce n'est vis-à-vis ni du public ni de mes adversaires, c'est vis-à-vis de moi seul ; car ce n'est qu'en m'observant moi-même que je puis juger si je dois me compter dans le petit nombre et si mon âme est en état de soutenir le faix des exercices littéraires. J'en ai senti plus d'une fois le danger ; plus d'une fois je les ai abandonnés dans le dessein de ne les plus reprendre et, renonçant à leur charme séducteur, j'ai sacrifié à la paix de mon cœur les seuls plaisirs qui pouvaient encore le flatter. Si dans les langueurs qui m'accablent, si sur la fin d'une carrière pénible et douloureuse, j'ai osé les reprendre encore quelques moments pour charmer mes maux, je crois au moins n'y avoir mis ni assez d'intérêt ni assez de prétention pour mériter à cet égard les justes reproches que j'ai faits aux gens de lettres.

38. Il me fallait une épreuve pour achever la connaissance de moi-même, et je l'ai faite sans balancer. Après avoir reconnu la situation de mon âme dans les succès littéraires, il me restait à l'examiner dans les revers. Je sais maintenant qu'en penser, et je puis mettre le public au pire. Ma pièce a eu le sort qu'elle méritait et que j'avais prévu, mais, à l'ennui près qu'elle m'a causé, je suis sorti de la représentation bien plus content de moi et à plus juste titre que si elle eût réussi.

39. Je conseille donc à ceux qui sont si ardents à chercher des reproches à me faire, de vouloir mieux étudier mes principes et mieux observer ma conduite, avant que de m'y taxer de contradiction et d'inconséquence. S'ils s'aperçoivent jamais que je commence à briguer les suffrages du public, ou que je tire vanité d'avoir fait de jolies chansons [185], ou que je rougisse d'avoir écrit de mauvaises comédies, ou que je cherche à nuire à la gloire de mes concurrents, ou que j'affecte de [186] mal parler des grands hommes de mon siècle pour tâcher de m'élever à leur niveau en les rabaissant au mien, ou que j'aspire à des places d'académie, ou que j'aille faire ma cour aux femmes qui donnent le ton, ou que j'encense la sortie des grands [187], ou que, cessant de vouloir vivre du travail de mes mains, je tienne à ignominie [188] le métier que je me suis choisi [189] et fasse des pas vers la fortune ; s'ils remarquent, en un mot, que l'amour de la réputation me fasse oublier celui de la vertu, je les prie de m'en avertir, et même publiquement, et je leur promets de jeter à l'instant au feu mes écrits et mes livres et de convenir de toutes les erreurs qu'il leur plaira de me reprocher.

40. En attendant, j'écrirai des livres, je ferai des vers et de la musique, si j'en ai le talent, le temps, la force et la volonté ; je continuerai à dire très franchement tout le mal que je pense des lettres et de ceux qui les cultivent [j] et croirai n'en valoir pas moins pour cela. Il est vrai qu'on pourra dire quelque jour : « Cet ennemi si déclaré des sciences et des arts fit pourtant et publia des pièces de théâtre. » Et ce discours sera, je l'avoue, une satire très amère non de moi, mais de mon siècle.

j. J'admire combien la plupart des gens de lettres ont pris le change dans cette affaire-ci. Quand ils ont vu les sciences et les arts attaqués, ils ont cru qu'on en voulait personnellement à eux, tandis que, sans se contredire eux-mêmes, ils pourraient tous penser comme moi que, quoique ces choses aient fait beaucoup de mal à la société, il est très essentiel de s'en servir aujourd'hui comme d'une médecine au mal qu'elles ont causé, ou comme de ces animaux malfaisants qu'il faut écraser sur la morsure [190]. En un mot, il n'y a pas un homme de lettres qui, s'il peut soutenir dans sa conduite l'examen de l'article précédent, ne puisse dire en sa faveur ce que je dis en la mienne ; et cette manière de raisonner me paraît leur convenir d'autant mieux qu'entre nous, ils se soucient fort peu des sciences, pourvu qu'elles continuent de mettre les savants en honneur. C'est comme les prêtres du paganisme, qui ne tenaient à la religion qu'autant qu'elle les faisait respecter [191].

FICTION
OU
MORCEAU ALLÉGORIQUE SUR LA RÉVÉLATION

1. Ce fut durant une belle nuit d'été que le premier homme qui tenta de philosopher, livré à une profonde et délicieuse rêverie et guidé par cet enthousiasme involontaire qui transporte quelquefois l'âme hors de sa demeure et lui fait pour ainsi dire embrasser tout l'Univers, osa élever ses réflexions jusqu'au sanctuaire de la nature et pénétrer par la pensée aussi loin qu'il est permis à la sagesse humaine d'atteindre.

2. La chaleur était à peine tombée avec le Soleil ; les oiseaux déjà retirés et non encore endormis annonçaient par un ramage languissant et voluptueux le plaisir qu'ils goûtaient à respirer un air plus frais ; une rosée abondante et salutaire ranimait déjà la verdure fanée par l'ardeur du Soleil ; les fleurs élançaient de toutes parts leurs plus doux parfums ; les vergers et les bois dans toute leur parure formaient au travers du crépuscule et des premiers rayons de la Lune un spectacle moins vif et plus touchant que durant l'éclat du jour. Le murmure des ruisseaux effacé par le tumulte de la journée commençait à se faire entendre, divers animaux domestiques rentrant à pas lents mugissaient au loin et semblaient se réjouir du repos que la nuit allait leur donner, et le calme qui commençait à régner de toutes parts était d'autant plus charmant qu'il annonçait des lieux tranquilles sans être déserts et la paix plutôt que la solitude.

3. À ce concours d'objets agréables, le philosophe, touché comme l'est toujours en pareil cas une âme sensible où règne la tranquille innocence, livre son cœur et ses sens à leurs douces impressions : pour les goûter plus à loisir, il se couche sur l'herbe et, appuyant sa tête sur sa main, il promène délicieusement ses regards sur tout ce qui les flatte. Après quelques instants de contemplation, il tourne par hasard les yeux vers le ciel et, à cet aspect qui lui est si familier et qui pour l'ordinaire le frappait si peu, il reste saisi d'admiration ; il croit voir pour la première

fois cette voûte immense et sa superbe parure. Il remarque encore à l'occident les traces de feu que laisse après lui l'astre qui nous donne la chaleur et le jour[192]; vers l'orient, il aperçoit la lueur douce et mélancolique de celui qui guide nos pas et excite nos rêveries durant la nuit[193] ; il en distingue encore deux ou trois qui se font remarquer par l'apparente irrégularité de leur route au milieu de la disposition constante et régulière de toutes les autres parties du ciel[194] ; il considère avec je ne sais quel frémissement la marche lente et majestueuse de cette multitude de globes qui roulent en silence au-dessus de sa tête et qui sans cesse lancent à travers les espaces des cieux une lumière pure et inaltérable[195]. Ces corps, malgré les intervalles immenses qui les séparent, ont entre eux une secrète correspondance qui les fait tous mouvoir[196] selon la même direction, et il observe entre le zénith et l'horizon avec une curiosité mêlée d'inquiétude l'étoile mystérieuse autour de laquelle semble se faire cette révolution commune[197]. Quelle mécanique inconcevable a pu soumettre tous les astres à cette loi ? Quelle main a pu lier ainsi entre elles toutes les parties de cet univers ? Et par quelle étrange faculté de moi-même[198], unies au dehors par cette loi commune, toutes ces parties le sont-elles encore dans ma pensée en une sorte de système que je soupçonne sans le concevoir ?

4. La même régularité de mouvement que je remarque dans les révolutions des corps célestes, je la retrouve sur la terre dans le succession des saisons, dans l'organisation des plantes et des animaux. L'explication de tous ces phénomènes ne peut se chercher que dans la matière mue et ordonnée selon certaines lois. Mais qui peut avoir établi ces lois et comment tous les corps s'y trouvent-ils assujettis ? Voilà ce que je ne saurais comprendre. D'ailleurs, le mouvement progressif et spontané des animaux, les sensations, le pouvoir de penser, la liberté de vouloir et d'agir que je trouve en moi-même et dans mes semblables, tout cela passe les notions de mécanique que je puis déduire des propriétés connues de la matière.

5. Qu'elle en ait que je ne connais point et ne connaîtrai peut-être jamais, qu'ordonnée ou organisée d'une certaine manière, elle devienne susceptible de sentiment, de réflexion et de volonté, je puis le croire sans peine. Mais la règle de cette organisation, qui peut l'avoir établie ? Comment peut-elle être quelque chose par elle-même ? Ou dans quel archétype peut-elle être conçue existante ?

6. Si je suppose que tout est l'effet d'un arrangement fortuit, que deviendra l'idée d'ordre et le rapport d'intention et de fin que je remarque entre toutes les parties de l'Univers ? J'avoue que dans la multitude de combinaisons possibles celle qui subsiste ne peut être exclue et qu'elle a dû même trouver sa place dans l'infinité des successions ; mais ces successions mêmes n'ont pu se faire qu'à l'aide du mouvement, et voilà pour mon esprit une source de nouveaux embarras.

7. Je puis concevoir qu'il règne dans l'Univers une certaine mesure de mouvement qui, modifiant successivement les corps, soit toujours la même en quantité ; mais je trouve que l'idée du mouvement n'étant qu'une abstraction et ne pouvant se concevoir hors de la substance mue, il reste toujours à chercher quelle force a pu mouvoir la matière. Et si la somme du mouvement était susceptible d'augmentation ou de diminution, la difficulté deviendrait encore plus grande.

8. Me voilà donc réduit à supposer la chose du monde la plus contraire à toutes mes expériences, savoir la nécessité du mouvement dans la matière. Car je trouve en toute occasion les corps indifférents par eux-mêmes au mouvement et au repos et susceptibles également de l'un et de l'autre selon la force qui les pousse ou qui les retient ; tandis qu'il m'est impossible de concevoir le mouvement comme une propriété naturelle de la matière, ne fût-ce que faute d'une direction déterminée, sans laquelle il n'y a point de mouvement, et qui, si elle existait, entraînerait éternellement tous les corps en lignes droites et parallèles avec une force ou du moins une vitesse égale, sans que jamais le moindre atome pût en rencontrer un autre ni se détourner un instant de la direction commune.

9. Plongé dans ces rêveries et livré à mille idées confuses qu'il ne pouvait[199] ni abandonner ni éclaircir, l'indiscret[200] philosophe s'efforçait vainement de pénétrer dans les mystères de la nature ; son spectacle, qui l'avait d'abord enchanté, n'était plus pour lui qu'un sujet d'inquiétude et la fantaisie de l'expliquer lui avait ôté tout le plaisir d'en jouir.

10. Las enfin de flotter avec tant de contention entre le doute et l'erreur, rebuté de partager son esprit entre des systèmes sans preuves et des objections sans réplique, il était prêt de[201] renoncer à de profondes et frivoles méditations plus propres à lui inspirer de l'orgueil que du savoir, quand tout à coup un rayon de lumière vint frapper son esprit et lui dévoiler ces sublimes vérités qu'il n'appartient pas à l'homme de connaître par lui-même et que la raison humaine sert à confirmer sans servir à les découvrir. Un nouvel Univers s'offrit pour ainsi dire à sa contemplation ; il aperçut la chaîne invisible qui lie entre eux tous les êtres, il vit une main puissante étendue sur tout ce qui existe, le sanctuaire de la nature fut ouvert à son entendement comme il l'est aux intelligences célestes et toutes les plus sublimes idées que nous attachons à ce mot *Dieu* se présentèrent à son esprit. Cette grâce fut le prix de son sincère amour pour la vérité et de la bonne foi avec laquelle, sans songer à se parer de ses vaines recherches, il consentait à perdre la peine qu'il avait prise et à convenir de son ignorance plutôt que de consacrer ses erreurs aux yeux des autres sous le beau nom de philosophie. À l'instant, toutes les énigmes qui l'avaient si fort inquiété s'éclaircirent à son esprit. Le cours des cieux, la magnificence des astres, la parure de la terre, la succession des êtres, les rapports de convenance et d'utilité qu'il remarquait entre eux, le mystère de l'organisation, celui de la pensée, en un mot, le jeu de la machine entière, tout devint pour lui possible à concevoir comme l'ouvrage d'un être puissant, directeur de toutes choses. Et s'il lui restait quelques difficultés qu'il ne put résoudre, leurs solutions lui paraissant plutôt au-dessus de son entendement que contraires à sa raison, il s'en fiait au sentiment intérieur qui lui parlait avec tant d'énergie en faveur de sa découverte, préférablement à quelques sophismes embarrassants qui ne tiraient leur force que de la faiblesse de son esprit.

11. À ces grandes et ravissantes lumières, son âme, saisie d'admiration et s'élevant pour ainsi dire au niveau de l'objet qui l'occupait, se sentit pénétrée d'une sensation vive et délicieuse : une étincelle de ce feu divin qu'elle avait aperçu semblait lui donner une nouvelle vie. Transporté de respect, de reconnaissance et de zèle, il se lève précipitamment, puis élevant les yeux et les mains vers le ciel et s'inclinant ensuite la face contre terre, son cœur et sa bouche adressèrent à l'Être divin le premier et peut-être le plus pur hommage qu'il ait jamais reçu des mortels.

12. Embrasé de ce nouvel enthousiasme, il en eût voulu communiquer l'ardeur à toute la nature, il eût voulu surtout le partager avec ses semblables ; et ses pensées les plus délicieuses roulaient sur les projets de sagesse et de félicité qu'il se proposait de faire adopter aux hommes, en leur montrant dans les perfections de leur commun auteur la source des vertus qu'ils devaient acquérir, et dans ses bienfaits l'exemple et le prix de ceux qu'ils devaient répandre. « Allons ! s'écriait-il, transporté de zèle, portons partout, avec l'explication des mystères de la nature, la loi sublime du maître qui la gouverne et qui se manifeste dans ses ouvrages. Apprenons aux hommes à se regarder comme les instruments d'une volonté suprême qui les unit entre eux et avec un plus grand tout, à mépriser les maux de cette courte vie, qui n'est qu'un passage pour retourner à l'Être éternel dont ils tirent leur existence, et à s'aimer tous comme autant de frères destinés à se réunir un jour au sein de leur père commun. »

13. C'était dans ses pensées si flatteuses pour l'orgueil humain et si douces pour tout être aimant et sensible qu'il attendait le retour du jour, impatient d'en porter un plus pur et plus éclatant dans l'âme des autres hommes et de leur communiquer les lumières célestes qu'il venait d'acquérir. Cependant la fatigue d'une longue méditation ayant épuisé ses esprits et la fraîcheur de la nuit l'invitant au repos, il s'assoupit insensiblement en rêvant et méditant encore et s'endormit enfin profondément. Durant son sommeil, les ébranlements que la contemplation venait d'exciter dans son cerveau lui donnèrent un songe extraordinaire comme les idées qui l'avaient produit. Il se crut au milieu d'un édifice immense formé par un dôme éblouissant que portaient sept statues colossales au lieu de colonnes. Toutes ces statues, à les regarder de près, étaient horribles et difformes, mais par l'artifice d'une perspective adroite, vues du centre de l'édifice, chacune d'elles changeait d'apparence et présentait à l'œil une figure charmante. Ces statues avaient toutes des attitudes diverses et emblématiques. L'une, un miroir à la main, était assise sur un paon dont elle imitait la contenance vaine et superbe. Une autre d'un œil impudent et d'une main lascive excitait les objets de sa sensualité brutale à la partager. Une autre tenait des serpents nourris de sa propre substance qu'elle arrachait de son sein pour les dévorer et qu'on y voyait renaître sans cesse. Une autre, squelette affreux qu'on n'eût su distinguer de la mort qu'à l'étincelante avidité de ses yeux, rebutait de vrais aliments pour avaler à longs traits des coupes d'or en fusion qui l'altéraient sans la nourrir[202]. Toutes enfin étaient distinguées par des attributs effroyables qui devaient en faire des objets d'horreur, mais qui, vus du point d'où elles paraissaient belles, semblaient être les ornements de leur beauté. Sur la clef de la voûte étaient écrits ces mots en gros caractères : « Peuples, servez les dieux de la terre. » Directement au-dessous, c'est-à-dire au centre du bâtiment et au point de perspective[203], était un grand autel heptagone sur lequel les humains venaient en foule offrir leurs offrandes et leurs vœux aux sept statues qu'ils honoraient par mille différents rites et sous mille bizarres noms. Cet autel servait de base à une huitième statue à laquelle tout l'édifice était consacré et qui partageait les honneurs rendus à toutes les autres. Toujours environnée d'un voile impénétrable, elle était perpétuellement servie du peuple et n'en était jamais aperçue : l'imagination de ses adorateurs la leur peignait d'après leurs caractères et leurs passions, et chacun, d'autant plus attaché à l'objet de son culte qu'il était plus imaginaire, ne plaçait sous ce voile mystérieux que l'idole de son cœur.

14. Parmi la foule qui affluait sans cesse en ce lieu, il distingua d'abord quelques hommes singulièrement vêtus et qui, au travers d'un air modeste et recueilli, avaient dans leur physionomie je ne sais quoi de sinistre qui annonçait à la fois l'orgueil et la cruauté. Occupés à introduire continuellement les peuples dans l'édifice, ils paraissaient les officiers ou les maîtres du lieu et dirigeaient souverainement le culte des sept statues. Ils commençaient par bander les yeux à tous ceux qui se présentaient à l'entrée du temple, puis les ayant ainsi conduits dans un coin du sanctuaire, ils ne leur rendaient l'usage de la vue que quand tous les objets concouraient à la fasciner. Que si durant le trajet quelqu'un tentait d'ôter son bandeau, à l'instant, ils prononçaient sur lui quelques paroles magiques qui lui donnaient la figure d'un monstre, sous laquelle, abhorré de tous et méconnu des siens, il ne tardait pas d'être déchiré par l'assemblée.

15. Ce qu'il y avait de plus étonnant, c'est que les ministres du temple, qui voyaient à plein toute la difformité de leurs idoles, ne les servaient pas moins ardemment que l'aveugle vulgaire. Ils s'identifiaient pour ainsi dire avec leurs affreuses divinités et, recevant en leur nom les hommages et les dons des mortels, chacun d'eux leur offrait pour son intérêt les mêmes vœux que la crainte arrachait aux peuples.

16. Le bruit continuel des hymnes et des chants d'allégresse jetait les spectateurs dans un enthousiasme qui les mettait hors d'eux-mêmes. L'autel qui s'élevait au milieu du temple se distinguait à peine au travers des vapeurs d'un encens épais qui portait à la tête et troublait la raison. Mais tandis que le vulgaire n'y voyait que les fantômes de son imagination agitée, le philosophe, plus tranquille, en aperçut assez pour juger de ce qu'il ne discernait pas : l'appareil d'un continuel carnage environnait cet autel terrible, il vit avec horreur le monstrueux mélange du meurtre et de la prostitution. Tantôt on précipitait des tendres enfants dans des flammes de bois de cèdre, tantôt des hommes faits étaient immolés par la faux d'un vieillard décrépit. Des pères dénaturés plongeaient en gémissant le couteau dans le sein de leurs propres filles. De jeunes personnes dans une parure élégante et pompeuse qui relevait encore leur beauté étaient enterrées vives pour avoir écouté la voix de la nature, tandis que d'autres étaient livrées en cérémonie à la plus infâme débauche, et l'on entendait à la fois par un abominable contraste les soupirs des mourants avec ceux de la volupté [204].

17. « Ah ! s'écria le philosophe épouvanté, quel horrible spectacle ! Pourquoi mes regards en sont-ils souillés ? Hâtons-nous de quitter ce séjour infernal. — Il n'est pas temps encore, lui dit en le retenant l'être invisible qui lui avait déjà parlé [205]. Tu viens de contempler l'aveuglement des peuples : il te reste à voir quel est en ce lieu le destin des sages. »

18. À l'instant, il aperçut à rentrée du temple un homme exactement vêtu comme lui et dont l'éloignement l'empêcha de distinguer les traits. Cet homme dont le port était grave et posé n'allait point lui-même à l'autel, mais touchant subtilement au bandeau de ceux qu'on y conduisait, sans y causer de dérangement apparent, il leur rendait l'usage de la vue. Ce service fut bientôt découvert par l'indiscrétion de ceux qui le recevaient. Car la plupart d'entre eux voyant en traversant le temple la laideur des objets de leur culte, ils refusaient d'aller à l'autel et tâchaient d'en dissuader leurs voisins. Les ministres du temple toujours vigilants pour leur intérêt découvrirent bientôt la source du scandale, saisirent l'homme voilé [206], le traînèrent au pied de l'autel et l'immolèrent sur-le-champ aux acclamations unanimes de la troupe aveuglée [207].

19. En tournant les yeux vers l'entrée voisine, le philosophe y vit un vieillard d'assez mauvaise mine, mais dont les manières insinuantes et le discours familier et profond faisaient bientôt oublier la physionomie. Aussitôt qu'il se présenta pour entrer, les ministres du temple apportèrent le bandeau sacré. Mais il leur dit : « Hommes divins, épargnez-vous un soin superflu pour un pauvre vieillard privé de la vue qui vient, sous vos auspices, chercher à la recouvrer ici ; daignez seulement me conduire à l'autel afin que je rende hommage à la divinité et qu'elle me guérisse. » Comme il affectait de heurter assez lourdement les objets qui étaient autour de lui, l'espoir du miracle fit oublier d'en mieux constater le besoin : la cérémonie du bandeau fut omise comme superflue et le vieillard fut introduit, appuyé sur un jeune homme qui lui servait de guide et auquel on ne fit nulle attention.

20. Effrayé de l'aspect hideux des sept statues et du sang qu'il voyait ruisseler autour de la huitième, ce jeune homme tenta vingt fois de s'échapper et de fuir hors du temple, mais retenu par le vieillard d'un bras vigoureux, il fut contraint de le mener, ou plutôt de le suivre, jusqu'à l'enceinte du sanctuaire pour observer ce qu'il voyait et travailler un jour à l'instruction des hommes. Aussitôt l'aveugle prétendu, sautant légèrement sur l'autel, découvrit d'une main hardie la statue et l'exposa sans voile à tous les regards. On voyait peintes sur son visage l'extase avec la fureur ; sous ses pieds, elle étouffait l'humanité personnifiée, mais ses yeux étaient tendrement tournés vers le ciel ; de la main gauche, elle tenait un cœur enflammé et, de l'autre, elle acérait un poignard. Cet aspect fit frémir le philosophe, mais loin de révolter les spectateurs, ils n'y virent, au lieu d'un air de cruauté, qu'un enthousiasme céleste et sentirent augmenter pour la statue ainsi découverte le zèle qu'ils avaient eu pour elle sans la connaître. « Peuples ! leur cria d'un ton plein de feu l'intrépide vieillard qui s'en aperçut. Quelle est votre folie de servir des dieux qui ne cherchent qu'à nuire et d'adorer des êtres encore plus malfaisants que vous ? Ah ! loin de les forcer par d'indiscrets sacrifices à songer à vous pour vous tourmenter, tâchez plutôt qu'ils vous oublient, vous en serez moins misérables. Si vous croyez leur plaire en détruisant leurs ouvrages, que pouvez-vous espérer d'eux sinon qu'ils vous détruisent à leur tour ? Servez celui qui veut que tous soient heureux si vous voulez être heureux vous-mêmes. »

21. Les ministres ne lui permirent pas de poursuivre et, l'interrompant à grand bruit, ils demandèrent au peuple justice de cet ingrat qui, pour prix d'avoir, disaient-ils, recouvré la vue sur l'autel de la déesse [208], osait en profaner la statue et en décrier le culte. Aussitôt tout le peuple se jeta sur lui, prêt à le mettre en pièces, mais les ministres, voyant sa mort assurée, voulurent la revêtir d'une forme juridique et le firent condamner par l'assemblée à boire l'eau verte, sorte de mort souvent imposée aux sages. Tandis qu'on préparait la liqueur, les amis du vieillard voulurent l'emmener secrètement, mais il refusa de les suivre. « Laissez-moi, leur dit-il, aller recevoir le prix de mon zèle de celui qui en est l'objet. En vivant parmi ces peuples, ne m'étais-je pas soumis à leurs lois, et dois-je les enfreindre au moment qu'elles me couronnent ? Ne suis-je pas trop heureux, après avoir consacré mes jours au progrès de la vérité, de pouvoir lui consacrer encore la fin d'une vie que la nature allait me redemander ? Ô mes amis, l'exemple de mon dernier jour est la seule instruction que je vous laisse ou celle au moins qui doit donner du poids à toutes les autres. Je serais soupçonné de n'avoir vécu qu'en sophiste si je craignais de mourir en philosophe. » Après ce discours, il reçut la coupe des sages et, l'ayant bue avec un air serein, il s'entretint paisiblement avec ses amis de l'immortalité de l'âme et des grandes vérités de la nature que le philosophe écouta d'autant plus attentivement qu'elles se rapportaient à ses précédentes méditations[209]. Mais le dernier discours du vieillard, qui fut un hommage très distinct à cette même statue qu'il avait dévoilée, jeta dans l'esprit du philosophe un doute et un embarras dont il ne se tira jamais bien, et il fut toujours incertain si ces paroles renfermaient un sens allégorique ou simplement un acte de soumission au culte établi par les lois. « Car, disait-il[210], si toutes les manières de servir la divinité lui sont indifférentes, c'est l'obéissance aux lois qu'il faut préférer. » Cependant il restait toujours entre cette action et la précédente une contradiction qui lui parut impossible à lever.

22. Frappé de tout ce qu'il venait de voir, il réfléchissait profondément sur ces terribles scènes, quand tout à coup une voix se fit entendre dans les airs prononçant distinctement ces mots : « C'est ici le fils de l'homme[211]. Les cieux se taisent devant lui ; terre, écoutez sa voix. » Alors levant les yeux, il aperçut sur l'autel un personnage dont l'aspect imposant et doux le frappa d'étonnement et de respect ; son vêtement était populaire et semblable à celui d'un artisan, mais son regard était céleste, son maintien modeste, grave et moins apprêté que celui même de son prédécesseur ; ses traits avaient je ne sais quoi de sublime, où la simplicité s'alliait avec la grandeur, et l'on ne pouvait l'envisager sans se sentir pénétré d'une émotion vive et délicieuse qui n'avait sa source dans aucun sentiment connu des hommes. « Ô mes enfants ! dit-il d'un ton de tendresse qui pénétrait l'âme. Je viens expier et guérir vos erreurs. Aimez celui qui vous aime et connaissez celui qui est. » À l'instant, saisissant la statue, il la renversa sans effort et, montant sur le piédestal avec aussi peu d'agitation, il semblait reprendre sa place plutôt qu'usurper celle d'autrui.

23. Son air, son ton, son geste causèrent dans l'assemblée une extraordinaire fermentation ; le peuple en fut saisi jusqu'à l'enthousiasme, les ministres en furent irrités jusqu'à la fureur, mais à peine étaient-ils écoutés. L'inconnu populaire et ferme, en prêchant une morale divine, entraînait tout : tout annonçait une révolution ; il n'avait qu'à dire un mot, et ses ennemis n'étaient plus. Mais celui qui venait détruire la sanguinaire intolérance n'avait garde de l'imiter : il n'employa que les voies qui convenaient aux choses qu'il avait à dire et aux fonctions dont il s'était chargé, et le peuple, dont toutes les passions sont des fureurs, en devint moins zélé pour sa défense [212]. Après le témoignage de force et d'intrépidité qu'il venait de donner, il reprit son discours avec la même douceur qu'auparavant ; il peignit l'amour des hommes et toutes les vertus avec des traits si touchants et des couleurs si aimables que, hors les officiers du temple, ennemis par état de toute humanité, nul ne l'écoutait sans être attendri et sans en aimer mieux ses devoirs et le bonheur d'autrui. Son parler était simple et doux, et pourtant profond et sublime ; sans étonner l'oreille, il nourrissait l'âme : c'était du lait pour les enfants et du pain pour les hommes ; il animait le fort et consolait le faible, et les génies les moins proportionnés entre eux le trouvaient tous également à leur portée ; il ne haranguait point d'un ton pompeux et soutenu, mais ses discours familiers brillaient de la plus ravissante éloquence, et ses instructions étaient des fables et des apologues, des entretiens communs, mais pleins de justesse et de profondeur. Rien ne l'embarrassait ; les questions les plus captieuses que le désir de le perdre lui faisait proposer avaient à l'instant des solutions dictées par la sagesse ; il ne fallait que l'entendre une fois pour être sûr de l'admirer toujours ; on sentait que le langage de la vérité ne lui coûtait rien parce qu'il en avait la source en lui-même [213].

COMMENTAIRES

I. Sur le Premier Discours

1. Ordre

Le *Discours sur les sciences et les* arts assura la notoriété de Jean-Jacques Rousseau ; bien mieux, l'œuvre fixa l'auteur lui-même quant à sa propre valeur. « Quand [le *Discours sur les sciences et les arts*] eut remporté le prix, Diderot se chargea de le faire imprimer. Tandis que j'étais dans mon lit, il m'écrivit un billet pour m'en annoncer la publication et l'effet. " Il prend, marquait-il, tout par-dessus les nues ; il n'y a pas d'exemple d'un succès pareil. " Cette faveur du public nullement briguée, et pour un auteur inconnu, me donna la première assurance véritable de mon talent, dont, malgré le sentiment interne, j'avais toujours douté jusqu'alors [214]. » On a souvent cité l'exclamation de Diderot, mais on a presque aussi souvent oublié la remarque de Rousseau qui la suit : l'une concerne le premier impact littéraire et social de la critique rousseauiste des sciences et des arts ; l'autre marque le premier effet de la gloire sur une âme particulièrement sensible, qui allait connaître et faire connaître les avantages et les désavantages de la notoriété.

Malgré son importance historique et psychologique, cette œuvre ne fut pas un des textes préférés de Rousseau, si l'on en croit une autre déclaration des *Confessions* : « cet ouvrage, plein de chaleur et de force, manque absolument de logique et d'ordre ; de tous ceux qui sont sortis de ma plume, c'est le plus faible de raisonnement et le plus pauvre de nombre et d'harmonie ; mais avec quelque talent qu'on puisse être né, l'art d'écrire ne s'apprend pas tout d'un coup [215]. » D'ailleurs, il semble que Rousseau ait formé ce jugement sévère très tôt. La citation d'Horace qui sert de deuxième exergue au *Discours sur les sciences et les arts*, « *Decipimur specie recti* », soit : « Nous sommes trompés par l'apparence du correct », est un aveu du poète latin, repris par le citoyen de Genève, selon lequel les écrivains se trompent souvent lorsqu'il s'agit de trouver le ton, le style et le mot justes pour traduire une pensée[216]. Cependant, si l'auteur critique son texte sur le plan formel, il n'en renie pas le fond : le *Premier Discours* demeure un point de départ adéquat pour cheminer avec Rousseau, s'introduire aux grands thèmes de sa pensée[217] et réfléchir sur les questions essentielles de l'existence humaine. Par ailleurs, on peut tenter de déterminer l'ordre du texte, quelque imparfait qu'il soit de l'avis de son auteur.

Pour saisir l'existence et le sujet d'une première section, il serait utile d'examiner la question à laquelle l'auteur s'adresse. La première page l'offre sous la forme originelle proposée par les membres de l'Académie de Dijon : « Si le rétablissement des sciences et des arts a contribué à épurer les mœurs » ; cette formulation est à peu près respectée dans l'exorde : « Le rétablissement des sciences et des arts a-t-il contribué à épurer ou à corrompre les mœurs (paragr. 4) ? » Qu'est-ce que ce « rétablissement des sciences et des arts » dont on parle dans les deux versions de la question ? C'est la Renaissance, comme le montre la citation suivante : « L'Europe était retombée dans la barbarie des premiers âges. Les peuples de cette partie du monde aujourd'hui si éclairée vivaient, il y a quelques siècles, dans un état pire que l'ignorance. Je ne sais quel jargon scientifique, encore plus méprisable que l'ignorance, avait usurpé le nom du savoir et opposait à son retour un obstacle presque invincible. Il fallait une révolution pour ramener les hommes au sens commun ; elle vint enfin du côté d'où on l'aurait le moins attendu. Ce fut le stupide Musulman, ce fut l'éternel fléau des lettres qui les fit *renaître* parmi nous. La chute du trône de Constantinople porta dans l'Italie les débris de l'ancienne Grèce (paragr. 8). » Pour les participants du concours géré par l'Académie de Dijon, il s'agit donc de parler de la Renaissance, de la révolution littéraire, artistique et scientifique moderne dont elle fut le premier moment, et surtout de parler de son influence morale. C'est ce que confirme le témoignage d'un des membres de l'Académie de Dijon[218].

Mais l'influence morale chez qui ? C'est ici qu'on doit remarquer que l'orateur parle du point de vue de la France du XVIIIe siècle, quoique Rousseau se reconnaisse, en tant qu'auteur du *Discours sur les sciences et les arts*, citoyen de Genève : « C'est par cette sorte de politesse, d'autant plus aimable qu'elle affecte moins de se montrer, que se distinguèrent autrefois Athènes et Rome dans les jours si vantés de leur magnificence et de leur éclat ; c'est par elle, sans doute, que notre siècle et notre nation l'emporteront sur tous les temps et sur tous les peuples (paragr. 10). » La société française était la société la plus civilisée d'alors ;

bien mieux, de son point de vue et de l'avis de l'ensemble de l'Europe du XVIIIe siècle dont elle était le phare culturel, elle était la société la plus civilisée de tous les temps : en écrivant « *notre* siècle et *notre* nation », Rousseau se campe solidement sur le terrain de cette opinion reçue. Du même coup, il feint, en tant que l'orateur du *Premier Discours*[219], d'être un Français plutôt qu'un Suisse. C'est pourquoi lorsqu'il s'agit d'ajouter des noms de sages modernes à ceux de Socrate, Caton et Fabricius, il choisit deux rois français. « Ce n'est point en vain que j'évoquais les mânes de Fabricius ; et qu'ai-je fait dire à ce grand homme que je n'eusse pu mettre dans la bouche de Louis XII ou de Henri IV (paragr. 33) ? » C'est un Français donc qui parle dans le discours, un homme qui connaît les sciences et les arts pour les avoir connus sinon de l'intérieur du moins de très près.

Mais à partir du paragraphe dix-septième, l'orateur quitte son siècle et, pour ainsi dire, sort de la France et même de l'Europe pour aborder et exposer des cas tirés d'un peu partout et d'un peu tous les temps. S'il peut se permettre de voguer ainsi dans l'histoire et par le monde, c'est qu'au paragraphe précédent il a généralisé la question. « Dira-t-on que c'est un malheur particulier à notre âge ? Non, messieurs, les maux causés par notre vaine curiosité sont aussi vieux que le monde. L'élévation et l'abaissement journaliers des eaux de l'océan n'ont pas été plus régulièrement assujettis au cours de l'astre qui nous éclaire durant la nuit que le sort des mœurs et de la probité au progrès des sciences et des arts. On a vu la vertu s'enfuir à mesure que leur lumière s'élevait sur notre horizon, et le même phénomène s'est observé dans tous les temps et dans tous les lieux (paragr. 16)[220]. » Plutôt que de se limiter à la Renaissance européenne, et ce du point de vue de la France de Louis XV, il s'agit, à partir de ce point, de discuter d'un phénomène moral universel, d'une loi qui, comme celle de l'effet de l'attraction lunaire sur les eaux de l'océan, peut se vérifier « dans tous les temps et dans tous les lieux », qui est vraie pour tous les hommes de tous les temps et de tous les lieux, même si certains ne voudront pas l'admettre, aveuglés qu'ils sont par les limites de leur horizon géo-historique.

Les paragraphes 7 à 15 sont donc consacrés à la question, strictement entendue si l'on veut, de la Renaissance et de son effet moral : le progrès des sciences et des arts depuis 1400 a-t-il amélioré ou détérioré le climat moral en Europe ? La réponse de l'orateur se fait quelque peu attendre ; car, dans les premiers paragraphes, il s'attarde, non sans sincérité, à louer les lettres. Ce n'est qu'à partir du paragraphe neuvième que les désavantages du progrès des sciences et des arts sont présentés peu à peu, mais de plus en plus. Le progrès des sciences et des arts est un spectacle historique grandiose ; le rétablissement des sciences et des arts en Europe depuis trois siècles a embelli et adouci l'existence humaine (paragr. 7-8). Mais du seul fait de leur existence, les lettres créent pour les hommes des besoins supplémentaires qu'elles comblent à mesure certes, mais au prix d'une certaine indépendance des individus par rapport aux pouvoirs politiques (paragr. 9-10). L'effet social le plus marquant des sciences et des arts est d'*artificialiser* et en même temps d'uniformiser les relations entre les êtres humains : l'individu ne peut plus être lui-même ou du moins ne peut plus paraître aux autres tel qu'il est en lui-même : il s'efforce de se conformer aux règles universelles universellement reconnues, cessant ainsi d'être quelqu'un pour devenir n'importe qui (paragr. 11-13). Pour le dire dans le langage de l'orateur : « Avant que l'art eût façonné nos manières et appris à nos passions à parler un langage apprêté, nos mœurs étaient rustiques, mais naturelles, et la différence des procédés annonçait au premier coup d'œil celle des caractères (paragr. 12). » Dans cette atmosphère de soumission excessive aux pouvoirs politiques et d'incertitude morale engendrée par la standardisation des comportements humains, les vices trouvent les conditions idéales pour se développer : ils sont devenus nécessaires à la survie et à la bonne vie, et à peu près invisibles en raison de l'éclat de la sophistication dont ils sont nés (paragr. 14-15). Bilan de la Renaissance et du monde moderne : une vie politique moins libre, un climat social moins authentique, une activité morale moins pure.

C'est à partir du paragraphe seizième, a-t-il été dit, que la question posée par l'Académie de Dijon se trouve universalisée : d'une question appartenant au domaine de l'histoire, l'orateur passe à un problème général de savoir moral ou politique. Il doit d'abord établir que le progrès des sciences et des arts est lié en tout temps et en tout lieu à un déclin de la moralité [221]. Pour ce faire, il propose d'abord cinq cas (quatre tirés du passé, un du présent ; quatre tirés de l'histoire de l'Occident, un venu de l'Orient) qui montrent que le déclin de diverses sociétés fut précédé de l'introduction et de la popularisation des lettres chez elles (paragr. 17-21). Le deuxième moment de l'induction est une contre-épreuve : non seulement la déchéance morale suit les sciences et les arts, mais souvent les sociétés ayant réussi à éviter ou à empêcher une percée des lettres chez elles sont demeurées fortes et indépendantes (paragr. 22-23). Enfin, les deux battants de l'induction sont montés sur la charnière de l'opposition classique entre Sparte, société fruste et rustique mais solide, et Athènes, empire sophistiqué et brillant, mais instable et rapidement asservi (paragr. 24-25). Le point de vue de l'orateur est politique et même militaire : le signe par excellence de la santé morale du peuple est son indépendance politique, laquelle suppose son agressivité militaire ; tout au contraire, l'effet nécessaire de l'affaiblissement moral causé par le progrès des sciences et des arts est la débilité politique dont la première conséquence importante est la conquête par des « barbares ». On est loin ici de propos pacifistes naïfs ; on est loin ici de propos centrés sur le bien-être psychologique et moral des individus : c'est un citoyen qui parle au nom de la totalité qui le définit, la cité ; il comprend la moralité, voire la noblesse, des individus en fonction du succès et de la grandeur du groupe.

Le témoignage des faits est complété et renforcé par le témoignage de cinq sages. Les trois premiers sont des héros anciens, les deux derniers des rois de France qui ont connu les débuts et les premiers effets du « rétablissement des sciences et des arts » dans leur pays. Socrate, Caton et Fabricius, sages d'un autre temps et d'autres lieux, dénoncent le progrès des sciences et des arts (paragr. 26-32) ; leurs remarques sont reprises en silence par des hommes politiques français dont l'autorité ne peut être mise en doute (paragr. 33). L'argumentation de l'orateur repose sur les deux piliers de l'autorité politique et sociale : le respect du passé et le patriotisme.

Comme pour suppléer à ces références faibles aux yeux de certains, un dernier témoin paraît à la barre : la nature. Puisqu'elle ne peut pas parler, il faut trouver un signe de son intention, quelque fait ou phénomène qui la fasse parler. Que veut la nature pour les hommes ? Les a-t-elle faits pour être simples ou sophistiqués, cultivés ou rustiques ? On raisonne comme suit : Il est indubitable que le progrès des sciences et des arts est le résultat d'un effort considérable de la part de l'humanité, un effort millénaire impliquant des millions de vies ; c'est dire que l'acquisition des sciences et des arts est par nature difficile, voire surhumaine. Or la difficulté même que la « sagesse éternelle » a placée devant le progrès est le signe recherché : la « nature [...] comme une mère arrache une arme dangereuse des mains de son enfant (paragr. 34) » a caché la vérité à l'homme, rendant ainsi difficile l'accès aux raffinements intellectuels et donc artistiques ou technologiques. Conclusion de la raison réfléchissant sur une donnée constante de l'expérience humaine : la mère nature est contre le développement des lettres. Pour conclure en reprenant l'ensemble de l'argumentation, les faits, l'autorité et la raison, ou l'histoire, les sages et la nature, conduisent tous trois au paradoxe que soutient l'orateur.

Le dernier paragraphe de la première partie du *Discours sur les sciences et les arts*, comme il se doit, résume les acquis et annonce les questions à régler. Après avoir montré que le raffinement est lié à la décadence morale, on s'efforcera de considérer les sciences et les arts en eux-mêmes, puis dans leurs effets, et, à partir de là, de tirer les conclusions pratiques qui s'imposent.

La seconde partie comporte donc trois sections. Il s'agit d'abord d'examiner les titres de noblesse des lettres, sans égard à leurs effets moraux et politiques, et surtout malgré l'opinion flatteuse que les gens cultivés s'en font. Or Rousseau montre que les sciences et les arts sont défectueux, qu'on regarde leur origine : l'orgueil de l'homme, leurs objets : les vices humains, ou leur résultat intellectuel : l'incertitude ou le scepticisme (paragr. 36-38). La science n'est pas faite pour l'homme, et l'homme qui se connaît vraiment n'est pas trompé par ses appâts. « Sommes-nous donc faits pour mourir attachés sur les bords du puits où la vérité s'est retirée ? Cette seule réflexion devrait rebuter dès les premiers pas tout homme qui chercherait sérieusement à s'instruire par l'étude de la philosophie (paragr. 37). » Il est remarquable que l'orateur, qui a dénoncé et dénoncera l'effet corrupteur du scepticisme engendré par la réflexion philosophique, en admet ici la légitimité : il semble qu'on puisse, comme Rousseau, reconnaître l'impossibilité de connaître et pourtant rester juste, bien mieux : en tirer un fondement intellectuel pour sa moralité. Y aurait-il un scepticisme utile, du genre socratique ou montanien par exemple, et un autre nuisible [222] ? Si oui, qu'est-ce qui les distingue ? Et surtout comment cultiver l'un et étouffer l'autre ? Questions dont les réponses se trouvent au centre de la vision rousseauiste.

Quoi qu'il en soit, l'orateur détaille ensuite les effets nocifs des sciences et des arts. Il y a d'abord l'abus du temps, c'est-à-dire la perte du temps consacré à des activités intéressantes sans doute mais politiquement futiles (paragr. 39) et ensuite l'utilisation des énergies intellectuelles à un travail qui sape les valeurs sacrées de toute société viable : les notions de patrie et de religion (paragr. 40). Vient ensuite une tirade contre le luxe, signe nécessaire de la déchéance militaire d'une société (paragr. 41-43). Le quatrième effet est le plus paradoxal : le progrès des lettres auprès des gens du peuple implique leur régression en termes absolus, car la quantité n'implique nullement la qualité ; vulgarisés, les sciences et les arts se corrompent eux-mêmes selon un mouvement qui singe la corruption morale et politique dont leur progrès est une cause (paragr. 44-46). Le développement des sciences et des arts a aussi pour effet de ramollir le corps et le cœur des citoyens, ce dont les échecs militaires sont encore une fois les témoins (paragr. 47-50). Cette efféminatíon accompagne la déchéance morale dans son sens ordinaire : les produits des sciences et des arts exacerbent la sensualité en éveillant l'imagination et les autres facultés intellectuelles au charme des objets lascifs (paragr. 51-52). Dans un dernier moment, l'orateur remonte au tronc des six premiers effets : l'inégalité sociale. « D'où naissent tous ces abus, si ce n'est de l'inégalité funeste introduite entre les hommes par la distinction des talents et par l'avilissement des vertus (paragr. 53) ? » Il semble donc que l'inégalité sociale fondée sur les talents plutôt que sur la vertu soit d'une façon ou d'une autre à la source des autres effets nocifs (paragr. 53-54). Les sciences et les arts ont sur le plan social une action délétère inévitable : ils stimulent l'orgueil en lui donnant une nourriture abondante et riche. Par la suite, l'orgueil cause les autres vices et défauts et stimule à son tour le développement des lettres [223]. Cercle vicieux, si jamais il en fut.

C'est dans cette section du *Discours sur les sciences et les arts* qu'on peut déceler le plus facilement le manque d'ordre dont Rousseau se plaint dans les *Confessions*. L'œuvre souffre ici d'un flottement dans les formules et les sujets, signe de l'indécision de l'auteur. Par exemple, les remarques sur la corruption du goût (paragr. 44-46) sont introduites sans référence à l'effet précédent. Le paragraphe commence abruptement : « Tout artiste veut être applaudi. Les éloges de ses contemporains sont la partie la plus précieuse de sa récompense (paragr. 44). » Certes au paragraphe suivant, l'orateur affirme : « C'est ainsi que la dissolution des mœurs, suite nécessaire du luxe, entraîne à son tour la corruption du goût (paragr. 45). » Mais la filiation se fait du luxe, dont on a déjà parlé, par la dissolution des mœurs, dont on ne parlera que plus tard, à l'appauvrissement du goût, dont il est maintenant question. On dirait qu'on a changé l'ordre prévu des effets. Vient ensuite un paragraphe, assez étrange et impossible à placer, portant sur la simplicité naturelle, qui annonce les thèmes de l'état de nature et du développement historique de la condition humaine : ces thèmes ne recevront leur pleine exposition que dans le *Discours sur l'origine et les fondements de l'inégalité parmi les hommes*, publié quelques années plus tard. Il appert que, pour respecter le mouvement du *Premier Discours*, ces trois paragraphes sur la déformation du goût se placeraient mieux après les remarques sur la déchéance morale que cause le développement des sciences et des arts, soit après le paragraphe cinquante-deuxième, et juste avant les remarques fondamentales sur l'inégalité [224].

La troisième et dernière section de la seconde partie du *Discours sur les sciences et les arts* propose des solutions pratiques aux problèmes exposés. Il y en a trois: une institutionnelle, une autre tenant au comportement des grands entre eux, une dernière reposant sur la retenue des gens simples. Selon l'orateur, il y a malgré tout, malgré le tableau noir qu'il vient de brosser, beaucoup à faire pour protéger la société contre les effets nocifs dus au développement des sciences et des arts. Paradoxalement, le premier moyen est tiré des lettres elles-mêmes ou plus exactement des institutions créées, croirait-on, pour les promouvoir: les académies. Dans cette optique, le rôle des académies devrait être d'abord de contrôler la justesse morale de ses membres, mais surtout de décourager la vulgarisation des produits des lettres, voire de limiter leur diffusion par l'imprimerie. Sous l'apparence d'une recommandation assez peu originale en ce Siècle des lumières: la création et l'entretien d'institutions qui gèrent les sciences et les arts [225], l'orateur propose qu'on renverse le sens même des académies fondées par les monarques européens (paragr. 55-58): «Tant d'établissements faits à l'avantage des savants n'en sont que plus capables d'en imposer sur les objets des sciences et de tourner les esprits à leur culture. Il semble, aux précautions qu'on prend, qu'on ait trop de laboureurs et qu'on craigne de manquer de philosophes. Je ne veux point hasarder ici une comparaison de l'agriculture et de la philosophie: on ne la supporterait pas. Je demanderai seulement: “Qu'est-ce que la philosophie? Que contiennent les écrits de philosophes les plus connus? Quelles sont les leçons de ces amis de la sagesse (paragr. 57)?”» Ce premier point conduit au deuxième: s'il faut lutter contre la vulgarisation des sciences et des arts, c'est que leur progrès véritable et, en même temps, la santé politique des États sont liés au sort des meilleurs citoyens, c'est-à-dire des sages qui sont capables de pratiquer les lettres par eux-mêmes et pour leur propre plaisir: le bonheur des États et des peuples dépend d'une alliance entre les grands du monde politique et les grands du monde intellectuel. « Que les rois ne dédaignent donc pas d'admettre dans leurs conseils les gens les plus capables de les bien conseiller ; qu'ils renoncent à ce vieux préjugé, inventé par l'orgueil des grands, que l'art de conduire les peuples est plus difficile que celui de les éclairer, comme s'il était plus aisé d'engager les hommes à bien faire de leur bon gré que de les y contraindre par la force (paragr. 59). » Fidèle à sa manière à la thèse du despote éclairé, l'orateur propose donc que la force politique soit dirigée par la force, ou plutôt la lumière, de la raison (paragr. 59) [226]. La dernière recommandation s'adresse à un tout autre secteur de la population pour diriger ses énergies dans une tout autre direction. Se reconnaissant, sans doute pour les besoins de son argumentation rhétorique, membre du petit peuple, Rousseau recommande aux siens de ne pas se laisser leurrer par les belles apparences qui appartiennent aux sciences et aux arts et de ne pas se mêler de ces disciplines aussi difficiles que vaines pour eux : « Laissons à d'autres le soin d'instruire les peuples de leurs devoirs, et bornons-nous à bien remplir les nôtres ; nous n'avons pas besoin d'en savoir davantage (paragr. 60). » Le remède ultime est évident : si le progrès des sciences et des arts et surtout la vulgarisation des lettres causent des problèmes politiques et moraux profonds, il faut encourager les gens du peuple à demeurer honnêtes et simples, il faut qu'ils se donnent l'exemple les uns aux autres [227]. Le dernier mot du *Discours sur les sciences et les arts* signifie que le bien-être politique et moral de la cité est en fin de compte entre les mains des citoyens, c'est-à-dire de la sagesse naturelle, ou de l'humble innocence, des individus ordinaires (paragr. 60-61).

Les trois conclusions ou solutions proposées à la fin du *Premier Discours* correspondraient-elles aux trois types de témoins appelés à la barre dans la première partie ? Ainsi, la nature ayant placé des difficultés devant l'entrée du temple des sciences et des arts, il importe que les hommes les respectent et donc que la vulgarisation, fléau particulier du Siècle des lumières, soit limitée et même découragée au moyen d'institutions ordinairement associées à elle. Les sages de la trempe d'un Socrate ayant vu clair dans le problème du développement des sciences et des arts, il appartient aux détenteurs du pouvoir politique de se mettre à leur école afin de montrer quelque chose de la clairvoyance d'un Louis XII. Les peuples du passé et du présent, d'ici et d'ailleurs, ayant fait l'expérience des effets nocifs du progrès des lettres, il revient aux gens du peuple, aux petits, de ne pas se laisser berner par la trompeuse gloire associée à l'excellence culturelle. Les institutions politiques doivent respecter les signes de la nature, les chefs du peuple écouter les conseils des sages, les gens du peuple tenir compte de l'expérience que porte le passé. Cette correspondance, si elle était juste, serait un signe que les imperfections qu'on peut trouver dans l'ordre du *Discours sur les sciences et les arts* n'excluent pas une certaine perfection formelle. L'orateur pouvait espérer être entendu, voire applaudi.

En revanche, Rousseau fit inscrire sur la première page de son texte publié une citation d'Ovide : « *Barbarus hic ego sum quia non intelligor illis* », soit : « Ici, je suis un barbare parce qu'ils ne me comprennent pas ». La phrase a sans doute plusieurs sens, mais elle indique d'abord et avant tout que Rousseau s'attendait à être mal compris par ses lecteurs[228]. Un avertissement est donc le premier mot du texte, un avertissement au lecteur de prendre le temps et les moyens de bien comprendre avant de condamner. Aussi de la simple suite des propos du *Discours sur les sciences et les arts*, on peut tirer quelques conclusions générales au sujet de l'ordre du texte et ainsi mieux saisir le sens que l'auteur entendait lui donner, conclusions indépendantes d'un accord ou d'un désaccord final avec Rousseau. D'abord, le *Premier Discours* est construit selon une double courbe : la première ascendante, qui fait monter le lecteur du problème particulier que pose le « rétablissement » des sciences et des arts en Europe vers la question plus générale du lien entre le développement intellectuel et la décadence morale et politique ; la seconde descendante, par laquelle le lecteur va de la thèse universelle et des causes et effets qu'elle comporte à la proposition de certains remèdes particuliers applicables par les contemporains de Rousseau.

La thèse centrale est elle-même divisée en deux. Le plus important paraît être l'établissement du lien de causalité entre le progrès des sciences et des arts et la décadence morale. Car l'auteur est bien conscient qu'un *post hoc* n'est pas un *propter hoc*: parce que l'ignorance peut être associée dans le temps et dans le lieu à une certaine santé morale et politique, parce que souvent le développement des lettres se trouve à avoir précédé une déchéance spirituelle, on ne peut pas encore en déduire un rapport de cause à effet. Au fond, les remarques de la seconde partie servent à approfondir et à affermir les conclusions tirées dans la première partie : en examinant les origines et les objets des lettres et en étudiant de plus près leurs effets, on comprend le lien précis entre les deux données du problème[229].

Enfin, troisième conclusion, si les lettres populaires sont critiquées, ce ne sont pas toutes les sciences ni tous les arts qui sont condamnés par l'orateur. Certes, il y a le cas des génies, des hommes d'exception, qui étudient et pourtant demeurent d'excellents citoyens[230]. Mais les exceptions sont beaucoup plus importantes lorsqu'on les considère chez les gens du peuple. Or il est patent par l'argumentation présentée dans le *Premier Discours* qu'il y a au moins un art que tous les hommes peuvent, et doivent, pratiquer: l'art de l'agriculture. De même, il y a au moins une science qui doit être suffisamment développée dans toute société saine: la science militaire[231]. De ces exceptions, on peut tirer une image du citoyen ordinaire de la société ordinaire de Rousseau: c'est un paysan qui sait défendre sa cité. La vertu dont parle le citoyen de Genève dans le *Discours sur les sciences et les arts* a d'abord ces traits-là.

2. Vertu

L'exorde du *Premier Discours* contient une affirmation capitale: « Ce n'est point la science que je maltraite, me suis-je dit; c'est la vertu que je défends devant des hommes vertueux (paragr. 5). » Capitale à plus d'un titre: parler ainsi, c'était avertir l'auditeur, et du même coup le lecteur[232], que le *Discours sur les sciences et les arts* portait sur la vertu; c'était avertir l'un et l'autre que le ton critique du discours, la charge contre les sciences et les arts, n'était que le pendant, peut-être trop visible, d'une volonté bien positive et plus fondamentale: l'apologie de la vertu; c'était les avertir même, dès les premières lignes, que la science ou l'art en soi, que les lettres telles que pratiquées par les rares meilleurs esprits, n'étaient pas en cause. Aussi Rousseau sera-t-il justifié en grande partie lorsqu'il se plaindra, par exemple dans la *Préface au Narcisse*, qu'on s'est mépris sur son attitude face aux sciences et aux arts, qu'on l'a pris pour un révolutionnaire partisan de la barbarie la plus totale, alors qu'il n'a jamais prôné de transformations sociales radicales, ni pensé que l'ignorance et la brutalité étaient les mères uniques du bien. Voyez plutôt comment il se cite en faux pour corriger la mésinterprétation: « " Il y a donc un moyen pour nous de redevenir honnêtes gens; c'est de nous hâter de proscrire la science et les savants, de brûler nos bibliothèques, de fermer nos académies, nos collèges, nos universités et de nous replonger dans toute la barbarie des premiers siècles. " Voilà ce que mes adversaires ont très bien réfuté ; aussi jamais n'ai-je dit ni pensé un seul mot de tout cela, et l'on ne saurait rien imaginer de plus opposé à mon système que cette absurde doctrine qu'ils ont la bonté de m'attribuer (paragr. 12-13)[233].» En somme, la critique de la popularisation des lettres n'est pas la condamnation de leur pratique.

On examinera plus tard la doctrine rousseauiste sur les conditions de l'usage adéquat des sciences et des arts[234]. L'essentiel est ailleurs : Rousseau n'aborde la question des lettres qu'en vue de réfléchir sur le problème humain, sur le problème moral et politique. Et, encore une fois, la clé de cette problématique est le mot *vertu*, et les diverses réalités qu'il nomme. On en trouvera un signe dans l'effet que le succès de l'œuvre eut sur son auteur. Rousseau a raconté dans les *Confessions* comment à partir du couronnement du *Premier Discours*, la vertu devint pour lui comme une idole. «L'année suivante, 1750, comme je ne songeais plus à mon discours, j'appris qu'il avait remporté le prix à Dijon. Cette nouvelle réveilla toutes les idées qui me l'avaient dicté, les anima d'une nouvelle force et acheva de mettre en fermentation dans mon cœur ce premier levain d'héroïsme et de vertu que mon père et ma patrie et Plutarque y avaient mis dans mon enfance. Je ne trouvai plus rien de grand et de beau que d'être libre et vertueux, au-dessus de la fortune et de l'opinion, et de se suffire à soi-même[235].» C'est parce que le *Discours sur les sciences et les arts* porte d'abord et avant tout sur la vertu en tant qu'idéal qu'il peut réveiller chez lui les sentiments qui s'étaient assoupis après l'illumination de Vincennes[236], dont le seul effet avait été jusqu'alors un texte. Couronnés opportunément par l'Académie de Dijon, les mots font renaître l'idéal qui les a inspirés, mais cette fois pour la vie.

Mais qu'est-ce que la vertu ? Le mot est aujourd'hui dévalorisé ; il commençait déjà à l'être du temps de Rousseau : la vertu n'est plus qu'une petite chose, une hésitation, une réticence, une inertie ; on imagine la personne vertueuse à genoux, incertaine, timorée, inactive. Pour le dire bêtement mais clairement, dans cette optique, la vertu appartiendrait surtout aux femmes pour autant qu'elles se soucient de leur réputation avant et après le mariage. Or Rousseau, comme en bien d'autres domaines[237], s'efforce de rétablir la notion ancienne de la chose, tente d'insuffler un esprit nouveau dans un vieux corps. Au contraire, affirme-t-il, la vertu est rare parce que grande : c'est l'excellence d'un individu fort; mais elle est, en même temps, liée aux exigences de la nature et donc aux possibilités de tous les individus; enfin, la vertu ne se conçoit que dans les rapports que les humains ont entre eux: il est toujours question de justice et de bien collectif quand le citoyen de Genève parle de vertu. La vertu est une supériorité morale qui accomplit les potentialités naturelles de l'individu et lui permet de briller parmi les hommes en leur faisant un bien solide.

Une image aiderait peut-être à retrouver quelque chose du concept. Certains êtres savent attirer notre admiration, parfois même l'arracher. «La richesse de la parure peut annoncer un homme opulent et son élégance un homme de goût; l'homme sain et robuste se reconnaît à d'autres marques: c'est sous l'habit rustique d'un laboureur, et non sous la dorure d'un courtisan, qu'on trouvera la force et la vigueur du corps. La parure n'est pas moins étrangère à la vertu, qui est la force et la vigueur de l'âme. L'homme de bien est un *athlète* qui se plaît à combattre nu: il méprise tous ces vils ornements qui gêneraient l'usage de ses forces et dont la plupart n'ont été inventés que pour cacher quelque difformité (paragr. 11).» Pensons donc, comme nous y invite Rousseau, à tel athlète qui dépasse les autres par l'aisance vigoureuse de ses gestes, par la terrible efficacité de son jeu, par la science infaillible qui guide tous les mouvements de son corps. Cette aisance, cette efficacité et cette science toutes ensemble, voilà, dans le domaine de l'action morale ou politique, ce que loue le citoyen de Genève; voilà ce dont rêvera toute sa vie le doux Jean-Jacques; voilà ce que le sage Rousseau détaillera et défendra dans ses écrits. La vertu, cela vaut d'être répété, c'est l'accomplissement de toutes les potentialités importantes de l'être humain. Sa thèse revient donc à affirmer que les sciences et les arts sont dangereux, c'est-à-dire nuisibles à l'homme, parce qu'ils rendent cette excellence intérieure et extérieure, spirituelle et physique, moins efficace, moins spontanée, moins intelligente.

Insister sur *la* vertu, c'était, de la part de Rousseau, cacher autant de choses qu'il en révélait. Car le mot, tel qu'il l'emploie, est un mot analogue, ce qui complique la position rousseauiste et, du même coup, l'effort à faire pour la cerner. Il faut sans doute rappeler ce qu'est un mot analogue. Le verbe *voir* en est un exemple tout simple. On dit qu'on voit une chaise dans une pièce, qu'on voit un monstre dans un cauchemar, qu'on voit ce que signifie telle phrase dans un livre. Car on peut voir avec les yeux, voir dans son imagination, et voir par son intelligence; on peut voir un objet physique, un fantasme et une idée universelle intangible. Le fait que la représentation d'une *chose* peut se faire de trois façons conduit à la création d'un mot analogue. Par une raisonnable économie instrumentale, un seul mot, *voir*, est utilisé pour signifier des réalités psychologiques distinctes mais apparentées. Dans le cas du verbe *voir*, l'analogie est en somme sans danger : celui qui écoute distingue à quel niveau lexical on se trouve à partir du contexte ; celui qui parle n'a qu'à laisser quelques signes pour diriger adéquatement l'attention de son interlocuteur. Mais dans le cas d'analogies plus fines, soit que les distinctions se fassent plus ténues, soit que les choses nommées s'avèrent moins accessibles, le mot analogue pourra devenir un piège [238]. L'analogie, stratégie inévitable et souhaitable, conduira alors un esprit non averti ou peu délié à voir des identités là où il n'y a que des ressemblances : elle le conduira à imaginer une identité conceptuelle là où il n'y a qu'identité lexicale ; bien souvent, elle le mènera à appauvrir les idées qu'on lui propose en les rassemblant dans un concept protéiforme et donc mal défini ; à la limite, elle l'incitera à s'imaginer découvrir une contradiction dans les idées d'un penseur qui, lui, perçoit les différences derrière l'unité nominale et en tient compte [239].

À l'instar du verbe *voir* dans la langue quotidienne, le mot *vertu*, chez Rousseau, a plusieurs sens : il a, et ce depuis le *Discours sur les sciences et les arts*, trois sens apparentés et faciles à confondre qu'il faut pourtant s'efforcer de distinguer, et peut-être même de hiérarchiser, pour saisir la richesse de sa thèse, sa cohérence et son originalité. Il y a d'abord la vertu du citoyen, de l'homme d'action. C'est elle que célèbre Fabricius dans la fameuse prosopopée : « Que vit donc Cynéas de si majestueux ? Ô citoyens ! Il vit un spectacle que ne donneront jamais vos richesses, ni tous vos arts, le plus beau spectacle qui ait jamais paru sous le ciel : l'assemblée de deux cents hommes *vertueux*, dignes de commander à Rome et de gouverner la terre (paragr. 32). » Car, dans un premier temps, la vertu dont rêve Rousseau est romaine, et l'homme vertueux un Romain de l'époque de la République, un héros des premiers temps, tels que les décrit Plutarque [240]. C'est dire que la vertu est vigoureuse, active, militaire, belliqueuse même ; c'est dire qu'elle est faite d'une retenue qui va jusqu'au renoncement, car la liberté politique et la domination des autres reposent tôt ou tard sur la domination de soi et la liberté intérieure. Pour Rousseau, elle mériterait alors mieux son étymologie : « vertu » vient du latin *virtus*, qui dérive du mot *vir*, qui signifie « homme » dans le sens fort du terme, pour autant qu'on distingue l'homme de la femme, de l'homme manqué. La vertu est une disposition morale par laquelle la volonté trône sur les passions, commande au cœur et au corps, fait avancer l'homme vers la mort pour la sécurité des siens et la gloire de sa nation. La vertu est le propre du citoyen.

Qui dit vertu dit grandeur et victoire sur soi et sur les autres. Mais il y a au moins deux sortes de grandeur, au moins deux sortes de victoires : les découvertes intellectuelles sont, elles aussi, les effets d'une grande vertu ; la sagesse et même la science sont des manifestations d'une excellence très différente de celle du citoyen romain, mais tout aussi réelle. Malgré ce que la thèse paraîtra avoir d'étonnant, dans le *Premier Discours*, si dur pour les sciences et les arts, Rousseau fait l'éloge de la vertu intellectuelle, pour autant qu'elle est le fondement de la vertu, soit pour autant qu'on peut distinguer la sagesse des sciences[241]. Pour incarner celle-ci, l'orateur propose d'abord l'image de Socrate, le premier des sages qu'il prend pour témoins. Certes, ce qui chez Socrate intéresse Rousseau, c'est d'abord et avant tout l'homme juste, le héros courageux qui, serein, affronte la mort ; ce qui l'attire, c'est que ce sage fait l'éloge de l'ignorance chez un peuple de prétendus savants et de faiblards sophistiqués. « Cet homme juste continuerait de mépriser nos vaines sciences ; il n'aiderait point à grossir cette foule de livres dont on nous inonde de toutes parts et ne laisserait, comme il a fait, pour tout précepte à ses disciples et à nos neveux que l'exemple et la mémoire de sa vertu. C'est ainsi qu'il est beau d'instruire les hommes (paragr. 30) ! » Pourtant cet homme juste et ignorant est grand par sa sagesse ; son action principale, celle qui est rapportée dans le *Discours sur les sciences et les arts*, est d'avoir interrogé ses concitoyens, d'avoir réfléchi sur une énigme, d'avoir enseigné à tous sa sagesse divinement humaine. Aussi Socrate dépasse-t-il les autres parce qu'il est un sage et même un savant, mais un savant qui comprend que la vertu dans le sens premier est plus importante que les sciences et les arts : « Voilà donc le plus sage des hommes au jugement des dieux et le plus savant des Athéniens au sentiment de la Grèce entière, Socrate, faisant l'éloge de l'ignorance[242] ! » Mais Socrate n'est pas le dernier penseur dont la vertu spéciale soit reconnue. Alors même qu'il ironise, à coups de formules compliquées, sur les découvertes des sciences naturelles et de la métaphysique modernes, l'orateur reconnaît que les savants qui en sont les inventeurs et les promoteurs sont néanmoins de grands hommes et même mieux : ils sont les meilleurs citoyens. « Répondez-moi, dis-je, vous de qui nous avons reçu tant de sublimes connaissances. Quand vous ne nous auriez jamais rien appris de ces choses, en serions-nous moins nombreux, moins bien gouvernés, moins redoutables, moins florissants ou plus pervers ? Revenez donc sur l'importance de vos productions ; et si les travaux des plus éclairés de nos savants et de nos meilleurs citoyens nous procurent si peu d'utilité, dites-nous ce que nous devons penser de cette foule d'écrivains obscurs et de lettrés oisifs, qui dévorent en pure perte la substance de l'État (paragr. 39). » Ce sont plutôt les vulgarisateurs dont les travaux sont remis en question dans le *Premier Discours*: les découvertes scientifiques ne faisant aucun bien véritable aux citoyens ordinaires, c'est le projet de vulgariser la science qui est à la fois ridicule et dangereux ; les savants eux-mêmes, mais non leurs fanatiques seconds, sont grands en raison de leurs profondes intuitions.

Il n'en demeure pas moins que la noblesse et la difficulté de ces intuitions n'assurent pas leur utilité politique et morale. Aussi les savants sont-ils invités à réexaminer leur action: ne pourraient-ils pas consacrer leurs énergies spéciales à une recherche qui serait non moins admirable et bien plus utile ? Soit de savants se faire sages. Or la suggestion d'abandonner la réflexion scientifique et épistémologique pour trouver meilleur et la présentation de l'objet de cette nouvelle recherche avaient été faites dès la première partie du discours : « C'est un grand et beau spectacle de voir l'homme sortir en quelque manière du néant par ses propres efforts ; dissiper, par les lumières de sa raison, les ténèbres dans lesquelles la nature l'avait enveloppé ; s'élever au-dessus de soi-même ; s'élancer par l'esprit jusque dans les régions célestes ; parcourir à pas de géant ainsi que le Soleil la vaste étendue de l'Univers ; et, ce qui est encore plus grand et plus difficile, rentrer en soi pour y étudier l'homme et connaître sa nature, ses devoirs et sa fin (paragr. 7). » L'orateur revient d'ailleurs sur la question à la fin du discours lorsqu'il suggère, aux rois cette fois, de devenir les disciples, pour ne pas dire les instruments, de ces grands hommes que sont les vrais penseurs. Car la sagesse est, à sa façon, aussi agissante que le sont le pouvoir et l'autorité. Tous ces passages conduisent à la conclusion qu'il y a une deuxième forme d'excellence humaine, l'intellectuelle, qui, bien employée, contribue à l'œuvre de la vertu dans le sens premier du terme. Pour Rousseau, peut-être ici encore redevable à Platon, la sagesse est en un sens la vertu [243].

Mais il y a un troisième emploi du mot qui est constant dans le *Premier Discours*. Un sens du mot qui dit plutôt la passivité que l'activité, qu'elle soit politique et morale ou intellectuelle. Il est indubitable d'abord que Rousseau fait l'apologie d'un type humain qui semble le contraire du Romain et de l'homme d'action, le contraire du savant et du sage : l'honnête homme simple et innocent, peu entreprenant sur le plan politique comme sur le plan intellectuel. C'est à lui que l'orateur s'adresse dans les dernières lignes : « Ô vertu ! Science sublime des âmes simples, faut-il donc tant de peines et d'appareil pour te connaître ? Tes principes ne sont-ils pas gravés dans tous les cœurs, et ne suffit-il pas pour apprendre tes lois de rentrer en soi-même et d'écouter la voix de sa conscience dans le silence des passions ? Voilà la véritable philosophie, sachons nous en contenter (paragr. 61). » Après les appels à une grandeur politique de taille romaine, après la présentation des géants du monde spirituel, l'auditeur est laissé avec cette image humble et touchante. Encore une fois, les extrêmes du discours se répondent : cette chute finale trouve un premier exemple dans l'exorde. Là, l'orateur, après avoir exposé son intention : défendre la vertu devant les membres de l'Académie de Dijon, quitte cette pose quelque peu grandiose pour occuper un lieu qui fera la fortune de l'auteur : Rousseau, le fier citoyen, se fait Jean-Jacques : « après avoir soutenu, selon ma lumière naturelle, le parti de la vérité, quel que soit mon succès, il est un prix qui ne peut me manquer : je le trouverai dans mon cœur (paragr. 6). » La chute est double : de la lumière de la raison au témoignage obscur du cœur, mais en même temps d'une certaine action devant les autres pour le bien de tous à une passivité qui, sans être méchante ni même oisive, n'a rien de l'agressivité du citoyen habité par l'image du bien commun de sa cité ni de l'effort titanesque de l'amant de l'idéal de vérité. C'est que la vertu se dit aussi de l'innocence.

On pensera sans doute ici au fameux homme dans l'état de nature dont le portrait inoubliable sera dessiné en quelques phrases dans le *Discours sur l'origine et les fondements de l'inégalité parmi les hommes* : « je vois un animal moins fort que les uns, moins agile que les autres, mais, à tout prendre, organisé le plus avantageusement de tous : je le vois se rassasiant sous un chêne, se désaltérant au premier ruisseau, trouvant son lit au pied du même arbre qui lui a fourni son repas, et voilà ses besoins satisfaits[244]. » Or le *Premier Discours* en offre une première approximation lorsque l'orateur propose à son auditeur une échappée rêveuse vers un passé meilleur. « On ne peut réfléchir sur les mœurs qu'on ne se plaise à se rappeler l'image de la simplicité des premiers temps. C'est un beau rivage, paré des seules mains de la nature, vers lequel on tourne incessamment les yeux et dont on se sent éloigner à regret. Quand les hommes innocents et vertueux aimaient à avoir les dieux pour témoins de leurs actions, ils habitaient ensemble sous les mêmes cabanes (paragr. 46)[245]. » Ces premiers hommes sont vertueux en raison de leur innocence : ils sont innocents, c'est-à-dire vertueux. Car c'est une acception sans cesse renaissante du mot *vertu* que celui de l'innocence adamique : selon une loi de l'imaginaire humain, le bien se pense aussi, et peut-être surtout, dans l'origine, avant le mouvement, avant la chute, avant l'expulsion hors du giron. Avant la vertu du citoyen, avant celle du sage et du savant, il y avait celle de l'homme innocent, ne faisant aucun mal, ou si peu, vivant au sein de la nature la plus simple animée par les dieux. Plus tard il connaîtrait les astres et les temples, les hommes de pouvoir et leurs palais.

Résumons cette analyse du mot *vertu* et donnons-lui une présentation plus concrète : le monde mental de Rousseau, d'abord citoyen de Genève, ensuite philosophe de Paris et enfin promeneur solitaire, est habité par trois idées d'hommes, ou plutôt par trois modèles ou idéaux. Il y a le citoyen : homme fait pour vivre avec les siens, d'autant plus juste et courageux qu'il est tempérant et pourtant énergique ; le sage, homme fait pour vivre au-delà de la condition humaine ordinaire, raisonnable comme peu le sont, mais pitoyable envers ceux qui sont pris dans les rets de l'illusion ; et enfin le sauvage, homme originel fait pour vivre en deçà de la vie socialisée ou rationnelle, tendre au point d'être larmoyant, mais être solitaire qui se plaît dans un face à face avec soi, homme naturel, dont les petites gens, les gens ordinaires sont l'image quotidienne[246].

Pourtant, le deuxième sens du mot *vertu*, celui qui s'applique au sage et au savant, cause problème, et pas seulement du fait que le *Discours sur les sciences et les arts* critiquerait les lettres et donc cette même vertu intellectuelle. Un regard jeté dans un dictionnaire montrera que la vertu y est associée toujours et comme nécessairement à l'activité morale. Ce qui revient à dire qu'on parle plus aisément d'un citoyen vertueux ou même d'un innocent vertueux que d'un sage vertueux. Sans doute un sage peut être vertueux, mais on aura toujours tendance à distinguer son excellence intellectuelle de sa *vraie* vertu. La pensée semble se faire ailleurs que dans le domaine de l'action humaine : le penseur est seul face à ses idées ou, mieux encore, seul face au monde dont il se fait une idée ; la pensée semble se faire sans référence à la bonté de l'individu : le penseur n'est ni bon ni mauvais, il ne fait ni bien ni mal, il réfléchit par-delà Bien et Mal, il voit ce qui est. En conséquence, la vertu du penseur doit être réexaminée, d'autant plus que pour Rousseau, elle serait en ce Siècle des lumières le rempart des deux autres, voire la condition de leur redécouverte. Affirmation qu'il s'agit maintenant d'explorer.

Le *Premier Discours* de Jean-Jacques Rousseau est un texte politique : son ton, par exemple dans la célèbre prosopopée de Fabricius, mime celui de l'homme politique haranguant la foule ; son sujet porte sur les sciences et les arts, non en eux-mêmes, ni même dans leur effet strictement moral, mais quant à la répercussion sociale et politique qu'ils auront[247] ; les solutions proposées – car le *Premier Discours* n'est pas seulement une critique mais aussi l'épure d'une société meilleure – sont d'ordre politique. Ce qui veut dire, en dernière analyse, que Rousseau ne fait pas appel à la prière, ni, ici, au retrait de la société comme options humaines réalistes : il faut agir et non prier, quoiqu'on puisse prier pour mieux agir ; il faut s'inscrire dans l'histoire et non s'en échapper. Le remède le plus énergique est sans contredit que les hommes politiques s'allient les penseurs pour mieux assurer le bien-être des hommes sur lesquels ils règnent. Suggestion qui ne pèche pas par originalité, comme on l'a dit. C'est reprendre, sur un ton plus pathétique peut-être, le thème du despote éclairé cher aux Encyclopédistes. Bien mieux, c'est reprendre un thème aussi vieux que la pensée politique des philosophes, pour peu que ceux-ci aient suggéré une réforme aux hommes de leur temps.

Le premier en date de ces philosophes est sans doute Platon, qui, dans sa *République*, créa, avant le nom, la première utopie. Dans ce dialogue, Socrate, avec l'aide des deux frères de Platon, Adéimantos et Glaukôn, fonde en parole une cité juste dans l'espoir de déterminer la nature de la justice et éventuellement de prouver qu'elle est aimable en soi. Leur longue discussion couvre une grande variété de sujets, mais des points précis sont offerts à l'attention des auditeurs du trio et des lecteurs du dialogue. Ces éléments de la constitution de la cité juste sont si paradoxaux que Socrate les dit tout à fait risibles, comme pour se défendre d'avance contre les critiques qu'on ne manquerait pas de lui adresser. Car, selon le philosophe et ses jeunes interlocuteurs, pour éliminer l'injustice, sinon du cœur humain, du moins des institutions politiques, il faut d'abord que la propriété privée soit abolie pour la classe dirigeante, ensuite que les femmes soient traitées comme des hommes, et enfin que le philosophe soit roi ou le roi philosophe. «Voilà: nous sommes donc d'accord, Glaukôn, qu'une cité qui veut être parfaitement gouvernée doit avoir les femmes en commun et les enfants en commun [...] et avoir comme rois ceux qui sont les meilleurs en philosophie et à la guerre [248].» Ces trois thèses paradoxales auraient-elles de secrets liens entre elles? Sans doute. Mais comment rattacher ensemble l'abolition de la propriété privée, la réduction à néant de la différence sexuelle et la royauté du philosophe?

Peut-être cela tient-il à l'idée de l'homme que veut promouvoir Socrate, et Platon à travers lui. À savoir: La justice n'est possible que si les êtres humains sont capables de s'abstraire d'eux-mêmes, c'est-à-dire de s'oublier comme individus tissés de désirs physiques particularisants, et de poursuivre alors un bien plus général, plus universel, voire plus naturel; en effet, par son âme et grâce à l'éducation de son âme, l'homme est capable de s'oublier en s'ouvrant, et même en se centrant, sur autre chose que sa petite personne. La première condition à assurer en vue de cette libération du «moi haïssable» est le détachement effectif, à savoir économique: les désirs égoïstes des individus trouvent des tuteurs dans les mille et un objets qui constituent la propriété d'un citoyen. «Ceci est *ma* maison. Ceci est *mon* mobilier», affirme-t-on; et chacun qui affirme cet adjectif possessif réaffirme son *moi.* Mais la propriété privée a une racine d'abord naturelle et ensuite sociale: la famille; car il faut du bien pour assurer la sécurité et le bien-être de ceux qu'on aime comme un autre soi-même.

Et la famille a une autre racine encore: la relation privilégiée entre un homme et une femme. L'égalité entre l'homme et la femme que prône Socrate repose moins sur une donnée anthropologique qu'il soutiendrait pour de bon – la différence entre l'homme et la femme serait l'équivalent de la différence entre un homme chevelu et un chauve – que sur un impératif politique: pour que la propriété privée disparaisse chez les dirigeants, cette classe doit être ramenée à une seule famille; pour que les familles particulières soient dissolues et leurs membres fondus en une seule équipe politique, transfamiliale et exclusivement civile, les relations entre les hommes et les femmes doivent être ramenées à des relations entre parfaits égaux, à des relations entre hommes; il faut donc que la femme soit considérée et traitée en toutes choses comme une copie, un peu plus faible peut-être, du mâle. En faisant disparaître la différence entre l'homme et la femme, il semble que la différence entre les individus, hommes ou femmes, s'estompera ; l'amour conjugal, sentiment exclusif et excluant, pourra alors se tempérer. En d'autres mots, celui qui affirme : « Ceci est ma maison » s'est exclamé un jour : « Ceux-ci sont mes enfants ! » et le jour avant : « Celle-ci est ma femme ! » Ou inversement, celle qui annonce : « Tu es mon homme ! » recommandera un jour à son fils : « Ceci est ton bien. Prends-en soin ! » Pour étouffer les phrases condamnables, il faut rendre leurs antécédents impossibles.

En un sens, ces deux premières dispositions, proposées par Socrate et acceptées par les deux jeunes qui l'écoutaient, ne sont que les préparatifs de la troisième, qui, elle, est décisive. Le règne du philosophe est nécessaire pour l'établissement de la justice, et ce à deux titres au moins. Car il faut que toutes les institutions politiques supposées injustes soient réformées et ensuite surveillées par un homme qui connaisse la justice en elle-même, propriété qui ne pourrait appartenir qu'au philosophe. Mais le philosophe connaît-il la justice en elle-même ? Rien, et surtout pas les dialogues du Socrate de Platon, ne permet de l'affirmer. Par ailleurs, faute de savoir au juste ce qu'est la justice, tous les hommes savent bien que l'homme juste est celui qui est capable de se détacher de ses besoins, capable de s'abstraire de l'emprise de l'ici et du maintenant, pour ne considérer que les impératifs de la loi ; ils savent qu'un tel homme est un exemple pour ses concitoyens. Y a-t-il un homme qui soit doué pour ce genre de lutte contre l'individuel en lui et en les autres ? La réponse est aussi évidente que la pauvreté de Socrate et son influence envoûtante sur une certaine jeunesse athénienne : le philosophe est cet homme spécial. Or quel est le travail que tout philosophe acceptera sans difficulté ? La réponse est aussi évidente que le quotidien de Socrate : parler avec ses concitoyens, les éduquer, c'est-à-dire les rendre sensibles à l'objet de toutes ses recherches : la vérité universelle, plus digne de respect et de désir que tous les trésors humains, que tous les individus de quelque sexe qu'ils soient. Il se trouve donc que le règne du philosophe est un règne intellectuel ; mis au service de la justice, il s'allie avec les deux premières mesures proposées par Socrate ; bien mieux, il donne une impulsion positive vers le non-physique qui complète les deux retranchements qu'opéraient la disparition de la propriété, privée et la masculinisation de la femme. Celui qui ne peut s'écrier : « Ceci est à moi ! » ni : « Voilà ma femme ! » est prêt à subir l'influence des passions désintéressées de son âme. Et, inversement, la promesse des beautés et des richesses du monde intellectuel dispose l'individu à l'indifférence envers les biens matériels et l'amour qui n'est que physique.

Quoi qu'il en soit de la justesse de cette interprétation de la *République* de Platon, il est clair que ce texte fondateur de la philosophie occidentale s'interroge sur le rôle politique du penseur. Socrate doit-il éviter de se mêler des choses politiques, si ce n'est en en parlant avec ses amis ? Ou bien doit-il pour son bien et pour celui de la cité se charger de l'éducation des chefs[249] ? Ce problème n'a cessé de hanter les philosophes, ne serait-ce qu'à cause du sort que la ville d'Athènes réserva à Socrate.

La question platonicienne fut reprise, entre autres, par Francis Bacon, qui lui donna une solution différente : le roi-philosophe ou philosophe-roi fut remplacé par le savant-roi. Rousseau, qui connaissait l'œuvre de Platon sur le bout des doigts, était conscient aussi de cette nouvelle tentative, c'est le moins qu'on puisse dire. Aussi est-il prêt à offrir à Bacon le titre de précepteur du genre humain et mieux encore : « Le prince de l'éloquence fut consul de Rome, et le plus grand, peut-être, des philosophes, chancelier d'Angleterre (paragr. 59)[250]. » Première figure de la solution typiquement moderne de la foi en les lumières, l'idée politique de Bacon fut proposée dans un texte décrivant une société parfaite qui devait faire pièce à la république *établie* par Socrate, Glaukôn et Adéimantos[251]. Bacon imagina une île appelée Bensalem (soit, selon un quasi-calque du nom de Jérusalem, « fille de la paix »), où le pouvoir effectif serait entre les mains d'une confrérie de savants, appelés les Pères de la Maison de Salomon. Ces hommes sont, lorsqu'on les dépouille de leurs robes fantasmatiques, des scientifiques voués à la conquête de la nature, et règnent sur un peuple heureux, qui se croit gouverné par des administrateurs efficaces et un roi fantomatique. Or les gens du peuple sont heureux parce que l'isolement physique et politique de l'île et l'ignorance qui s'ensuit ont stabilisé leurs croyances et leurs mœurs ; ils sont heureux parce que la religion chrétienne et les coutumes nationales concernant la famille renforcent le pouvoir moral du père, lequel affaiblit et *gère* leurs désirs ; ils sont heureux surtout parce que les hommes de science satisfont leurs besoins physiques, augmentent leurs aises, et leur assurent une vie longue et en santé. Sur l'île de Bensalem, les malédictions du péché originel ont été neutralisées, ou peu s'en faut.

Le bonheur des habitants de Bensalem est rendu possible par une soumission des gens du peuple aux plus savants parmi eux, et cette soumission est rendue légitime par la soumission de la raison et de ses œuvres aux exigences du corps des individus : le supérieur règne de par l'autorisation de l'inférieur, ce qui revient à dire que l'inférieur est plus vrai parce que plus puissant et plus puissant parce que plus vrai. Le bon sens corporel, le désir de vivre, de vivre longtemps, de vivre en santé, de vivre entouré d'agréments, le bon sens donc est la chose du monde la mieux partagée. Ce sont la vérité naturelle et la nature vraie qui conduisent l'homme à vouloir se faire maître et possesseur de la nature. Contrairement aux philosophes-rois de la cité platonicienne, ce n'est pas en détachant les individus d'eux-mêmes que les scientifiques méritent de régner sur leurs concitoyens, c'est parce qu'ils prennent au sérieux les demandes des petites gens ; s'ils méritent d'être les maîtres des hommes, c'est parce qu'ils sont les maîtres de trésors technologiques copieusement produits, précautionneusement accumulés et amoureusement décrits. Pour le dire autrement, la passion fondamentale du grand homme n'est plus comme chez Platon l'*eros*, qui fait monter l'âme vers les Idées, mais la pitié, qui la fait pencher vers les blessures et les douleurs corporelles, comme le montre la première phrase décrivant un Père de la Maison de Salomon : « C'était un homme de taille et d'âge moyens, avenant de sa personne ; il avait l'air d'avoir pitié des hommes. » C'est la pitié de ce même sage qui, à la fin du récit, lui fait envoyer vers l'Europe le narrateur, transformé en missionnaire, qui portera dans les terres du monde ancien la bonne nouvelle de la science nouvelle. Mais il est temps de revenir au sage vertueux de Rousseau.

Quelle sera au juste l'action de cet homme ? On peut pour le moment[252] affirmer ceci à partir du *Discours sur les sciences et les arts*. Il ne s'agira pas pour un nouveau Socrate de séduire les jeunes hommes et de les amener à discuter sans fin de la nature de la vertu. Cette option a été éliminée par des passages comme le suivant : « Ils n'ignoraient pas que dans d'autres contrées des hommes oisifs passaient leur vie à disputer sur le souverain bien, sur le vice et sur la vertu et que d'orgueilleux raisonneurs, se donnant eux-mêmes les plus grands éloges, confondaient les autres peuples sous le nom méprisant de barbares ; mais ils ont considéré leurs mœurs et appris à dédaigner leur doctrine (paragr. 23). » Ni pour un nouveau père de la Maison de Salomon de satisfaire aux besoins premiers des gens du peuple. S'alliant cette fois à

Platon, Rousseau voit dans cette soumission au physique une des racines de l'esclavage politique et de la petitesse morale. Ou pour le dire en ses termes : « Tandis que le gouvernement et les lois pourvoient à la sûreté et au bien-être des hommes assemblés, les sciences, les lettres et les arts, moins despotiques et plus puissants peut-être, étendent des guirlandes de fleurs sur les chaînes de fer dont ils sont chargés, étouffent en eux le sentiment de cette liberté originelle pour laquelle ils semblaient nés, leur font aimer leur esclavage et en forment ce qu'on appelle des peuples policés. Le besoin éleva les trônes ; les sciences et les arts les ont affermis (paragr. 9 ; voir aussi la note a). » Ces options exclues, que reste-t-il ? Que fera le sage ? À quoi peut servir sa sagesse ? En supposant qu'il voit clair dans la condition humaine, que fera-t-il pour que son excellence soit autre chose qu'un admirable mais inutile développement de son potentiel, autre chose qu'un trésor que des esprits médiocres pourront gaspiller en menue monnaie technologique et artistique de façon à asservir les gens du peuple ? Sachant ce qu'est l'homme, il saura ce qui le rend heureux et ce qui le rend malheureux, il saura poursuivre le premier et éviter le second pour lui-même, et il donnera l'exemple sans doute. Mais quel exemple ? La réponse à cette question se trouve, comme il se doit, au début et à la fin du *Premier Discours*: le mot *cœur* dit tout (paragr. 6, 61). Le sage vertueux ne sera ni le guide de l'intelligence ni le pourvoyeur du corps, mais l'éducateur du cœur. La solution politique de Rousseau, voire l'essentiel de sa pensée, sera une tentative d'allier l'*eros* et la pitié, de fonder les accomplissements hauts et admirables de l'*eros* ancien sur l'humble et touchante pitié moderne, un alliage qui créera un nouveau métal humain. Il opérera cette fusion au moyen d'un art oratoire, lui aussi nouveau et particulièrement efficace.

3. Orateur

Les œuvres de Jean-Jacques Rousseau abondent en paradoxes. Pourtant, en un sens, c'est toujours la même énormité à laquelle s'achoppe le lecteur. Il comprend mal comment l'auteur peut se permettre une bilocalisation intellectuelle. Il se demande comment Rousseau peut prétendre se situer à la fois ici et là, c'est-à-dire comment il peut en même temps prendre une position et en soutenir une autre qui est aux antipodes. Les exemples de cette bilocalisation problématique abondent. Comment le *Premier Discours*, qui remet en question la valeur morale et l'utilité politique des sciences et des arts, peut-il sortir de la plume d'un homme qui, selon l'évidence du texte lui-même, est un familier des belles-lettres ? Peut-on simultanément être un adepte des belles-lettres et les condamner[253] ? Ou encore : comment l'auteur du *Second Discours* peut-il faire l'apologie d'un état de nature puis d'un état de sauvagerie, où la rationalité est une quasi-impossibilité, alors que ce même auteur, pour développer et appuyer sa thèse, utilise toutes les ressources de l'argumentation rationnelle, de la documentation scientifique et des artifices de l'art d'écrire[254] ? Ensuite : comment, dans la *Nouvelle Héloïse*, le romancier peut-il brosser le tableau de l'amour humain le plus tendre et ensuite de la fidélité maritale la plus déterminée, alors que Jean-Jacques Rousseau fit tout le contraire durant une vie assez mouvementée où, de son propre aveu, il connut par faiblesse quelques aventures sexuelles avant et après avoir conçu cinq enfants avec une femme qu'il n'aimait probablement pas ? Et comment l'*Émile* peut-il offrir les réflexions pédagogiques de ce même homme qui fut chassé de l'emploi de précepteur, qui reconnaît ne pas posséder les talents du rôle et qui abandonna ses propres enfants aux Enfants-Trouvés ? Dernier exemple : le *Rousseau juge de Jean-Jacques*, comme le signale Jean Starobinski, est un chef-d'œuvre de raisonnement mis au service du rejet de la réflexion, des sommets de littérature créés pour nier la littérature. « L'ouvrage tout entier est une réflexion malheureuse et honteuse, fascinée par la nostalgie de l'irréfléchi : elle se condamne et se renie elle-même en se développant, et du même coup elle aggrave et prolonge la faute d'écrire et de réfléchir, dont Rousseau se dit innocent[255]. » Ne voit-on pas, demanderont certains, apparaître et réapparaître, dans chacun de ces exemples, la même contradiction qui mine l'œuvre philosophique depuis ses débuts et jusqu'en ses derniers moments ? On dirait que Rousseau se plaît à produire des œuvres qui offrent le contraste le plus parfait, mais le plus déconcertant, avec la vie et le statut social et moral de l'ouvrier[256]. Tous connaissent la paranoïa de Rousseau. Mais n'y aurait-il pas lieu d'ajouter à son dossier médical et de parler de sa schizophrénie ?

Cette bilocalisation, constante dans l'œuvre, se découvre donc dès le premier écrit de Rousseau. Il y a lieu de l'examiner lors de sa première apparition dans l'espoir de cerner un élément important de la pensée du citoyen de Genève. Un mot dans l'exorde du discours mettra sur une piste interprétative. Reconnaissant d'entrée de jeu le caractère paradoxal de la position qu'il ose soutenir, Rousseau dit: « Qu'ai-je donc à redouter ? Les lumières de l'assemblée qui m'écoute ? Je l'avoue ; mais c'est pour la constitution du discours, et non pour le sentiment de l'orateur. Les souverains équitables n'ont jamais balancé à se condamner eux-mêmes dans des discussions douteuses et la position la plus avantageuse au bon droit est d'avoir à se défendre contre une partie intègre et éclairée, juge en sa propre cause (paragr. 5) [257]. » En quelques mots donc, Rousseau établit le rôle qu'il joue : il est un avocat, un harangueur, un orateur. On notera que tout ce paragraphe suppose un contexte oral: l'orateur s'imagine au tribunal, il se voit comparaissant devant ses juges, il suppose qu'ils l'écoutent attentivement.

La remarque, tirée de l'exorde, contraste avec la préface du *Premier Discours*. Rappelons d'abord que le *Discours sur les sciences et les arts* fut envoyé à l'Académie de Dijon sans préface ; cette dernière fut créée après coup, alors que le premier prix avait été décerné à Rousseau et que celui-ci décidait de publier son texte. Toutes les remarques qui s'y trouvent tiennent compte de ces circonstances. Or, paradoxalement, le ton de Rousseau est ici beaucoup moins confiant : il s'attend d'avance à être mal compris ; il écrit d'ailleurs : « Il y aura dans tous les temps des hommes faits pour être subjugués par les opinions de leur siècle, de leur pays, de leur société : tel fait aujourd'hui l'esprit fort et le philosophe, qui, par la même raison n'eût été qu'un fanatique du temps de la Ligue. Il ne faut point *écrire* pour de tels *lecteurs*, quand on veut vivre au-delà de son siècle (paragr. 2). » Le mot important se trouve être l'envers de celui de l'exorde : il ne s'agit pas, comme le voudrait un « orateur », de discours, de tribunal et de juge, mais, comme le voudrait un écrivain ou un penseur, d'écrit, de philosophie et de « lecteurs » ; il n'est plus question d'agir en son temps en parlant à des hommes puissants, mais de vivre, c'est-à-dire d'être lu et compris, dans un autre siècle. Simple différence de degré ? Peut-être. Passage d'une perception de l'œuvre comme *orale* à sa perception comme *écrite*. Sans doute. Mais les différences entre l'oral et l'écrit sont porteuses de sens pour celui qui doit interpréter et, en règle générale, le premier se prête plus à l'expression des sentiments et à la rhétorique, le second à la conduite de la raison et à l'analyse rigoureuse.

Le *Premier Discours* comporte deux niveaux de communication : avec le public d'abord, groupe qui peut inclure des gens éduqués selon les normes admises par ce même public[258] ; avec les penseurs ensuite. Les premiers, il s'agit de les persuader, c'est-à-dire moins de leur exposer des idées que de frapper leur imagination et de toucher leur cœur. Avec les seconds, il est question de nature, de causes et d'effets, d'argumentation dans le sens le plus strict du terme. Avec les premiers, on s'en tient à la surface des problèmes, les réponses offertes ayant la forme de recettes simples à concevoir, faciles à appliquer. Pour les seconds, on sonde les bas-fonds d'une question, on remonte aux premiers principes, on expose et les avantages et les désavantages de tout remède. Cette distinction, assez audacieuse, entre le niveau de discours de l'orateur et celui du penseur ou de l'écrivain permet de mieux entendre un aveu que fit Rousseau plusieurs années après la publication du *Discours sur les sciences et les arts* : « Ayant tant d'intérêts à combattre, tant de préjugés à vaincre et tant de choses dures à annoncer, j'ai cru devoir pour l'intérêt même de mes lecteurs, ménager en quelque sorte leur pusillanimité et ne leur laisser apercevoir que successivement ce que j'avais à leur dire. Si le seul discours de Dijon a tant excité de murmures et causé de scandale, qu'eût-ce été si j'avais développé du premier instant toute l'étendue d'un système vrai mais affligeant, dont la question traitée dans ce discours n'est qu'un corollaire ? [...] Quelques précautions m'ont donc été d'abord nécessaires, et c'est pour pouvoir tout faire entendre que n'ai pas voulu tout dire. Ce n'est que successivement et toujours pour peu de lecteurs que j'ai développé mes idées [...] Mais c'en était assez pour ceux qui savent entendre, et je n'ai jamais voulu parler aux autres[259]. » Rousseau ne voulut-il jamais parler aux autres ? Peut-être bien. Ce qui est sûr, c'est qu'il voyait l'utilité, sinon la nécessité, de les haranguer. Avec ceux-ci, Rousseau se fait orateur. À quelques rares lecteurs, le même insinue qu'il est penseur. Le titre même de l'œuvre offre une confirmation de cette suggestion. Car il y a deux sortes de discours : le discours de l'orateur et le discours de la raison ; et le *Discours sur les sciences et les arts* est l'un et l'autre. Il n'en reste pas moins que le *Premier Discours* est d'abord et avant tout l'œuvre d'un citoyen s'adressant à d'autres citoyens. Comprendre Rousseau dans ce cas, c'est comprendre le discours de l'orateur.

Son message semble être clair et assez simple : les progrès des sciences et des arts, tant vantés par une certaine élite intellectuelle, ne se sont pas révélés un bien pour la société européenne moderne ; ce fait s'est répété bien des fois à travers les temps ; le déluge de maux qui s'abat sur les hommes à partir des cieux intellectuels risquent de détruire non seulement les cœurs, ce qui est le plus important, mais aussi les corps et les biens ; les remèdes sont assez nombreux et applicables pour autant qu'on a des maîtres éclairés et vigoureux et des peuples sobres et décidés. L'argumentation par laquelle on expose et défend cette thèse est nette et forte ; on y sent passer l'émotion d'un honnête homme qui s'inquiète pour lui-même et les siens : c'est un orateur digne, et d'autant plus persuasif qu'il est sans affectation [260].

Mais cet orateur est en quelque sorte l'instrument de plus fort et de plus grand que lui : il y a un penseur derrière l'orateur [261]. On le verra déjà par l'examen de la question à laquelle répond le *Premier Discours*. L'Académie de Dijon avait proposé aux lettrés du royaume de France le problème suivant : si le rétablissement des sciences et des arts a contribué à épurer les mœurs. La formulation de la question intéresse pour au moins trois raisons. D'abord, puisqu'il est question de rétablissement des sciences, le problème est limité à une période historique bien précise, à savoir de la Renaissance à 1750, et un lieu bien précis, l'Europe. Comme il a été montré au chapitre premier, un regard jeté sur l'ordre du *Premier Discours* montre que Rousseau a respecté la question qui fut posée au moins en ceci qu'il s'est astreint à y répondre pendant les premiers paragraphes de son texte. Mais très tôt il élargit son thème sur les plans géographique et historique : la question, telle qu'entendue par Rousseau, porte sur tous les temps et concerne tous les lieux. Le fait à examiner dépend d'une loi de la vie des hommes en société, qui fait varier inversement les progrès culturels et les progrès moraux. En revanche, en universalisant la question, Rousseau ne s'éloigne pas des préoccupations de l'Académie : si le problème de la Renaissance est subsumé sous la thèse généralisée du lien entre le progrès des sciences et des arts et la corruption, la question précise de la Renaissance européenne n'est jamais abandonnée, ni même oubliée par l'auteur (paragr. 48, 54). Cet approfondissement de la question – car on passe alors du niveau du singulier historique à celui du concept – appartient au penseur plutôt qu'à l'orateur.

Or le penseur élargit la question aussi quant aux possibilités de réponses ou, plus exactement, il l'ouvre aux deux réponses possibles : l'affirmative ou la négative. « Le rétablissement des sciences et des arts a-t-il contribué à épurer ou à corrompre les mœurs ? Voilà ce qu'il s'agit d'examiner. Quel parti dois-je prendre (paragr. 4) ? » S'il y a deux partis entre lesquels l'orateur est sommé de choisir, c'est que *quelqu'un* a repris la question et l'a posée de façon à le placer devant une véritable alternative : ou bien le progrès scientifique, littéraire et culturel a contribué à l'épuration des mœurs des hommes du XVIIIe siècle, ou bien, tout au contraire, il a contribué à leur corruption. La première formulation, celle proposée par l'Académie de Dijon dans le *Mercure de France* et reproduit à la première page du *Discours sur les sciences et les arts*, ne parle que de l'épuration des mœurs ; on devine alors de quel côté penchait le jury[262]. C'est à la lumière de ce nouvel *élargissement* de la question qu'il faut lire les paragraphes 2 et 5 : l'auteur et l'orateur sont bien conscients de faire face à une opinion commune hostile à leur thèse ; aussi s'efforcent-ils, chacun à sa façon, de contourner l'obstacle : le premier avec la morgue du théoricien sûr de lui et sûr des limites intellectuelles des autres, le second en appelant au sentiment de justice qui sommeille dans le cœur de chacun. Pour le dire en d'autres mots, l'attitude du penseur ou philosophe est celle d'un homme objectif ou froid qui regarde deux points de vue, deux possibilités : la pensée est pour lui dialectique. Cette attitude est en un sens inhumaine. Dans le *Premier Discours*, l'art de l'orateur, bien humain lui, est mis au service de celui du penseur : en rappelant à ses juges leur devoir de justice, il les dispose à se faire objectifs comme de véritables penseurs, ou, du moins, à tomber d'accord avec quelqu'un qui a pensé pour eux.

Enfin, le penseur élargit la question quant à la causalité, c'est-à-dire qu'il approfondit le thème pour conduire vers les causes premières du phénomène politique qu'on est appelé à étudier. « Si le rétablissement des sciences et des arts a contribué à épurer les mœurs », demandait-on d'examiner. L'expression clé est « a contribué à ». Il paraît clair que l'Académie de Dijon entendait demander si le développement des sciences et des arts avait joué un rôle quelconque dans l'amélioration du sort des hommes depuis la Renaissance. D'où leur choix du verbe *contribuer* : les lettres sont un facteur, sur lequel il faut concentrer son regard, parmi d'autres, qu'on a à laisser dans l'ombre pour cette fois[263]. Rousseau entendait, pour sa part, parler des sciences et des arts comme les causes proprement secondes d'un processus de décadence qui avait des racines bien plus profondes : son orateur parlerait d'abord des lettres et en passant seulement de la cause plus profonde. Si les lettres contribuent au malheur des hommes, c'est qu'autre chose est la cause principale, et l'action de cette autre chose est évidemment un sujet de réflexion beaucoup plus intéressant, mais beaucoup plus dangereux, que le sujet officiel[264]. C'est pourquoi il en traite mais à demi-mot, au point que le sens le plus radical du *Discours sur les sciences et les arts* peut rester occulté. Rousseau affirma que son tout premier texte contenait déjà en germe l'essentiel de sa pensée, qualifiée de système : « c'est pour pouvoir tout faire entendre que je n'ai pas tout voulu dire [...] Souvent la plupart de mes lecteurs auront dû trouver mes discours mal liés et presque entièrement décousus, faute d'apercevoir le tronc dont je ne leur montrais que les rameaux[265]. » Cette affirmation est entérinée dans les *Confessions*, entre autres. Parlant du *Second Discours*, ou *Discours sur l'origine et les fondements de l'inégalité parmi les hommes*, Rousseau écrivit, mais après avoir été condamné par la Suisse, sa patrie originelle, et par la France, sa patrie d'adoption : « J'eus bientôt l'occasion de développer [mes principes] tout à fait dans un ouvrage de plus grande importance ; car ce fut, je pense, en cette année de 1753 que parut le programme de l'Académie de Dijon sur l'origine de l'inégalité parmi les hommes. Frappé de cette grande question, je fus surpris que cette Académie eût osé la proposer ; mais puisqu'elle avait eu ce courage, je pouvais bien avoir celui de la traiter, et je l'entrepris[266]. » Dire que le *Discours sur l'origine et les fondements de l'inégalité parmi les hommes* révèle mieux les principes de l'auteur, c'est dire que ces principes avaient déjà été présentés mais de façon cachée ailleurs, autant dire dans le *Premier Discours*[267] ; c'est dire que la question de l'inégalité parmi les hommes est plus radicale que celle du progrès des sciences et des arts ; c'est suggérer enfin que le *Discours sur les sciences et les arts* contient en sous-entendu des réflexions sur l'inégalité. Ajoutons que la distinction entre l'orateur et le penseur donne une espèce de fondement caractériel à ces affirmations de Rousseau : s'il y a deux niveaux de discours dans son premier grand texte, c'est qu'il y a deux types d'homme qui s'expriment l'un à travers l'autre.

Cette analyse de la transformation de la question de l'Académie de Dijon par Rousseau le penseur a servi à illustrer que derrière les jeux rhétoriques du *Discours sur les sciences et les arts*, il y a un penseur justement, qui réfléchit, qui franchit les frontières du bon sens en connaissance de cause, qui s'élève vers l'universel, qui cherche partout et toujours les causes ultimes. Mais que pense le penseur ? Que pense-t-il de plus ? En quoi son message diffère-t-il de celui de l'orateur ? Pour être en mesure de le saisir, il faudrait d'abord se faire une idée aussi juste que possible de cet être hors de l'ordinaire. Or selon le philosophe de Genève, il existe de vrais penseurs, c'est-à-dire des génies, qui non seulement sont capables d'aborder seuls les questions qui dépassent les capacités des hommes ordinaires, mais aussi le font pour des raisons indépendantes de l'approbation humaine, par le pur et simple besoin d'exercer leurs immenses capacités. Il faut distinguer la classe des penseurs de la masse des intellectuels dont l'objectif est moins la vérité que la gloire qu'ils tirent de leurs maîtres, comme la Lune tire sa lumière du Soleil. Mais ces génies, lorsqu'ils comprennent les limites égoïstes de leurs recherches, ne peuvent croire que leurs réflexions de prédilection, qu'elles se fassent en mathématique, en épistémologie ou en sciences naturelles, sont le meilleur qu'ils peuvent offrir à leurs concitoyens ; ils comprennent que leurs talents bien employés peuvent faire d'eux de grands citoyens ; ils comprennent qu'ils sont, du moins en possibilité, les meilleurs citoyens[268]. Les vrais penseurs seront donc tout à fait vrais s'ils se tournent vers les questions les plus importantes pour les êtres humains : les Newtons doivent quitter l'étude de la physique et de l'astronomie et se faire Newtons de la morale. Ce devoir est le leur, mais il peut leur être rendu plus facile par les hommes au pouvoir : il faut qu'on facilite aux Newtons leur tâche de citoyens moins en récompensant leurs efforts qu'en donnant à leurs considérables moyens intellectuels une matière qui n'est pleinement accessible qu'une fois près du pouvoir. « L'âme se proportionne insensiblement aux objets qui l'occupent, et ce sont les grandes occasions qui font les grands hommes. Le prince de l'éloquence fut consul de Rome, et le plus grand, peut-être, des philosophes, chancelier d'Angleterre. Croit-on que si l'un n'eût occupé qu'une chaire dans quelque université et que l'autre n'eût obtenu qu'une modique pension d'académie ; croit-on, dis-je, que leurs ouvrages ne se sentiraient pas de leur état (paragr. 59) ? » Ce qui revient à dire, entre autres, que la nature n'est pas démocratique, parce qu'elle produit parfois, mais depuis toujours, des êtres d'exception.

On en conclurait qu'une partie du message que livrera le penseur dans le *Premier Discours* laisse entendre que la démocratie est un leurre, que la monarchie et, au pis aller, l'aristocratie sont les meilleurs régimes. Une lecture attentive du texte permet de s'assurer qu'il n'en est rien : le *Discours sur les sciences et les arts* est une véritable apologie de la démocratie, une critique voilée mais féroce de la monarchie[269]. Étant donné les remarques de Rousseau sur sa nécessaire discrétion, il paraît raisonnable de chercher les remarques propres du penseur dans les *obscurités* de l'écrit. En conséquence, notons d'abord que l'énigmatique paragraphe 46 portant sur les hommes tels qu'ils seraient par nature brosse un nostalgique tableau d'égalité presque anarchique, où les hommes vivent en groupe sans qu'il y ait de véritable distinction entre eux ; ils sont innocents et vertueux, mais aussi égaux. Bien mieux : à mesure qu'ils s'éloignent de cet état d'immersion dans la nature et de proximité à leur propre nature, ils introduisent entre eux l'inégalité politique : les hommes n'étaient qu'hommes, ils deviennent citoyens créant du même coup une première différence non naturelle entre eux ; puis quelques-uns des citoyens deviennent les maîtres des autres, doublant l'inégalité. La fin du processus se décrit comme suit : « Ce fut alors le comble de la dépravation ; et les vices ne furent jamais poussés plus loin que quand on les vit, pour ainsi dire, soutenus à l'entrée des palais des grands sur des colonnes de marbre et gravés sur des chapiteaux corinthiens (paragr. 46). » Ce passage, qui se fond assez mal avec l'ensemble du *Premier Discours*, désigne deux processus : celui de la dégradation morale des hommes et celui de l'accentuation des inégalités entre ces mêmes hommes. La cause fondamentale, celle qui opère derrière et à travers les sciences et les arts, serait d'une façon ou d'une autre politique. Plus exactement, la concrétisation et la solidification artificielles d'une inégalité naturelle pervertiraient tout.

Ajoutons que les exemples que multiplie l'orateur sont curieusement semblables : presque toujours ils supposent une critique de la monarchie. C'est ainsi que dans la première partie du discours, les cinq exemples de peuples corrompus sont chaque fois des monarchies : l'Égypte du pharaon Sésostris, la Grèce soumise au « joug du Macédonien », c'est-à-dire à celui du roi Philippe ou de son successeur Alexandre, la Rome impériale, l'Empire romain d'Orient et ses empereurs chrétiens, l'Empire de Chine. L'effet cumulatif de l'induction est d'associer mal être politique et monarchie. Comme il arrive souvent pour Rousseau, c'est le cas de Rome qui est le plus instructif. « Rome, jadis le temple de la vertu, devient le théâtre du crime, l'opprobre des nations et le jouet des barbares. Cette capitale du monde tombe enfin sous le joug qu'elle avait imposé à tant de peuples, et le jour de sa chute fut la veille de celui où l'on donna à l'un de ses citoyens le titre d'arbitre du bon goût (paragr. 19) » La phrase est alambiquée, l'allusion historique obscure : on croirait que la chute de Rome dont on parle est le résultat de l'invasion des barbares. Il n'en est rien. Le citoyen romain qui reçut le titre d'arbitre du bon goût est Pétrone. Or Pétrone vivait sous l'empereur Néron. Donc bien loin d'avoir eu lieu au Ve siècle après Jésus-Christ, la chute de Rome se réalisa avant le règne de Néron. Mais alors de quelle chute peut-il bien être question dans l'exemple ? Ce ne peut être que le passage de la République à l'Empire : c'est l'avènement d'Auguste, ou encore l'établissement précaire de la monarchie césarienne, qu'on identifie au mal politique radical ; la *vraie* chute de Rome et sa soumission aux barbares ne seront que des phénomènes secondaires ; si l'Empire est tombé entre les mains des Wisigoths, c'est qu'il était tombé d'abord entre les mains d'un seul. La prosopopée de Fabricius montre que ces détails sont loin d'être accidentels. Les allusions aux langues étrangères, aux mœurs efféminées, au règne d'un joueur de flûte qu'on y trouve montrent que le héros romain, le parfait républicain, parle aux Romains du règne de Néron que Suétone a décrit dans ses *Vies des douze Césars.* En somme, les *interstices* du discours affirment que la monarchie est le régime du mal. Or la monarchie, comme son nom l'indique, est l'incarnation de l'inégalité dans le pouvoir politique. Le bien donc ne peut se trouver que dans les démocraties, comme la Rome républicaine et la Suisse qu'on cite en exemple (paragr. 42).

Un troisième passage du *Discours sur les sciences et les arts* confirmera ces remarques sur l'apologie de la démocratie et la critique de la monarchie. Après la présentation d'une liste impressionnante d'effets nocifs issus des sciences et des arts, on en donne la racine première : « D'où naissent tous ces abus, si ce n'est de l'inégalité funeste introduite entre les hommes par la distinction des talents et par l'avilissement des vertus ? Voilà l'effet le plus évident de toutes nos études et la plus dangereuse de toutes leurs conséquences (paragr. 53). » Il faudra examiner la question de l'inégalité plus longuement ailleurs[270]. Il suffit pour le moment de souligner que si l'inégalité est placée parmi les maux que les lettres encouragent, il est inévitable que le régime monarchique soit remis en question : l'inégalité la plus grande est celle qui existe dans une société où un seul se réserve le pouvoir, quelques-uns en ont l'administration et le grand nombre en portent le poids. À la fin du *Premier Discours*, lorsque Rousseau s'identifie aux petites gens, il ne faut pas voir là que de l'ironie, mais d'abord et avant tout l'affirmation de la vérité politique la plus importante du texte, sa vérité cachée ou une de ses litotes. Le meilleur régime se fonde sur la santé des individus petits mais égaux, ordinaires mais solides. La démocratie est le meilleur régime.

Cependant, demandera-t-on, Rousseau lui-même ne suppose-t-il pas une inégalité assez semblable à celle qu'institutionnalise une monarchie ou une aristocratie ? Pour le dire autrement, la distinction, développée depuis le début de ce chapitre, entre le penseur et l'orateur n'est-elle pas la reconnaissance d'une inégalité qui justifierait les régimes hiérarchisés ? Cette question laisse dans l'ombre la différence, considérable pour Rousseau, entre une inégalité naturelle, inévitable et finalement juste, et une inégalité institutionnelle, hypertrophiée et injuste. Car l'inégalité naturelle n'est pas le fondement de l'inégalité institutionnelle ; l'inégalité naturelle se pervertit et pervertit l'homme lorsqu'elle s'incarne dans la structure même de la société. En somme, le penseur sait que, pour dire au moins obscurément la vérité première sur l'homme, l'orateur doit se montrer citoyen d'une république. Voilà pourquoi, en dernière analyse, la distinction entre l'orateur et le penseur exposée ici doit elle-même être dépassée : la pleine compréhension de la pensée de Rousseau passe par la prise de conscience que l'opposition entre la raison et le sentiment, entre le penseur et l'orateur doit être surmontée, car c'est dans l'analyse du sentiment, dans l'effort de respecter la loi des sentiments que la raison trouvera les règles fondamentales de la conduite humaine. Bien mieux : ces découvertes ne peuvent être exprimées en vérité qu'en allant du sentiment de celui qui pense et parle vers la réponse émotive de celui qui écoute et apprend [271]. Cette première analyse *fine* du texte du *Discours sur les sciences et les arts* et les conclusions inattendues auxquelles elle conduit sont au moins une invitation à faire une lecture plus attentive des exemples et des citations dont use l'orateur pour exposer sa thèse.

4. Citations

Le *Discours sur les sciences et les arts* est l'œuvre d'un homme éduqué : bourré d'allusions historiques précises, truffé de citations implicites et explicites, il renvoie constamment aux grands thèmes de l'histoire de la philosophie. Ce dernier point pourrait faire croire que Rousseau ne fait que reprendre, sur un mode qui est sans aucun doute le sien, la pensée de ses prédécesseurs. Mais la conjecture se verra éliminée pour peu qu'on analyse les citations que fait l'auteur, pour peu qu'on compare les prises de position du *Premier Discours* à celles des penseurs dont Rousseau s'inspire. Bien mieux, la comparaison entre les citations de Rousseau et les textes de ses maîtres, entre les lignes de force des visions de l'un et des autres, conduit à mieux saisir l'originalité du philosophe de Genève.

Parmi tous les auteurs cités ou mis à contribution, auteurs qui vont d'Homère à Xénophon, d'Ovide à Suétone, de Voltaire à Montesquieu, il y a trois noms qui ressortent nettement: Montaigne, Plutarque et Platon. Trois noms qui sont d'autant plus importants que Rousseau continuera de les citer, de les appeler en témoignage, de les reconnaître comme sages à travers son œuvre, que ce soit dans le *Second Discours* ou dans l'*Émile* ou un autre de ses textes importants[272].

L'auteur qui prend le plus de place dans le *Discours sur les sciences et les arts* est sans contredit Michel de Montaigne. Rousseau ne se prive pas de montrer toute l'estime que lui inspire le premier penseur français: Montaigne est appelé tour à tour « homme de sens » et « sage »[273] ; il est cité au moins quatre fois; il est silencieusement mis à contribution plus souvent encore. Aussi les commentateurs de Rousseau ont eu beau jeu de montrer que des pages entières du texte du *Premier Discours* sont des reprises à peine remaniées des *Essais*[274]. Un chapitre en particulier a été pour ainsi dire saccagé: l'essai intitulé « Du pédantisme » du premier livre des *Essais*, où Montaigne, comme il fallait s'y attendre, critique en long et en large le rôle de l'éducation livresque dans la formation de l'être humain. De quoi croire que Rousseau, dans le *Premier Discours*, s'est inspiré d'un thème montanien, se satisfaisant de le mettre au goût du jour.

Or une comparaison attentive entre le texte de Montaigne[275] et le discours de Rousseau montre qu'en faisant siens les exemples et même les tournures du philosophe de Bordeaux, le citoyen de Genève leur a fait subir quelques modifications importantes. Voici l'essentiel de la position montanienne sur les sciences et les arts et leur rôle dans la formation de l'homme et du citoyen. Montaigne se demande d'abord d'où il vient que les érudits ne soient pas tenus pour sages par les gens ordinaires et même qu'ils en soient méprisés. La question lui vient du fait qu'autrefois, durant l'Antiquité, l'opinion commune était différente: les philosophes étaient de grands hommes politiques, ou bien méprisaient l'action politique en tant qu'elle était au-dessous de leur personne. La clé de l'énigme est la différence entre les méthodes pédagogiques et les intentions qui les animent : du temps de Montaigne, on apprend à citer les textes mais sans pour ainsi dire se les incorporer ; on oublie que l'étude n'est utile que si on fait siennes les vérités qu'on étudie. Cette double déviation naît du fait qu'au XVIe siècle en France, ce sont seulement les individus des basses classes qui étudient : la plupart du temps, ils deviennent des experts culturels pour faire de l'argent et non pour perfectionner les facultés de leur âme. L'éducation est pour eux un métier. Pour Montaigne, l'éducation doit viser l'acquisition de la vertu ; elle doit donc diriger l'action ; c'est pour cette raison aussi que l'éducation livresque doit être réduite à un minimum.

Ce qui est sûr, c'est que l'éducation[276], l'initiation aux sciences et aux arts, demeure importante pour l'accomplissement de l'homme. Encore une fois c'est la méthode pédagogique qui permet d'atteindre cette fin de façon efficace : il faut conduire l'étudiant à l'appropriation de ses connaissances livresques par tous les moyens possibles. Car le livre et l'étude sont des voies essentielles pour atteindre l'objectif véritable de l'éducation. De plus, cette éducation doit porter d'abord et avant tout sur les choses humaines ; les autres sciences, pour intéressantes ou même passionnantes qu'elles puissent être, sont en dernière analyse secondaires, au point où l'on peut les éliminer du processus d'éducation. Cette science essentielle, cette science des choses humaines, la véritable philosophie, est satisfaisante et même joyeuse, tout comme la vertu, qui en est l'effet premier. L'initiation à cette science devrait se faire très jeune. Elle devrait inclure comme partie importante l'exercice du corps ; de plus, l'exercice de l'esprit devrait se faire dans le plaisir plutôt que dans la contrainte. La preuve de l'efficacité de l'éducation est la vie réglée. Semblablement, la preuve de l'appropriation de la sagesse intellectuelle se trouve dans le parler simple mais dense. Et Montaigne de décrire quelques détails étonnants de sa propre éducation, à l'occasion de quoi il fait, entre autres, une apologie du théâtre.

On découvre certes dans ce résumé de la pensée pédagogique de Montaigne des ressemblances nombreuses avec les positions qu'épouse ici, et qu'épousera dans l'*Émile*, Jean-Jacques Rousseau : mépris du système d'éducation en place, rejet de sa méthode, remise en question de son objectif. Cependant pour Montaigne, l'éducation, et par là il faut entendre l'éducation livresque en bonne partie, est présentée comme un grand bien pour l'homme en tant qu'homme. Les différences entre les deux auteurs ne sont pas seulement des écarts qui tiennent à la force de l'expression, à une insistance plus ou moins grande sur un point ou un autre. Plus exactement, la force de l'expression, l'insistance de Rousseau pointe vers une transformation radicale de la conception qu'il se fait de l'homme. L'un et l'autre dénoncent les méfaits de l'éducation mal faite, mais ce qui est, pour Montaigne, l'exception en quelque sorte, un accident de la condition humaine, est pour Rousseau la règle, les premiers résultats inévitables de la nature de l'homme. Pour Montaigne, l'être humain, dans bien des cas, est encore fait pour penser, et la vie sans examen ne vaut pas la peine d'être vécue. Pour Rousseau, le cœur, protégé sans doute par les ressources de la raison, est l'essentiel de l'homme, et par conséquent la réflexion ne fait pas le meilleur de la vie. « La réflexion ne sert qu'à rendre [l'homme] malheureux sans le rendre meilleur ni plus sage : elle lui fait regretter les biens passés et l'empêche de jouir du présent ; elle lui présente l'avenir heureux pour le séduire par l'imagination et le tourmenter par les désirs, et l'avenir malheureux pour le lui faire sentir d'avance. L'étude corrompt ses mœurs, altère sa santé, détruit son tempérament et gâte souvent sa raison : si elle lui apprenait quelque chose, je le trouverais encore fort mal dédommagé[277]. » L'entente qui existe entre Rousseau et Montaigne, et elle est réelle, se construit sur une opposition plus radicale encore.

Le sort de Plutarque est semblable à celui de Montaigne. Ce qui ne doit pas surprendre : l'œuvre de Montaigne est saturée de citations de Plutarque et la pensée du premier sage français enracinée dans celle du dernier grand moraliste grec. Il ne faut pas croire cependant que Rousseau serait arrivé à Plutarque par la lecture de Montaigne : la vérité serait plutôt le contraire. Plutarque figure parmi les toutes premières lectures du citoyen de Genève : vers l'âge de sept ans déjà, si on peut l'en croire, il lisait avec passion, et il lisait les *Vies des hommes illustres.* « J'y pris un goût rare et peut-être unique à cet âge. Plutarque, surtout, devint ma lecture favorite. Le plaisir que je prenais à le relire sans cesse me guérit un peu des romans, et je préférai bientôt Agésilas, Brutus, Aristide[278] à Orondate, Artamène et Juba[279]. » Et à la fin de sa vie, Rousseau, devenu promeneur solitaire, feuillette toujours les mêmes pages. « Dans le petit nombre de livres que je lis quelquefois encore, Plutarque est celui qui m'attache et me profite le plus. Ce fut la première lecture de mon enfance, ce sera la dernière de ma vieillesse ; c'est presque le seul auteur que je n'ai jamais lu sans en tirer quelque fruit[280]. » Montaigne, quelque influent qu'il ait pu être, par ailleurs, dans le développement de la pensée de Rousseau, n'est jamais doté de semblables lettres de créance ; face à Plutarque, il ne fait pas le poids ni pour la précocité ni pour la durée de l'influence [281].

Rousseau accordait une grande importance aux illustrations qui ornaient ses œuvres [282]. Aussi on commencera à mesurer directement l'importance que Rousseau accordait à Plutarque en notant que la page de frontispice du *Premier Discours* est inspirée d'un passage de Plutarque : on y voyait qu'un demi-dieu éloignait d'une main un satyre, lequel tentait de s'approcher de la flamme d'un flambeau offert par un dieu. Il explique le sens de son choix au début de la deuxième partie du *Discours sur les sciences et les arts* : « " Le satyre, dit une ancienne fable, voulut baiser et embrasser le feu, la première fois qu'il le vit ; mais Prométhée lui cria : ' Satyre, tu pleureras la barbe de ton menton, car il brûle quand on y touche. ' " C'est le sujet du frontispice (note e). » Ce qui revient à dire que le *Premier Discours* est une amplification du court avertissement de Prométhée, tiré par Rousseau du *Comment tirer profit de ses ennemis* de Plutarque. Mais du même coup on est obligé de remarquer que Rousseau tronque le passage qu'il cite. Car dans le texte original, Prométhée ajoutait tout de suite après : « Mais [le feu] donne lumière et chaleur ; cela sert à créer toutes sortes d'instruments pourvu qu'on sache s'en servir. » Le message de Plutarque, plus ambigu face aux sciences et aux arts, avertissait du danger, mais reconnaissait l'utilité foncière du feu et de la sagesse pratique et théorique qui venait avec lui. Certes, Rousseau aussi reconnaît la bonté absolue des lettres ; certes, il reconnaissait l'utilité incontestable de certaines sciences et de certains arts [283]. Cependant l'objectif premier qu'il poursuit ici est de lier les sciences et les arts à la corruption morale et politique ; son effort est de ralentir et peut-être d'arrêter tout à fait une décadence dont la cause auxiliaire principale est le progrès des lumières. D'où la mutilation de la citation.

On pourrait écarter le texte de Plutarque sous prétexte que le rapprochement et la comparaison proposés sont excessifs. On pourrait minimiser ce rapport à un seul texte de Plutarque, même en supposant importante la citation choisie. Il serait donc bon d'ajouter quelques remarques. Les *Vies parallèles*, qui, elles, ne peuvent pas être écartées [284], portent sans cesse le lecteur à conclure, conformément à une thèse défendue dans le *De la fortune des Romains* du même auteur, que la fortune a un rôle immense à jouer dans les succès et les échecs que connaissent les hommes ; la force de la fortune est le fondement cosmologique de la modération politique et de la sérénité de l'homme qui pense, car l'homme justement n'est pas le maître de sa destinée et encore moins le centre de l'Univers. Ce sont là sans aucun doute des thèmes chers à Plutarque. Or on peut dire que toute une partie de l'effort intellectuel rousseauiste, commencé dès le *Discours sur les sciences et les arts*, est de montrer que le mécanisme de la fortune est compréhensible, que le mystère fondamental de l'existence est dominable au moins par certaines intelligences. Ou encore la pensée de Rousseau suppose que l'individu ou le sujet est le fondement de toute vérité, politique ou philosophique. De plus, et de façon plus évidente, ces mêmes *Vies parallèles* sont une merveilleuse suite de dyptiques qui présentent un Romain et un Grec dans un face à face constamment répété. Or à la lecture, il est clair que pour Plutarque les Grecs sont assez souvent égaux et même supérieurs aux Romains ; ses héros grecs sont presque toujours des Athéniens. Ce qui revient à affirmer que l'excellence intellectuelle, qui appartient, imaginairement et typiquement, aux Grecs par opposition aux Romains et aux Athéniens par opposition aux Spartiates, est sinon supérieure à l'énergie et la décision spartiates et romaines, du moins égale à elles. Chez Rousseau, le rapport est inversé : ses héros sont romains plutôt que grecs, spartiates plutôt qu'athéniens. Sans doute y entend-on la voix de Socrate, un Grec et un Athénien, mais c'est Socrate debout à la cour usant de l'éloquence judiciaire, et non assis à l'agora exerçant son esprit au jeu de la dialectique : le Socrate du *Premier Discours* est un avocat et un apologiste de la vertu plutôt qu'un philosophe qui se demande et demande : « Qu'est-ce que la vertu ? ». Un détail entre mille : alors que Plutarque suggère que Numa le second fondateur de Rome était au fond un philosophe, Rousseau affirme sans plus qu'il s'occupait uniquement de religion[285].

En dernière analyse, Rousseau et Plutarque sont-ils d'accord au sujet de la rationalité humaine et de son rôle dans le soutien de la liberté des sociétés ? Plutarque touche à cette question dans un texte capital intitulé le *Génie de Socrate*, qui porte sur la relation entre la philosophie et l'action politique. Étant donné l'importance de ce thème et du personnage de Socrate dans le *Premier Discours*, le résumé qui suit, quoique long, ne sera pas un hors-d'œuvre.

Le *De genio Socratis* s'ouvre sur une demande faite à un certain Kaphisias de Thèbes : aurait-il l'obligeance de rappeler les événements qui entourèrent la révolution thébaine contre la domination spartiate et le rétablissement de la liberté ? Il acquiesce et enchaîne comme suit. En chemin vers la maison de Simmias, quelques conjurés, partisans de la liberté et ennemis du régime oligarchique soutenu par les Spartiates, apprennent qu'un bon nombre d'exilés habitant Corinthe arriveront cette nuit-là à Thèbes sous la conduite de Pélopidas, chef de la révolution. Ils rencontrent, par hasard, deux chefs des forces occupantes, inquiets de certains mauvais présages ; après avoir échangé quelques mots avec ces derniers, ils les quittent. Simmias, chez qui les conjurés sont maintenant arrivés, plaide pour la vie d'un citoyen auprès d'un autre des oligarques, mais c'est peine perdue : il n'a pas pu soutirer un pardon des maîtres intraitables. Ce refus des tyrans est comme un dernier signe de leur illégitimité, une dernière justification des conjurés. En attendant le couvert de la nuit et l'arrivée de leurs complices exilés, les conspirateurs agitent deux questions philosophiques : la première porte sur une inscription d'origine divine, laquelle pressait les Grecs de vivre en paix et avec les Muses plutôt qu'en guerre, la seconde sur le démon de Socrate, cette voix divine dont il prétendait recevoir des conseils. On exprime diverses opinions sur la dernière question, allant de l'incrédulité indignée (Galaxidoros) à la foi la plus assurée (Phidolaos).

Arrivent Épaminondas, philosophe et citoyen illustre de Corinthe, et un certain Théanor. Ce dernier, philosophe pythagoricien, veut dédommager la famille d'Épaminondas pour l'hospitalité qu'elle accorda à leur ami et hôte Lysis, lui aussi philosophe pythagoricien. Épaminondas refuse la récompense et fait un vibrant éloge de la pauvreté, tandis que Théanor le presse, au nom de l'amitié, de recevoir de lui quelque chose. Le dialogue ayant abouti à cette amicale confrontation sans issue, on apprend que la conjuration risque d'avorter à cause d'une décision superstitieuse de Hipposthénidas : averti en rêve de remettre à plus tard l'exécution de l'entreprise des révolutionnaires, il a envoyé un homme auprès des exilés pour les obliger à rebrousser chemin. Coup de théâtre : l'homme qu'il avait envoyé apparaît chez Simmias, il s'est disputé et même battu avec sa femme et n'est plus en état d'accomplir la mission que Hipposthénidas lui avait confiée.

La crise s'étant en quelque sorte résolue d'elle-même, on assiste alors à la fin de la discussion sur le démon de Socrate. Simmias y ajoute, pour terminer, le récit de l'expérience pour ainsi dire mystique d'un certain Timarkhos, qui aurait vu en rêve et en image l'ordre cosmologique et à qui on aurait expliqué la nature des démons.

Théanor confirme l'anecdote et l'enseignement proposés par Simmias. On tente alors d'impliquer Épaminondas directement dans le complot ; mais il résiste, affirmant ne pas vouloir se mêler aux meurtres fratricides qui auront lieu lors de la révolution ; il ajoute que son refus de s'engager sera sans doute utile sur le plan politique lorsqu'il s'agira de gouverner, dans le respect des autorités et des lois, le peuple libéré par la sanglante conjuration. Les comploteurs cessent donc d'exiger sa participation.

Cette nuit-là, avant qu'ils n'aient pu mettre en branle leur entreprise, un d'entre eux, Kharon, est convoqué auprès d'Arkhias, un des chefs de l'oligarchie. Craignant d'avoir été dénoncés, les conjurés voient celui-ci partir après leur avoir adressé de nobles paroles. Mais il revient bientôt après pour apprendre à ses amis que les tyrans avaient entendu de vagues bruits au sujet d'une conjuration et qu'il a calmé leurs inquiétudes par quelques judicieux mensonges. Un des tyrans, nous apprend-on, reçut plus tard une lettre qui révélait tout le complot, mais, plus intéressé à boire et à faire l'amour qu'à s'astreindre aux exigences du pouvoir politique, il refusa de la lire. Les conspirateurs partent bientôt après, massacrent les oligarques thébains et libèrent leurs prisonniers. Le reste de la ville, alerté et tout de suite dirigé par Épaminondas le philosophe, se révolte alors à la suite des meneurs. Ainsi prend fin la domination spartiate de la ville de Thèbes.

Il n'est pas besoin de connaître de fond en comble l'édifice intellectuel de Rousseau pour saisir que ce récit, même s'il raconte de l'intérieur les péripéties d'une révolution qui conduit à la libération du peuple thébain - sujet qui devait plaire à l'auteur du *Premier Discours*[286] -, s'érige sur un fondement fort différent. S'il a fallu résumer le texte complet de Plutarque, c'est pour mieux faire voir comment l'auteur lie l'activité philosophique à la libération politique. Ce sont des philosophes ou des adeptes de la philosophie qui sont l'âme de la conjuration. La philosophie sert de couverture et de distraction pour les conjurés inquiets, mais elle leur sert surtout d'inspiration : le jour de la révolte armée est passé, en grande partie, à réfléchir sur des thèmes métaphysiques et sur la personne du modèle de la philosophie, Socrate[287] ; la force morale nécessaire pour accomplir la libération se nourrit de l'effort spirituel philosophique. Les révolutionnaires sont des hommes civilisés, raffinés et pourtant actifs. Bien loin d'étouffer le sentiment de liberté, suggère ainsi Plutarque, les lettres l'entretiennent et le développent.

Chez Rousseau, l'effet de la philosophie est bien différent : si les génies, c'est-à-dire les grands esprits capables de philosophie, ont les capacités et le devoir de penser, ce n'est pas la métaphysique qui soutient leur engagement social ; les hautes spéculations sont plutôt une échappatoire coupable, au mieux une activité égoïste et politiquement vaine. En somme, le conseil des dieux aux hommes n'est pas de pratiquer les sciences et les arts, comme le voulaient les héros de Plutarque, mais de se tourner vers les vérités premières, les vérités du cœur, les vérités toutes pratiques. C'est le sens de la prière que Rousseau met dans la bouche des descendants du Siècle des lumières : « Dieu tout-puissant, toi qui tiens dans tes mains les esprits, délivre-nous des lumières et des funestes arts de nos pères et rends-nous l'ignorance, l'innocence et la pauvreté, les seuls biens qui puissent faire notre bonheur et qui soient précieux devant toi (paragr. 58). » Les divinités de Plutarque sont en désaccord avec la divinité de Rousseau[288] : en vérité, les sciences et les arts contribuent à épurer les mœurs et à solidifier les cœurs, du moins de l'avis des dieux grecs.

Ces remarques trouvent une sorte d'écho dans la longue citation de l'*Apologie de Socrate* de Platon qui occupe une place prépondérante dans la première partie du *Discours sur les sciences et les arts*. Des trois sages anciens et deux sages modernes, on entend les paroles mêmes de deux d'entre eux : Fabricius bien sûr, mais Socrate aussi. Et si Rousseau fait parler le Romain, il se contente d'une longue citation tirée de l'*Apologie* de Platon. Car le respect de Rousseau pour le premier des dialogistes est grand. Dans le *Premier Discours*, il est appelé maître[289] ; dans l'*Émile*, sa *République* reçoit le plus solide éloge imaginable : « Lisez la *République* de Platon. Ce n'est point un ouvrage de politique, comme le pensent ceux qui ne jugent des livres que par leurs titres. C'est le plus beau traité d'éducation qu'on ait jamais fait[290]. » Et ce, au tout début du traité de l'éducation de Rousseau. Mais respect du penseur ne signifie pas respect tatillon de ses textes. Ni même accord intellectuel quant aux points les plus importants.

La citation de l'*Apologie* est tronquée, réorganisée et ici et là inexacte. Elle est tronquée parce que rien de la section sur l'enquête socratique auprès des hommes politiques n'est mentionné ; réorganisée du fait qu'un paragraphe, qui se trouve avant l'ensemble de la citation que choisit Rousseau et qui porte justement sur les politiciens athéniens, est recollé à la fin de la citation pour lui servir de conclusion ; inexacte en ceci qu'on ajoute dans cette conclusion le nom des sophistes à la liste de ceux que Socrate aurait interrogés et qu'on parle d'artistes et non d'artisans[291]. On tente parfois d'expliquer ces imperfections en conjecturant que Rousseau cite à partir d'un texte latin qu'il traduit lui-même[292]. Il est sûr que la traduction gagne souvent en force expressive. Par exemple, là où le texte de Platon se lit: «Je répondais à moi-même et à l'oracle qu'il est mieux pour moi d'être comme je suis», Rousseau écrit: «j'ai répondu à moi-même et au dieu: "Je veux rester ce que je suis[293]."» Cette légère transformation rend l'affirmation de Socrate plus énergique, plus volontaire, ce qui est dans la logique même de la position de Rousseau.

Plus important, les différences entre le texte original et celui cité dans le *Premier Discours* sont cohérentes en ce sens qu'elles font dévier le texte platonicien dans une direction précise. Le Socrate de Platon avait interrogé les hommes politiques de la démocratie athénienne et avait conclu qu'ils ne savaient rien[294]; le Socrate de Rousseau ne souffle pas mot de cette remise en question des hommes d'État et des institutions démocratiques. Là où le Socrate de Platon avait ensuite découvert l'ignorance des poètes théologiens, qu'il reconnaissait par ailleurs inspirés justement par les dieux dont ils parlaient, le Socrate de Rousseau parle en passant des poètes – ce qui dans le contexte du discours signifie les poètes ordinaires qui rimaillent sur l'amour et les sentiments de même genre – et mentionne leur talent, mot qui réduit le statut de leur inspiration en lui donnant un fondement naturel. Alors que le Socrate de Platon interroge des artisans, c'est-à-dire des citoyens ordinaires qui sont cordonniers, menuisiers, forgerons et autres, le Socrate de Rousseau interroge des artistes, c'est-à-dire des peintres, des architectes et des ciseleurs[295]. Des faits que lui a fournis son périple interrogateur, le Socrate de Platon conclut qu'il ne sait pas, que cette prise de conscience constitue une sagesse portant sur une caractéristique naturelle de l'homme et, surtout, qu'il lui faut passer sa «vie à disputer sur le souverain bien, sur le vice et sur la vertu (paragr. 23)[296]»; pour sa part, le Socrate de Rousseau, revenu à la vie parmi les Français du XVIIIe siècle, «ne laisserait, comme il a fait, pour tout précepte à ses disciples et à nos neveux que l'exemple et la mémoire de sa vertu (paragr. 30)[297].»

Ces différences textuelles sont prégnantes. Si Rousseau appelle Socrate à la barre pour témoigner dans son *Premier Discours*, c'est en tant que ce dernier est un sage de la même trempe que Caton et Fabricius, en tant qu'il ressemblerait à un Louis XII et un Henri IV: ce sont des hommes qui méritent d'être entendus parce qu'ils sont sages d'une sagesse toute pratique, d'une sagesse qui est indifférente, quand elle ne méprise pas, la sagesse des philosophes, des écrivains, des ergoteurs. Pour le dire autrement, la sagesse du Socrate de Rousseau s'oppose à la science : la science qui porte sur le monde ne peut être qu'un passe-temps, innocent peut-être ; elle ne peut pas être un préparatif, une préfiguration et encore moins l'accomplissement de la sagesse. Les traits anti-intellectuels du Socrate de Platon – et l'adversaire des sophistes qu'on propose dans les dialogues en a –, ces traits sont accusés au point de faire disparaître celui qui passait le plus clair de son temps à interroger tout un chacun sur la nature du juste, du bien et du beau. Pour le dire autrement encore, le Socrate de Rousseau est admirable moins pour son excellence intellectuelle que pour la fermeté de son caractère, sa vertu ; c'est Socrate, citoyen courageux buvant la ciguë que Rousseau propose en exemple, et non celui qui discute à temps et à contretemps, mais sans résultat, avec Protagoras au sujet de l'enseignement de la vertu ; cette familiarité bonhomme que le philosophe entretient avec les sophistes paraît douteuse à Rousseau[298]. Glissement tectonique de tout le massif moral ; rupture qui inspira ailleurs ce jugement dur : « si cette facile mort n'eût honoré sa vie, on douterait si Socrate avec tout son esprit fut autre chose qu'un sophiste[299]. » Pour répéter, le Socrate de Rousseau ménage les institutions démocratiques : il n'interroge pas les hommes politiques et les artisans – pensons au tanneur Anytos, accusateur de Socrate devant la cité athénienne ; il ne dit mot au sujet des grands textes poétiques qui constituent l'essentiel de la tradition religieuse grecque et, du même coup, ne les soumet pas à une de ses critiques desséchantes[300]. Or s'il y a deux caractéristiques incontournables du Socrate de Platon, c'est justement sa certitude quant à l'importance de la vie intellectuelle, au moins sous la forme d'interrogation radicale et continue, et le jugement sévère qu'il porte sur la démocratie athénienne et la religion païenne à fond mythologique qui en était le souffle[301]. Ces deux points sont oubliés par Rousseau, et son oubli est significatif.

En guise de conclusion, on résumera comme suit. Dans chacun des cas examinés : Montaigne, Plutarque, Platon, les citations que Rousseau tire de leurs œuvres et surtout l'usage qu'il en fait jurent avec l'intention originelle telle qu'on peut la déceler chez ces auteurs. Rousseau fut-il lecteur et disciple de ses prédécesseurs et particulièrement des Anciens ? Sans doute. Mais le citoyen de Genève possédait un art de la citation qui lui permettait de conduire son lecteur là où il le voulait bien, et ce, parfois à contre-courant de ceux mêmes sur lesquels il s'appuyait. Quel est le sens de cette réorientation systématique ? La dénonciation de l'orgueil humain qui a placé le meilleur de l'homme dans cette faculté inhumaine, la raison ; laquelle, par les sciences et les arts, a déformé le cœur de l'homme [302]. C'est-à-dire la thèse centrale du *Discours sur les sciences et les arts*.

II. Sur la Préface au Narcisse

5. Orgueil

L'avis de Rousseau sur la *Préface au Narcisse* est net, aussi net que son avis, contraire, sur la pièce de théâtre qu'elle précède ; si *Narcisse ou L'Amant de lui-même* ne vaut à peu près rien, sa préface, par contre, est un texte excellent. « Pour moi, je m'ennuyai tellement à la première [de *Narcisse*] que je ne pus tenir jusqu'à la fin et, sortant du spectacle, j'entrai au café de Procope où je trouvai Boissy et quelques autres qui, probablement, s'étaient ennuyés autant que moi [...] Cependant, comme il était sûr que la pièce, quoique glacée à la représentation, soutenait la lecture, je la fis imprimer et, dans la *Préface*, qui est un de mes bons écrits, je commençai de mettre à découvert mes principes un peu plus que je n'avais fait jusqu'alors [303]. » Cette façon de parler laisse croire que l'impression de la pièce fut prétexte à la publication de la préface ; cette façon de parler fait comprendre que la *Préface au Narcisse* est un texte philosophique qui marque un progrès par rapport aux œuvres précédentes : c'est Rousseau le penseur qui prend le dessus sur l'orateur, qui n'avait pas su exposer les principes du système, et sur le dramaturge, plus ou moins laissé pour compte. Certes, le citoyen de Genève n'était pas très doué pour le genre dramatique : des sept pièces qu'il écrivit ou commença, seul le *Narcisse* fut créé, mais ne connut en tout que deux représentations [304].

On comprend la satisfaction de Rousseau devant la *Préface au Narcisse* : l'essentiel des thèses du *Discours sur les sciences et les arts* y est présenté clairement et fermement, sans ce foisonnement rhétorique d'exemples, sans ces élans passionnés, qui pouvaient nuire au premier texte en lui donnant un air d'exercice oratoire [305]. De plus, les thèses sont articulées d'une façon plus organique : dans le *Premier Discours*, comme on l'a vu [306], les effets du progrès des sciences et des arts s'enchaînaient mal les uns aux autres ; ici, le déroulement logique des conséquences est plus serré. Selon la *Préface au Narcisse* [307], la source de tous les problèmes que causent les sciences et les arts est que les hommes confondent les lettres telles qu'elles devraient être et les lettres telles qu'elles se pratiquent dans les faits ; ce qui revient à dire que les hommes se prennent pour des dieux [308]. Cette illusion de fond opère sur les mœurs dans des sociétés où le loisir laisse du temps libre aux individus et où le désir de se distinguer est devenu une passion généralisée. Ce désir emporte tout devant lui ; en particulier, la fin justifiant les moyens, et comme ce n'est pas la vérité ou le beau qui commande mais l'originalité, les théories farfelues et les créations bizarres se multiplient et chassent le bon sens ; en particulier, la vertu n'attirant que peu de considération du fait qu'elle est peu visible, l'homme de bien le cède devant l'homme agréable. C'est pourquoi l'éducation moderne, dont l'objectif ultime est de préparer l'homme à réussir selon les critères du monde moderne [309], vise des connaissances vaines ou même nocives. De plus, les hommes formés à l'école des préjugés du Siècle des lumières, les hommes formés pour bien paraître dans la société du XVIIIe siècle, deviennent faibles de corps. Plus grave encore, la même éducation affaiblit l'âme : les hommes perdent le goût d'être généreux à force de voir les défauts humains et les dangers de l'existence en société. C'est d'abord et avant tout la bienveillance ou la pitié pour ses semblables qui disparaît du cœur de l'homme moderne : son amour-propre se raffermit à mesure qu'il prend conscience de ses talents et de ses lumières et des défauts des autres. Tout en s'abstrayant par l'imagination de la condition humaine ordinaire, l'homme finement éduqué s'évertue de toutes les façons possibles à acquérir le seul prix réel de ses efforts intellectuels : la reconnaissance de ses semblables. Ce qui est vrai de l'homme d'étude est vrai en général des citoyens des sociétés contemporaines : leurs besoins boursouflés les rendent incapables de se satisfaire sans tirer un avantage indu de ceux qui les entourent ; en dernière analyse, chacun voulant plus que ce que les autres ne peuvent lui fournir, tous promettent plus qu'ils ne peuvent ou ne veulent donner ; jour après jour, ils se paient les uns les autres de mensonges et de trahisons : les hommes profitent, dans le sens le moins noble du mot, les uns des autres. Le malheur humain est grand en ce Siècle des lumières ; bien mieux, il s'étend et s'approfondit sans cesse à cause des lumières, c'est-à-dire à cause de la popularisation du désir de connaître, à cause de la vulgarisation des acquis des sciences et des arts, à cause de l'enflement des besoins occasionné par une imagination aux moyens décuplés par l'éducation.

D'une logique implacable, ce tableau fait tout remonter à la formation de l'homme, entendue dans le sens le plus général, c'est-à-dire la transformation du cœur des individus par les institutions politiques de divers types et niveaux. Ou pour conclure avec les mots mêmes de Rousseau: «Étrange et funeste constitution, où les richesses accumulées facilitent toujours les moyens d'en accumuler de plus grandes et où il est impossible à celui qui n'a rien d'acquérir quelque chose, où il faut nécessairement renoncer à la vertu pour devenir un honnête homme! Je sais que les déclamateurs ont dit cent fois tout cela; mais ils disaient en déclamant, et moi je le dis sur des raisons; ils ont aperçu le mal, et moi j'en découvre les causes, et je fais voir surtout une chose très consolante et très utile en montrant que tous ces vices n'appartiennent pas tant à l'homme qu'à l'homme mal gouverné (paragr. 30).» On remarquera que Rousseau termine sa description en s'opposant aux orateurs qui ne font que déclamer: ici, il affirme exposer ses idées selon les exigences de la plus stricte rationalité. Ce qui revient à confirmer la thèse que la *Préface au Narcisse* pour ainsi dire dépasse le *Premier Discours*.

Les différences stylistique et logique soulignées sont sans doute liées à un progrès chez leur auteur. Comme l'avoue Rousseau lui-même: «avec quelque talent qu'on puisse être né, l'art d'écrire ne s'apprend pas tout d'un coup[310].» Entre le *Discours sur les sciences et les arts* et la *Préface au Narcisse*, l'écrivain a eu l'occasion d'apprendre son métier. Mais il y a plus: ces différences dépendent du statut même que se donne l'auteur en écrivant: le texte que crée cette fois Rousseau est plus écrit, car il n'est pas un discours justement, et l'auteur y a abandonné le masque de l'orateur[311]. À la suite de quoi, Rousseau se situe d'emblée, pour ne pas dire exclusivement, à un niveau intellectuel où les tours rebattus de la rhétorique n'ont plus de portée, où les longues inductions ne sont plus nécessaires pour soutenir l'intelligence du lecteur en étayant à chaque pas l'argumentation qu'on lui propose. Témoin cette note: «Voici un exemple moderne pour ceux qui me reprochent de n'en citer que d'anciens. La République de Gênes, cherchant à subjuguer plus aisément les Corses, n'a pas trouvé de moyen plus sûr que d'établir chez eux une académie. Il ne me serait pas difficile d'allonger cette note, mais ce serait faire tort à l'intelligence des seuls lecteurs dont je me soucie (note e)[312].» Dans le même sens, l'auteur se place du côté de ceux qui argumentent sans les tours de passe-passe que permettent les arguments *ad hominem* et les railleries, tactiques de l'art oratoire ; plutôt que de persuasion, il s'agit cette fois de conviction. « Les armes ne seront pas égales, je le sens bien ; car on m'attaquera avec des plaisanteries, et je ne me défendrai qu'avec des raisons. Mais pourvu que je convainque mes adversaires, je me soucie très peu de les persuader (paragr. 2) [313]. » Les textes cités relient les différences formelles les plus visibles entre le *Premier Discours* et la *Préface au Narcisse* à une différence d'auditoire et donc de niveau de discours de l'auteur [314] : s'adressant surtout à des lecteurs qui sont sensibles à la force de raisonnement pur, Jean-Jacques Rousseau peut se défaire, en grande partie, d'un apparat rhétorique qui a pourtant assuré son succès initial auprès du grand nombre ; pour la même raison, il se permet de distinguer entre des arguments valides et non, entre des contradictions apparentes et des contradictions réelles [315]. En d'autres mots, usant d'une rhétorique plus haute qui lui commande d'adapter ses mots à ses auditeurs, Rousseau change ici de niveau de discours et quitte le mode du discours oratoire.

Cette première explication de la différence entre les deux textes conduit à une deuxième, plus importante : le statut de la thèse exposée dans le *Discours sur les sciences et les arts*. La réaction initiale que provoque d'ordinaire ce premier des grands textes de Rousseau est une admiration ironique : on ne peut croire que l'auteur se soit pris au sérieux, et on conclut que sa position ne doit pas l'être ; au mieux, on croit se trouver devant la brillante exposition d'un paradoxe insoutenable au fond. Or Rousseau se plaint de cette réaction dans la *Préface au Narcisse* ; parlant de ceux qu'il appelle sans ménagement ses adversaires [316], il écrit : « Ils prétendent que je ne pense pas un mot des vérités que j'ai soutenues et qu'en démontrant une proposition, je ne laissais pas de croire le contraire. C'est-à-dire que j'ai prouvé des choses si extravagantes qu'on peut affirmer que je n'ai pu les soutenir que par jeu. Voilà un bel honneur qu'ils font en cela à la science qui sert de fondement à toutes les autres ; et l'on doit croire que l'art de raisonner sert de beaucoup à la découverte de la vérité, quand on le voit employer avec succès à démontrer des folies (paragr. 4) [317] ! » L'argument de Rousseau repose en fin de compte sur la supposition qu'il a su démontrer sa thèse : si l'utilité de l'art logique peut être mise en doute ici, c'est que l'auteur du *Discours sur les sciences et les arts*, celui surtout de ses nombreuses défenses [318], a réussi à prouver scientifiquement, c'est-à-dire à soutenir en respectant les règles de la démonstration, que le progrès des sciences et des arts est lié avec nécessité à la corruption morale. À quoi peut bien servir la logique si elle permet d'exposer avec tout le sérieux de la nécessité rationnelle des « extravagances », des « folies », des paradoxes.

Mais il y a paradoxe et paradoxe. Rousseau reconnaît que la thèse qu'il soutient peut être paradoxale en ce sens qu'elle contredit l'opinion commune de son siècle [319] ; bien mieux, il s'en vante : « Il y a des vérités très certaines qui, au premier coup d'œil, paraissent des absurdités et qui passeront toujours pour telles auprès de la plupart des gens. Allez dire à un homme du peuple que le Soleil est plus près de nous en hiver qu'en été ou qu'il est couché avant que nous ne cessions de le voir, il se moquera de vous. Il en est ainsi du sentiment que je soutiens. Les hommes les plus superficiels ont toujours été les plus prompts à prendre parti contre moi ; les vrais philosophes se hâtent moins ; et si j'ai la gloire d'avoir fait quelques prosélytes, ce n'est que parmi ces derniers [320]. » Que paraît être la thèse du *Discours sur les sciences et les arts* ? Une étourderie patente : parce que tout le monde le sait, tout le monde dit que le progrès des sciences et des arts assure le progrès moral des êtres humains ; c'est l'évidence même que la civilisation, c'est-à-dire l'ensemble des productions de l'intelligence et de l'industrie humaine, va de pair avec un comportement civilisé, c'est-à-dire un ensemble d'agissements honnêtes et équitables commandés par le souci du bien des autres ; le nier, c'est manquer de bon sens. Or, affirme Rousseau, cette évidence en est une pour ceux qui ne pensent pas, pour ceux qui répètent ce que tout le monde dit, c'est-à-dire qui répètent ce que personne, et surtout pas ceux-là qui parlent le plus fort, n'a pensé jusqu'au bout. L'évidence du *prêt-à-penser* n'est pas l'évidence du *mûrement-réfléchi*. On retrouve ici la remarque sur l'originalité de la *Préface au Narcisse* par rapport au *Premier Discours*, et on reprend la distinction entre les types d'auditoires, mais en l'approfondissant : la différence de style vient, en fin de compte, de la plus ou moins grande cohésion logique des textes, de la plus ou moins grande force rationnelle de deux prises de position, identiques quant à leur contenu ; c'est par rapport à cette différence-là que les esprits se départagent. La *Préface au Narcisse* s'adresse aux hommes qui savent penser les paradoxes, sans avoir à être réconfortés à tout moment par un attirail oratoire qui tire sa force du bon sens ; elle dit les choses telles qu'elles sont, et elle les dit sans détour, ou presque.

Donc la position rousseauiste est paradoxale du fait de heurter le bon sens, c'est-à-dire les supposées évidences qui ne le sont que pour autant qu'elles sont acceptées par l'ensemble de la société. Mais du même coup, elle n'est pas paradoxale en ce sens qu'elle serait un jeu, une affirmation en l'air, une absurdité inconcevable : que le progrès des sciences et des arts soit lié, et lié nécessairement, à la décadence morale et politique, cela est une vérité démontrable ; bien mieux, c'est une vérité démontrée, du moins aux yeux de Jean-Jacques Rousseau. « Ils prétendent que je ne pense pas un mot des vérités que j'ai soutenues ; c'est sans doute de leur part une manière nouvelle et commode de répondre à des arguments sans réponse, de réfuter les démonstrations même d'Euclide et tout ce qu'il y a de démontré dans l'univers (paragr. 5)[321]. » Le nom d'Euclide n'apparaît pas par hasard : les thèses de Rousseau ont un statut comparable à celui des démonstrations mathématiques, quoique la matière morale ne souffre pas une présentation formelle identique à celle des *Éléments*. Pour poursuivre la similitude, c'est une idée sur la nature de l'homme qui est au fondement de l'architecture logique des réflexions de Rousseau, tout comme à la base de la preuve du théorème de Pythagore, on trouve la définition du triangle rectangle. Aussi, c'est la connaissance de l'homme, et surtout celle du cœur humain qui est la connaissance philosophique par excellence ; paradoxalement – c'est le cas de le dire –, la connaissance de soi exige plus d'efforts et plus de génie que la connaissance de l'Univers. « C'est un grand et beau spectacle de voir l'homme sortir en quelque manière du néant par ses propres efforts ; dissiper, par les lumières de sa raison, les ténèbres dans lesquelles la nature l'avait enveloppé ; s'élever au-dessus de soi-même ; s'élancer par l'esprit jusque dans les régions célestes ; parcourir à pas de géant ainsi que le Soleil la vaste étendue de l'Univers ; et, ce qui est encore plus grand et plus difficile, rentrer en soi pour y étudier l'homme et connaître sa nature, ses devoirs et sa fin (*PD* paragr. 7). » Pour connaître scientifiquement, c'est à dire par mode de démonstration, les devoirs et la fin de l'homme, il faut connaître sa nature. Cette connaissance est le fondement de la pensée de Rousseau, et ce, dès le *Discours sur les sciences et les arts*[322]. Mais dans la *Préface*, la science morale qu'il possède se montre en plein jour.

La différence de style entre le *Premier Discours* et la *Préface au Narcisse* a conduit à une remarque sur les auditoires possibles de Rousseau, puis à une remarque sur le statut de la vérité qu'il expose. Et ces remarques conduiront à leur tour à une conclusion déjà présentée, qui risque encore une fois d'aliéner de Rousseau la plupart de ses lecteurs, mais qu'il faut tirer pour sentir l'importance de ce qui est en jeu ici. Car de l'avis de Rousseau, il y a démonstration et démonstration, selon les matières où s'exerce la raison. Autre chose est de démontrer les propriétés des figures mathématiques, ou les caractéristiques premières des êtres métaphysiques, ou les lois ou possibilités du monde naturel, autre chose est de fonder la réflexion philosophique portant sur l'homme et son action. Il n'y a de sérieux que ce qui concerne l'homme. « Voici une des grandes et des plus belles questions qui aient jamais été agitées. Il ne s'agit point dans ce discours de ces subtilités métaphysiques qui ont gagné toutes les parties de la littérature et dont les programmes d'académie ne sont pas toujours exempts ; mais il s'agit d'une de ces vérités qui tiennent au bonheur du genre humain (*PD* paragr. 1)[323]. » Le sage véritable n'est pas celui qui consacre son talent à l'étude des choses naturelles ou même à la méditation de l'être de Dieu, mais celui qui, reconnaissant d'emblée ses propres limites et ses devoirs, fixe son regard sur les choses humaines. Pour le dire autrement, si l'auteur du *Discours sur les sciences et les arts* montre beaucoup de respect pour le génie d'un Newton, s'il souhaite que les Newtons de l'avenir ne limitent pas l'application de leur génie aux sciences dites exactes, mais qu'ils se tournent plutôt vers la science morale et politique comme Cicéron et Bacon, s'il espère qu'ils soient bien reçus par les hommes au pouvoir[324], Rousseau se considère sans aucun doute comme le premier Newton de la morale. D'où : « L'élévation et l'abaissement journaliers des eaux de l'océan n'ont pas été plus régulièrement assujettis au cours de l'astre qui nous éclaire durant la nuit que le sort des mœurs et de la probité au progrès des sciences et des arts. On a vu la vertu s'enfuir à mesure que leur lumière s'élevait sur notre horizon, et le même phénomène s'est observé dans tous les temps et dans tous les lieux (*PD* paragr. 16). » Le choix de cette image s'explique maintenant : ce que Newton a fait pour les sciences de l'astronomie et de la physique – donner une solidité euclidienne à l'explication de certains phénomènes naturels mystérieux –, Rousseau l'a fait pour celles de la morale et de la politique. Mais comme le sujet de la découverte de ce dernier, l'homme dans sa relation avec ses semblables, est bien plus important que celui de Newton, Rousseau est plus grand que Newton, puisqu'il est sage plutôt que savant ; comme la vérité découverte par Rousseau est aussi nouvelle qu'elle est radicale, il est plus sage que ses prédécesseurs[325]. En clair, il est le plus grand des sages de tous les temps[326].

Mais, dira-t-on, Newton a trouvé la cause de la marée : quelle est la cause des phénomènes dont Rousseau tente de rendre compte ? Pour répondre à cette question, il faut d'abord rappeler que selon une interprétation possible du libellé de la question et selon l'intention la plus profonde de Rousseau lui-même, la question du progrès des lettres est en dernière analyse un problème secondaire. Au mieux, les sciences et les arts *contribuent* à épurer les mœurs ; au pis, ils *contribuent* à les corrompre ; en aucun cas, il n'est question des lettres comme causes principales de l'état moral des hommes. Pour utiliser un exemple médical, de même que le régime de vie d'un individu peut contribuer à une maladie causée par un virus, de même les sciences et les arts peuvent contribuer à la décadence morale de l'homme moderne, une décadence causée par un principe dont on n'est pas appelé à discuter pour le moment. Mais alors qu'y a-t-il derrière les sciences et les arts qui opère si délétèrement sur les peuples ?

La *Préface au Narcisse* répond à la question. N'y trouve-t-on pas des passages comme : « Le goût des lettres annonce toujours chez un peuple un commencement de corruption qu'il accélère promptement (paragr. 19). » La vulgarisation des progrès culturels est présentée d'abord comme un signe de corruption morale, mais ensuite comme un phénomène qui contribue au processus qui l'a engendré : le mal, source de la corruption, est déjà là avant l'apparition des progrès culturels et leur reconnaissance populaire. Mais d'où naît le désir généralisé de beaucoup savoir grâce aux sciences et de bien paraître grâce aux arts ? La suite du paragraphe l'explique : « Ce goût ne peut naître ainsi dans toute une nation que de deux mauvaises sources que l'étude entretient et grossit à son tour, savoir l'oisiveté et le désir de se distinguer. » Les remarques subséquentes font comprendre que l'élément crucial de cette corruption première n'est pas le loisir, mais bien le désir de dépasser les autres aux yeux des autres[327]. Avant l'apparition des sciences, des arts et des lettres, le mal existe déjà : c'est le désir de se distinguer, c'est-à-dire le désir de se comparer favorablement à un autre, le désir de l'inégalité reconnue, c'est-à-dire, en fin de compte, le désir de vaincre et d'écraser l'autre en public ; c'est ce désir qui fait chercher dans les lettres un autre terrain de lutte, un autre moyen de faire éclater au grand jour sa supériorité. Comme d'une source dont l'eau bondit et rebondit avec de plus en plus de force sur des rochers de plus en plus bas, c'est de l'amour-propre, puisqu'il faut appeler le désir de se distinguer par son nom technique, que naissent tous les malheurs qui accablent l'homme dans la société moderne. «Qu'avons-nous gagné à cela? Beaucoup de babil, des riches et des raisonneurs, c'est-à-dire des ennemis de la vertu et du sens commun. En revanche, nous avons perdu l'innocence et les mœurs. La foule rampe dans la misère; tous sont les esclaves du vice. Les crimes non commis sont déjà dans le fond des cœurs, et il ne manque à leur exécution que l'assurance de l'impunité (paragr. 29; voir aussi paragr. 25).» Le mal fondamental est donc l'amour-propre au fond du cœur qui commande à tous les comportements, pervertissant tout, même les choses bonnes en elles-mêmes[328].

Les sciences et les arts, si on les considère en leur nature propre, sont bons; ce sont ces sciences et ces arts que les hommes pervertissent pour mieux se corrompre. «Je fis voir que la source de nos erreurs sur ce point vient de ce que nous confondons nos vaines et trompeuses connaissances avec la souveraine intelligence qui voit d'un coup d'œil la vérité de toutes choses. La science prise d'une manière abstraite mérite toute notre admiration. La folle science des hommes n'est digne que de risée et de mépris (paragr. 18)[329].» Mais de la même façon qu'il ne faut pas identifier la science en soi avec la science des humains, il ne faut pas conclure que toute science des hommes est folle science des hommes. Comme une sorte de contre-épreuve, les comportements des génies ne font que confirmer la règle générale. «J'avoue qu'il y a quelques génies sublimes qui savent pénétrer à travers les voiles dont la vérité s'enveloppe, quelques âmes privilégiées, capables de résister à la bêtise de la vanité, à la basse jalousie et aux autres passions qu'engendre le goût des lettres (paragr. 32).» L'explication de cette supériorité morale des génies se trouverait moins dans un effort de la volonté qui se vainc elle-même, ou vainc un pervertissement originel, que dans le fait que leur désir de connaître est pur de toute comparaison avec les autres: c'est dans un solitaire face à face avec la nature qu'ils sentent naître en eux le besoin de percer ses secrets. Quoi qu'il en soit des génies, la position de Rousseau dans la *Préface au Narcisse* est claire: c'est l'orgueil ou le désir de se distinguer ou celui d'être admiré qui est à la source des effets néfastes des sciences et des arts. Et une vie menée par l'amour-propre étant la règle plutôt que l'exception, les lettres contribuent d'ordinaire au malheur humain. Fait plus troublant encore, l'orgueil semble être lié à la nature même de l'homme, ou du moins à l'homme vivant en société[330].

Cette analyse se trouvait-elle bel et bien dans le *Premier Discours*? La *Préface au Narcisse* est-elle la reprise et l'exposition plus nette de la première prise de position du citoyen de Genève ? Un regard jeté sur le texte montre que la seconde partie du *Discours sur les sciences et les arts* fait souvent remonter le mal moral et politique à l'amour-propre, quoiqu'on n'utilise pas le mot. On y parle d'« orgueil humain », de « fureur de se distinguer », de la « vanité des hommes »; on rappelle que « tout artiste veut être applaudi »; on y demande qui « cherche bien sincèrement la vérité » (voir paragr. 35, 36, 38, 40, 41, 44). Force est d'avouer que le rôle premier de l'amour-propre dans le processus de décadence est discrètement, mais nettement, posé.

Cette causalité profonde permet de rendre compte de la différence faite dans les deux textes entre le comportement des génies par rapport aux sciences et aux arts et celui des gens du peuple. On en a dit un mot: il faut y revenir. D'où vient, en somme, que la pratique des lettres ne nuise pas à l'âme du vrai sage, alors qu'elle cause la corruption des petites gens ? Encore une fois, les grands esprits ne cultivent pas les sciences et les arts pour bien paraître ; la source de leur réflexion est la pure et simple curiosité. Or chez la plupart des hommes, le désir de connaître est faible ; ils pensent pour mieux jouir des choses: aussitôt que les besoins matériels sont assurés, la réflexion leur devient inutile et inintéressante. « La science n'est point faite pour l'homme en général. Il s'égare sans cesse dans sa recherche ; et s'il l'obtient quelquefois, ce n'est presque jamais qu'à son préjudice. Il est né pour agir et penser et non pour réfléchir (paragr. 31). » Si un grand nombre d'hommes, dont très peu sont des génies, s'affairent dans le monde intellectuel, c'est qu'une passion entre en jeu pour stimuler et pervertir leur besoin de connaître, c'est qu'ils en tirent un profit autre que celui de satisfaire leur curiosité naturelle, s'ils en ont: ils cherchent à être applaudis, ou ils s'attendent à être récompensés monétairement; sans cela, ils se tourneraient ailleurs; c'est l'amour-propre qui est au principe de leurs efforts intellectuels, et par la suite leur vanité se nourrit de leurs petits succès.

Il n'en est pas ainsi pour les vrais maîtres. Un peu comme une bête ferait l'essai de ses forces pour le seul plaisir de le faire, pour le seul plaisir de se sentir exister, ils pensent avant même d'avoir appris ce que c'est que penser, ils s'interrogent avant même qu'un autre ne leur pose une question, ils réfléchissent même quand cela ne leur apporte rien, voire quand cela est dangereux[331]. « Il n'a point fallu de maîtres à ceux que la nature destinait à faire des disciples. Les Verulams, les Descartes, les Newtons, ces précepteurs du genre humain, n'en ont point eu eux-mêmes. Et quels guides les eussent conduits jusqu'où leur vaste génie les a portés? Des maîtres ordinaires n'auraient pu que rétrécir leur entendement en le resserrant dans l'étroite capacité du leur : c'est par les premiers obstacles qu'ils ont appris à faire des efforts et qu'ils se sont exercés à franchir l'espace immense qu'ils ont parcouru (*PD* paragr. 59). » On comprend maintenant comment il se fait que l'âme des génies ne subit pas les mêmes contrecoups que celle des gens ordinaires : depuis le début, leur labeur intellectuel se fait hors du circuit de l'amour-propre. Les sciences et les arts ne leur nuisent pas parce que ce ne sont pas les sciences et les arts qui sont nuisibles, mais l'orgueil ; et une âme qui ne connaît pas l'orgueil ne peut pas être corrompue par les sciences et les arts[332]. On comprend aussi pourquoi Rousseau se réjouit du cuisant échec que fut la création du *Narcisse*: il est tout heureux d'avoir pu constater que ce n'est pas l'amour-propre qui l'inspirait en faisant monter sa pièce ; son cœur n'a été gâté ni par les succès ni par les revers (paragr. 9, 38, 39). Car l'essentiel en l'homme n'est pas la raison, ou le talent littéraire, mais le cœur : le mal est moins l'erreur scientifique ou artistique que la faute, signe de dessèchement du cœur.

On peut donc affirmer dans la *Préface au Narcisse* que la pensée centrale du *Premier Discours* est respectée, voire confirmée et développée. Pourtant on détecte un certain ramollissement de la position de Rousseau. Car le citoyen de Genève découvre une nouvelle utilité aux lettres: celle de divertir et donc d'occuper les hommes devenus méchants afin d'en faire sinon des hommes bons, du moins des scélérats moins actifs. « Si mes écrits ont édifié le petit nombre des bons, je leur ai fait tout le bien qui dépendait de moi, et c'est peut-être les servir utilement encore que d'offrir aux autres des objets de distraction qui les empêchent de songer à eux (paragr. 36). » Plus important encore, il reconnaît que la popularisation des sciences et des arts a par accident un effet bénéfique. Les hommes sophistiqués sont sensibles au beau, au fin, au délicat. Or le vice dans son plein développement est laid. Les habitants des sociétés civilisées ne seront pas vertueux, mais du même coup leurs vices ne seront que rarement des crimes: leurs défauts seront modérés par la coquetterie. « [Les lettres] détruisent la vertu, mais elles en laissent le simulacre public qui est toujours une belle chose. Elles introduisent à sa place la politesse et les bienséances, et à la crainte de paraître méchant, elles substituent celle de paraître ridicule (paragr. 34 ; voir note d et *PD* paragr. 9-11). » Le *Discours sur les sciences et les arts* avait reconnu l'utilité d'un certain usage des lettres. Mais le ton avait été beaucoup plus sévère : on y avait même laissé entendre que l'imprimerie faisait plus de mal que de bien ; on avait placé la racine de tout le mal social dans l'apparence. Il est possible, encore ici, de voir dans ce passage de la rigueur passionnée à un certain compromis rationnel la différence entre le ton rhétorique du *Premier Discours* et le ton posé de la *Préface au Narcisse*.

Mais au-delà des différences, c'est toujours le même Rousseau qui parle, c'est la même thèse centrale qui se déploie : l'orgueil comme poison de l'existence humaine.

6. Existence

« Ce n'est donc pas de ma pièce, mais de moi-même qu'il s'agit ici. Il faut, malgré ma répugnance, que je parle de moi ; il faut que je convienne des torts que l'on m'attribue ou que je m'en justifie (paragr. 1-2). » C'est par ces mots quelque peu inattendus que commence la *Préface au Narcisse* : non pas une présentation du *Narcisse*, encore moins une apologie de cette pièce à peu près insipide, cette préface a un double foyer, soit l'auteur et sa pensée, une pensée et son auteur. C'est d'ailleurs une constante de l'œuvre de Rousseau : l'individu qui pense l'universel est lui-même en jeu dans l'exposition, l'analyse, la défense et la critique des concepts. Chez Rousseau, penseur et individu ne s'opposent pas, ils ne se séparent même pas ; au contraire, l'un peut prendre l'histoire de l'autre comme preuve, l'autre peut trouver dans le système de l'un le fondement théorique nécessaire pour éclairer les points obscurs d'une expérience souvent troublante. L'exemple le plus convaincant de ce jeu de renvoi est le *Rousseau juge de Jean-Jacques*, qu'écrivit Rousseau vers la fin de sa vie[333]. Là, l'auteur tente de se défendre contre ce qu'il considère un complot organisé contre sa personne et sa pensée. Le mouvement du texte est celui d'un renversement total : l'homme et son œuvre, méprisés au début, sont respectés et admirés à la fin. Mais ce qui ne change pas, c'est que la personne de l'auteur est totalement en jeu dans son œuvre : l'homme et l'auteur sont la même personne, Jean-Jacques. Pour prendre les mots d'un des interprètes les plus autorisés de la pensée de Rousseau: «À tort ou à raison, Rousseau n'a pas consenti à séparer sa pensée de son individualité, ses théories de son destin personnel. Il faut le prendre tel qu'il se donne, dans cette fusion et cette confusion de l'existence et de l'idée. On se trouve ainsi conduit à analyser la création littéraire de Jean-Jacques comme si elle représentait une action imaginaire, et son comportement comme s'il constituait une fiction vécue [334].»

Pourtant, dans la *Préface au Narcisse*, l'auteur tient à distinguer son personnage et son comportement de sa théorie politique et anthropologique. Ce serait les adversaires de Rousseau, malhonnêtes, qui auraient tourné le regard du public sur l'auteur du *Discours sur les sciences et les arts*: plutôt que d'en rester au strict plan de la pensée, de l'argument, de la thèse à débattre, se sentant vaincus par la force de l'évidence mais refusant d'admettre les conclusions auxquelles elle conduisait, ils auraient tenté de voler une victoire en utilisant les arguments *ad hominem*. «Je n'ai pas non plus été oublié dans leurs déclamations. Plusieurs ont entrepris de me réfuter hautement; les sages ont pu voir avec quelle force, et le public avec quel succès, ils l'ont fait. D'autres plus adroits, connaissant le danger de combattre directement des vérités démontrées, ont habilement détourné sur ma personne une attention qu'il ne fallait donner qu'à mes raisons et l'examen des accusations qu'ils m'ont intentées a fait oublier les accusations plus graves que je leur intentais moi-même. C'est donc à ceux-ci qu'il faut répondre une fois (paragr. 3).» Usant d'une distinction juste, mais rhétoriquement hasardeuse, il déclare qu'il faut distinguer l'homme et l'auteur, les mœurs de l'un et la pensée de l'autre [335]. Ce qui revient à soutenir une vérité assez banale: que le conseil d'un médecin – par exemple, qu'il faut cesser de fumer la cigarette – peut être contredit par ses mœurs personnelles – le médecin lui-même fume abondamment –, sans être dévalué quant au sérieux avec lequel on le profère, ni quant à son fond théorique, ni quant à ses conséquences pratiques. «Qu'on me montre des hommes qui agissent toujours conséquemment à leurs maximes, et je passe condamnation sur les miennes. Tel est le sort de l'humanité: la raison nous montre le but, et les passions nous en écartent. Quand il serait vrai que je n'agis pas selon mes principes, on n'aurait donc pas raison de m'accuser pour cela seul de parler contre mon sentiment, ni d'accuser mes principes de fausseté (paragr. 8). » En somme, faites comme je dis, peu importe ce que je fais ; car ce que je dis est vrai et utile.

Cette indifférence à la portée de l'exemple est loin de venir de l'inconscience de ses répercussions. Même dans la *Préface au Narcisse*, Rousseau reconnaît l'épreuve de la vie comme une certaine preuve de la vérité d'une pensée. Il s'en sert en tout cas lorsqu'il s'agit de critiquer les penseurs, moralistes et philosophes, qui l'ont précédé ; il rappelle qu'il faisait comme les autres, qu'il s'appuyait sur le contenu de leurs livres pour conclure à la justesse et à la noblesse de leurs vies ; d'un ton caustique qui permet de mesurer sa déception et de l'épouser, il raconte comment il se détrompa : « Je me formais de leur commerce des idées angéliques, et je n'aurais approché de la maison de l'un d'eux que comme d'un sanctuaire. Enfin je les ai vus, un préjugé s'est dissipé, et c'est la seule erreur dont ils m'aient guéri (note c)[336]. » Conclusion : si Rousseau insiste sur la nécessité de distinguer vie et pensée, c'est qu'il s'efforce de porter le discours à un niveau plus rationnel[337]. Cet effort n'est pas pour autant un aveuglement à la force du niveau rhétorique. Au contraire, c'en est la reconnaissance implicite.

D'ailleurs, la fin de la *Préface au Narcisse* montre que l'auteur tient à refaire l'unité entre sa vie et sa pensée. Après avoir montré que les sciences et les arts ont tendance à corrompre les mœurs d'un peuple, il avoue que ces mêmes disciplines peuvent servir, en certaines circonstances, à ralentir le processus auquel elles ont contribué auparavant : par exemple, le théâtre, qui est mauvais pour des hommes bons, au moins parce qu'il les détourne de leurs devoirs, peut servir à divertir les méchants, c'est-à-dire à les détourner eux aussi de leur action caractéristique : faire le mal. C'est pourquoi quelqu'un qui croit que le théâtre est, dans l'absolu, nocif à la santé morale des hommes pourrait écrire une pièce de théâtre et la faire jouer dans un temps où les hommes sont presque tous devenus méchants. « Je demande maintenant où est la contradiction de cultiver moi-même des goûts dont j'approuve les progrès. Il ne s'agit plus de porter les peuples à bien faire, il faut seulement les distraire de faire le mal : il faut les occuper à des niaiseries pour les détourner des mauvaises actions ; il faut les amuser au lieu de les prêcher (paragr. 36). » C'est déjà une réconciliation entre Rousseau le critique des sciences et des arts dans le *Premier Discours* et Rousseau dramaturge qui fit jouer le *Narcisse*.

Cependant, Rousseau ne se satisfait pas de montrer comment sa vie et sa théorie peuvent s'entendre comme par accident. Il remonte au principe même de sa vie individuelle et du même coup au principe théorique de sa position : le sentiment, fondement de la moralité. Car on pourrait avouer que la théorie de Rousseau lui donne le droit, en général, de cultiver les sciences et les arts. Une question demeure : à quelles conditions un individu peut-il se donner le droit de pratiquer les lettres pour le bien de ses frères humains ou de ses concitoyens ? On le sait : il doit être un être d'exception qui allie une supériorité intellectuelle à une force vitale, plus importante encore, qui le protège contre les pièges de l'amour-propre. Dans la situation délicate d'avoir à prouver qu'il remplit les deux conditions, Rousseau se permet de donner un signe de sa saine indifférence aux leurres de la réputation. S'il a connu la gloire avec le *Discours sur les sciences et les arts*, s'il avait la sécurité économique entre les mains après l'opérette le *Devin du village*, il a affronté la honte et l'échec avec la pièce *Narcisse*. Or à travers ces hauts et ces bas, il a pris la peine d'examiner son âme fixant son regard sur l'essentiel. « Je sais maintenant qu'en penser, et je puis mettre le public au pire. Ma pièce a eu le sort qu'elle méritait et que j'avais prévu, mais, à l'ennui près qu'elle m'a causé, je suis sorti de la représentation bien plus content de moi et à plus juste titre que si elle eût réussi (paragr. 38). » En d'autres mots, le désastre du *Narcisse*, ou plutôt l'indifférence de Rousseau face à ce désastre est la preuve, ou la contre-épreuve, de la santé de son âme et de la validité de son effort philosophique et littéraire : le penseur, selon sa propre théorie, n'est pas orgueilleux lorsqu'il se mêle de lire, réfléchir et écrire pour donner des conseils, et même c'est parce qu'il n'est pas orgueilleux qu'il peut le faire impunément. Et pour finir comme il a commencé : sous le regard sévère des hommes, mais en renversant tout à fait le rapport qui existait, Rousseau leur demande de condamner à l'avenir l'homme au nom de la théorie, et non, comme on l'a fait, la théorie au nom de l'homme. « [S]'ils remarquent, en un mot, que l'amour de la réputation me fasse oublier celui de la vertu, je les prie de m'en avertir, et même publiquement, et je leur promets de jeter à l'instant au feu mes écrits et mes livres et de convenir de toutes les erreurs qu'il leur plaira de me reprocher (paragr. 39). » Il va presque sans dire que les erreurs dont il est question sont des erreurs de conduite de l'homme que des erreurs appartenant au système du penseur : le penseur ne concède jamais que sa pensée soit fausse. Quoi qu'il en soit, en dernière analyse, la cohérence entre la pensée de Rousseau et l'existence de Jean-Jacques est encore en jeu ; qu'elle soit acquise d'emblée ou encore à acquérir, il est légitime de l'exiger aujourd'hui et à l'avenir.

Ce souci de cohérence, ce besoin de fonder ou d'enraciner les universels d'une pensée dans la vie du penseur ne sont pas des préoccupations propres à Rousseau. L'histoire de la philosophie est témoin que les philosophes ont souvent joué ce jeu. Le plus grand exemple est sans doute celui de Socrate. L'*Apologie de Socrate*, écrite par Platon, est de fait une apologie, c'est-à-dire une défense et un éloge, de la philosophie : tout comme Rousseau, Platon fait du philosophe la personnification de la vérité philosophique, et la philosophie l'explication de la vie du philosophe [338]. Le « je sais que je ne sais pas » de Socrate, tout particulier qu'il est, tout enraciné dans sa vie qu'il le présente, n'en est pas moins une phrase pour tous les hommes, une énonciation qui dit la nature de tous les hommes : « il semble que le dieu veut dire par cet oracle que la sagesse humaine est capable de peu de chose ou même de rien ; il paraît qu'en disant cela de Socrate et en utilisant mon nom, il me prend comme exemple [339]. » À l'autre extrémité de l'histoire de la philosophie, un Sartre ne s'est pas privé de l'occasion de se montrer sous les regards accusateurs de ses critiques pour expliquer sa pensée sur l'homme dans *L'existentialisme est un humanisme* ; il a cru aussi que sa biographie pouvait contenir de profondes vérités sur l'homme comme le montre un autre de ses succès populaires, *Les Mots*.

Mais pour Rousseau, l'exemple le plus important aurait été le *Discours de la méthode* de Descartes. Ce texte fondateur de la philosophie moderne est un bien étrange livre de philosophie. Descartes n'expose pas scolairement les principes de sa pensée, ni même les éléments de sa méthode. Le tout est offert au lecteur sous la forme d'une biographie et d'un projet de vie. Dans la première partie, l'auteur refuse de proposer sa pensée comme une vérité dogmatique ; il raconte les grandes lignes de sa vie : pour comprendre le « je pense, donc je suis » qui laisse derrière lui toute la pensée occidentale ou la renverse de façon radicale, il faut connaître quelques-unes des péripéties de la vie de René Descartes. « Mais je serai bien aise de faire voir, en ce discours, quels sont les chemins que j'ai suivis et d'y représenter ma vie comme en un tableau, afin que chacun puisse juger [...] Ainsi mon dessein n'est pas d'enseigner ici la méthode que chacun doit suivre pour bien conduire sa raison, mais seulement de faire voir en quelle sorte j'ai tâché de conduire la mienne [340]. » Une fois exposée la méthode, une fois développées certaines des vérités philosophiques et scientifiques qui en dépendent, dans la sixième partie, l'auteur annonce au monde son projet de travail pour les années à suivre : son cheminement intellectuel individuel l'a conduit à quelques vérités universelles qui éclairent sa vie et lui donnent son sens. « Pour moi, si j'ai ci-devant trouvé quelques vérités dans les sciences – et j'espère que les choses qui sont contenues en ce volume feront juger que j'en ai trouvé quelques-unes –, je puis dire que ce ne sont que des suites et des dépendances de cinq ou six principales difficultés que j'ai surmontées et que je compte pour autant de batailles où j'ai eu l'heur de mon côté. Même je ne craindrai pas de dire que je pense n'avoir plus besoin d'en gagner que deux ou trois autres semblables pour venir entièrement à bout de mes desseins, et que mon âge n'est point si avancé que, selon le cours ordinaire de la nature, je ne puisse encore avoir assez de loisir pour cet effet [341]. » En somme le *Discours de la méthode* a souvent, pour ne pas dire toujours, les dehors d'une biographie. Le penseur qui a mis le moi au cœur de la pensée utilise le témoignage de sa vie pour faire saisir le sens philosophique et moral de ses vérités les plus importantes. En cela, Rousseau est un fidèle disciple de Descartes, qu'il avait appelé « le meilleur des citoyens » et « précepteur du genre humain » [342].

Mais la filiation de Descartes à Rousseau ne se limite pas à cette ressemblance à tout prendre secondaire. C'est que Rousseau reprend à son compte le fameux « je pense, donc je suis », fondement inébranlable de toute pensée selon Descartes. « Après avoir parcouru le cercle étroit de leur vain savoir, il faut finir par où Descartes avait commencé. *Je pense, donc j'existe.* Voilà tout ce que nous savons [343]. » Comme toujours, il faut faire bien attention aux citations que Rousseau tire des autres. On remarquera tout de suite que le verbe *être* du texte de Descartes a été remplacé par le verbe *exister*. Or il y a toute une différence philosophique qui s'exprime dans cette substitution en apparence anodine. Qui dit exister dit plus que le simple fait d'être ; il dit la durée, le mouvement, et donc pour un homme, les choix et les jugements de vie. Et pour qu'il y ait de tels jugements, il faut qu'il y ait un critère, une idée du bien et du mal qui guide, plus exactement un sentiment du bien et du mal qui permette le discernement moral. C'est pourquoi l'homme a des sentiments, c'est-à-dire des jugements naturels sur le bien et le mal. « Quelle que soit la cause de notre existence, elle a pourvu à notre conservation en nous donnant des sentiments conformes à notre nature ; et l'on ne saurait nier qu'au moins ceux-là ne soient innés. Ces sentiments eu égard à l'individu sont l'amour de soi-même, la crainte de la douleur et de la mort, et le désir du bien-être [344].» Cette première différence en fait saisir une autre plus difficile à percevoir parce que laissée sans trace écrite: le «je pense» cartésien a été repris par Rousseau, mais le sens qui lui appartient n'est plus le «je doute intellectuellement», mais un «je sens». Pour Rousseau, la sensibilité est le fondement de la raison, un fondement qui ne disparaît jamais, un fondement vers lequel il faut retourner aussitôt que la raison, faculté plus problématique parce que moins naturelle, risque de faire dévier l'homme [345]. «Exister pour nous c'est sentir, et notre sensibilité est incontestablement antérieure à notre raison même [346].» En somme, avec Rousseau le problème philosophique le plus important n'est pas de fonder les connaissances intellectuelles, mais de fonder la vie morale, de lui donner une assise à l'épreuve de tous les séismes intellectuels qui pourraient survenir après. L'essentiel n'est pas de faire un *Discours de la méthode* ou une *Critique de la raison pure*, mais une analyse du cœur. Ce qu'il faut, ce sont «de vrais philosophes ardents à rappeler dans nos cœurs les lois de l'humanité et de la vertu (paragr. 20).» Le *Discours des sciences et des arts* et la *Préface au Narcisse* étaient les premiers moments de cette analyse. Ces efforts demandaient quelques développements que les œuvres subséquentes de Rousseau offrirent.

7. Développements

Dès les premières lignes de la *Préface au Narcisse*, Rousseau prend ses distances avec sa pièce de théâtre: *Narcisse*, apprend-on, n'est qu'une œuvre de jeunesse dont l'auteur se soucie fort peu au fond, puisqu'il est devenu tout à fait autre depuis qu'il l'écrivit. «Il y aurait peut-être de la dureté à me reprocher aujourd'hui ces amusements de ma jeunesse, et on aurait tort au moins de m'accuser d'avoir contredit en cela des principes qui n'étaient pas encore les miens (paragr. 9) [347].» Distances qui se maintiennent à la fin du texte. Car non seulement la pièce n'a connu aucun succès, non seulement son auteur accepte et approuve le jugement des amateurs de théâtre, mais il réduit le sens de sa comédie à n'être qu'un divertissement malhabile pour détourner les méchants de leurs entreprises contre leurs concitoyens. «Je m'estimerais trop heureux d'avoir tous les jours une pièce à faire siffler, si je pouvais à ce prix contenir pendant deux heures les mauvais desseins d'un seul des spectateurs et sauver l'honneur de la fille ou de la femme de son ami, le secret de son confident ou la fortune de son créancier (paragr. 36). » On est loin ici du *Devin du village*, qui en plus d'être une réussite sur le strict plan esthétique, exprime d'une autre façon les thèmes et les thèses de la pensée de Rousseau : il y a une harmonie entre le fond théorique du *corpus* rousseauiste et cette opérette toute simple où on ne trouve « ni traits savants, ni morceaux de travail, ni chants tournés, ni harmonie pathétique [348]. » Le *Narcisse* est un échec.

Mais il n'en est pas de même, il faut le répéter, de la *Préface au Narcisse*. Le texte est excellent. Car il expose mieux les thèses de l'auteur ; et surtout, il les expose plus : il y a un développement non dans sa position comme telle, mais dans la hardiesse avec laquelle il remonte aux principes de la question du mal politique. On peut en conclure que ce développement était peut-être susceptible de se continuer, que les thèses rousseauistes pouvaient être proposées plus complètement encore. Selon Rousseau, c'est bel et bien le cas. Parlant cette fois du *Discours sur l'origine et les fondements de l'inégalité parmi les hommes*, il présente ce « second discours » dans des mots semblables à ceux qu'il prit pour décrire la *Préface au Narcisse* : « J'eus bientôt l'occasion de développer [mes principes] tout à fait dans un ouvrage de plus grande importance ; car ce fut, je pense, en cette année 1753 que parut le programme de l'Académie de Dijon sur l'origine de l'inégalité parmi les hommes [349]. » En somme, il y aurait eu un processus d'explicitation de la pensée de Rousseau du *Premier Discours* au *Second Discours* en passant par la *Préface au Narcisse*.

En revanche, les différences qui existent entre les deux discours sautent aux yeux. Un exemple parmi plusieurs : le *Discours sur l'origine et les fondements de l'inégalité parmi les hommes* porte, dans toute sa première partie, sur un état de nature, un état préhumain où l'homme, séparé de ses semblables, réduit à son animalité ou peu s'en faut, aurait été naturellement bon [350] ; or cet état ne semble pas être discuté dans les écrits précédents. Au contraire, dans le *Discours sur les sciences et les arts*, on affirme que les hommes, en règle générale, sont pervers ou du moins pervertis ; et quand on remonte dans le temps vers un homme plus simple et plus innocent, il est accompagné des siens et dépasse largement les limites de sa nature animale [351]. Sans doute, le statut exact de cet état de nature n'est pas clair : il semble que ce ne soit qu'une hypothèse scientifique à partir de laquelle le penseur expose certaines conjectures pour rendre compte de l'état actuel de l'homme[352]. Pourtant, il y a un point de convergence entre les deux textes : il porte sur l'homme et sur ses passions premières. Qu'il en soit ainsi du *Premier Discours* doit être clair maintenant. Or l'objectif du *Second Discours* est le même : il s'agit d'aider l'homme à se connaître, comme l'avait commandé le dieu Apollon à Delphes ; et aux yeux de Rousseau, se connaître c'est connaître l'âme humaine, c'est-à-dire le cœur humain. « Laissant donc tous les livres scientifiques, qui ne nous apprennent qu'à voir les hommes tels qu'ils se sont faits, et méditant sur les premières et les plus simples opérations de l'âme humaine, j'y crois apercevoir deux principes antérieurs à la raison, dont l'un nous intéresse ardemment à notre bien-être et à la conservation de nous-mêmes et l'autre nous inspire une répugnance naturelle à voir périr ou souffrir tout être sensible, et principalement nos semblables[353]. » Or à ces deux principes naturels, qui sont comme on le voit de nature émotionnelle, Rousseau ajoute un troisième déjà bien connu, grâce à la *Préface au Narcisse* : l'amour-propre, fruit de l'éducation ou même effet de la simple présence d'un autre homme. Mais, pour bien comprendre l'enjeu de cette analyse psychologique, il faut parler quelque peu d'un des prédécesseurs de Rousseau : Thomas Hobbes, le philosophe aux « dangereuses rêveries », celui qui avait osé affirmer « que les hommes sont des loups et peuvent se dévorer en toute sûreté de conscience[354]. »

La pensée politique de Thomas Hobbes[355] est elle aussi fondée sur un impératif passionnel : la crainte de la mort violente. Ou pour le dire selon l'image saisissante qu'il en propose : l'état naturel des hommes entre eux, l'état de nature est un état de guerre, où tout un chacun, tentant de prendre possession de tout l'univers, est l'ennemi de tous les autres. La conséquence pratique d'une attitude semblable est que « la vie de l'homme est solitaire, pauvre, misérable, brutale et courte[356]. » La passion qui sert de fondement à toute la théorie hobbienne de l'État n'est pas la pure et simple crainte de la mort : il ne s'agit pas du sentiment qui naît lorsqu'on s'imagine menacé par un microbe ou une pierre tombant du haut d'une falaise. Contre de tels maux, la raison s'attelant à la tâche de la domination de la nature serait adéquate. C'est bel et bien de la crainte de la mort violente dont il est question chez Hobbes : il s'agit donc du danger que l'homme est pour son semblable. « Que chacun considère ceci : lorsqu'il part en voyage, il s'arme et cherche à être accompagné comme il faut ; lorsqu'il s'endort, il barre ses portes ; et même lorsqu'il est dans sa propre maison, il ferme ses coffres à clé [357]. » Pour contrer ce mal originel, il faut que la raison crée des instruments proprement politiques : le Léviathan de l'État. C'est la misère même de l'état de nature qui conduit l'homme jusque dans l'état de société. Quelque implacable que soit la logique de Hobbes, il n'est pas clair pour autant pourquoi il faut que l'homme soit un loup pour l'homme : quelle est la nécessité qui le pousse à la violence intraspécifique ? Ou encore : la conclusion hobbienne peut être nécessaire, le principe de cette conclusion peut ne pas l'être. La réflexion sur les passions humaines n'est pas terminée quand on a parlé avec éloquence de la crainte de la mort violente.

Pour Hobbes, la source de la violence est dans l'amour-propre, ou l'orgueil. Toutes les autres passions, tous les autres mouvements de l'âme s'expliquent par un mouvement premier. C'est pourquoi par exemple le rire, la propriété la plus caractéristique de l'homme selon les Anciens, sera défini comme suit : « La gloire soudaine est la passion qui produit ces grimaces qu'on appelle le rire ; cela est causé par une action inattendue d'un individu, qui lui fait plaisir, ou par la saisie de quelque difformité chez l'autre, qui, suite à une comparaison, le fait s'applaudir lui-même [358]. » L'orgueil est une passion qui suppose la comparaison et la préférence de soi-même aux autres ; elle est naturelle parce que l'homme est capable de ces comparaisons et de cette préférence. Bien mieux, elle est naturelle parce que ces comparaisons lui sont vitalement nécessaires : lorsque je prends une pomme pour me nourrir, je sens que cet objet physique est périssable, en ce sens qu'il peut m'être enlevé par un autre qui le désire comme moi. Tout en étant naturelle, la passion d'amour-propre est dangereuse : elle cause la violence ou la guerre ; la vie naturelle est un état de guerre. La solution qu'imagine Hobbes pour remédier aux pénuries et aux dangers de l'état de nature est l'état de société, a-t-il été dit : en rentrant en société, l'homme réussit à mieux vivre ; la violence naturelle incontournable peut être contrôlée et la vie rendue vivable par la création d'une police. L'état de société est donc à la fois non naturel puisque les passions premières du cœur humain, et l'orgueil tout d'abord, sont antisociales ; et naturel puisque entrer en société est la seule façon de corriger la nature selon l'intention de la nature, à savoir la survie de l'individu et de l'espèce. Mais il est naturel aussi en ce qu'il utilise cette passion naturelle pour faire rouler le mécanisme étatique. C'est par la force de l'État, fondée dans l'orgueil naturel de l'individu qui incarnera l'État, que l'orgueil naturel mais nocif des individus sera maté. Voilà pourquoi d'ailleurs le livre le plus important de Hobbes porte le nom de Léviathan : le Léviathan, monstre biblique, est dit le plus orgueilleux des êtres créés[359]. Avec Hobbes, en somme, ce n'est pas tellement en réduisant l'orgueil – ou en le modérant, le dépassant ou le surmontant – qu'on solutionne le problème humain, c'est en faisant travailler la passion contre elle-même.

La critique que Rousseau propose de cette position se fait en deux temps. Il tente d'abord d'établir que l'état de nature est tout à fait différent de celui que décrit le *Léviathan* : dans l'état de nature, l'homme, bien que solitaire, bien que réduit à ses premiers moyens, n'est pas malheureux ; au contraire, il est heureux du fait que ses besoins sont tellement réduits qu'ils sont faciles à satisfaire. Au fond, suppose Rousseau, la pensée de Thomas Hobbes a souffert de n'avoir pas été assez logique : ce que le philosophe anglais a décrit en imaginant l'état de nature n'est pas la condition de l'homme avant qu'il ne s'insère dans un groupe politique ou social, mais la sienne après qu'il a développé des besoins qui lui rendent cette société nécessaire. « [Tous les philosophes qui ont examiné les fondements de la société], parlant sans cesse de besoin, d'avidité, d'oppression, de désirs et d'orgueil, ont transporté dans l'état de nature, des idées qu'ils avaient prises dans la société : ils parlaient de l'homme sauvage, et ils peignaient l'homme civil[360]. » Rousseau ne nie pas qu'il y ait eu un état de guerre qui ait forcé l'homme à entrer dans la société civile ; mais il prétend que cet état de guerre n'est pas l'état originel. La deuxième partie du *Second Discours* sert à montrer comment se sont faits le passage d'un état de nature originel, où l'homme était bon, à un état de guerre, où l'espèce fut en danger, et le passage de cet horrible état de guerre à l'état de société[361]. Mais en dernière analyse toutes ces hypothèses historico-philosophiques reposent sur une observation du cœur humain. Parce que dans certaines circonstances qu'on peut définir les passions premières de l'homme sont aptes à se transformer, il est probable, pour ne pas dire nécessaire, que l'histoire humaine s'est développée comme il est dit dans le *Discours sur l'origine et les fondements de l'inégalité parmi les hommes*. Hobbes et Rousseau s'affrontent sur le plan de l'histoire de l'homme, parce qu'ils s'opposent au sujet du cœur de l'homme. Le mécanisme de l'histoire repose sur les principes du cœur.

Mais quels sont ces principes ? Rousseau pose d'abord, conformément à son expérience, une première pulsion vitale, celle de chercher pour soi tout ce qui est vraiment nécessaire à sa survie : l'amour de soi. C'est une passion réaliste et peu entreprenante, un sentiment qui tient compte des autres hommes pour s'en éloigner et des autres animaux pour les imiter. Quand je prends une pomme, semblable à celle que j'ai vu telle bête manger, je ne me soucie de rien d'autre (j'ai suffisamment de nourriture), ni de personne d'autre (je ne songe pas à celui qui pourrait en avoir une plus grosse, plus rouge, plus juteuse). Avec l'amour de soi, on est loin de la charité chrétienne, mais plus loin encore de l'ambition et de la violence qui accompagnent si souvent les relations entre les êtres humains qu'a produites l'histoire. L'amour de soi est naturel, et bon ; l'amour de soi mérite qu'on le loue, quoique prétende le bon sens christianisé ou le réalisme brutal de certains.

Pour Rousseau, la mauvaise réputation de l'amour de soi, qui fait qu'elle porte des noms comme égoïsme ou orgueil, vient en bonne partie de la passion de l'amour-propre, une passion artificielle, faussée du simple fait de la présence des autres. « Il ne faut pas confondre l'amour-propre et l'amour de soi-même, deux passions différentes par leur nature et par leurs effets. L'amour de soi-même est un sentiment naturel qui porte tout animal à veiller à sa propre conservation et qui, dirigé dans l'homme par la raison et modifié par la pitié, produit l'humanité et la vertu. L'amour-propre n'est qu'un sentiment relatif, factice et né dans la société, qui porte chaque individu à faire plus de cas de soi que de tout autre, qui inspire aux hommes tous les maux qu'ils se font mutuellement et qui est la véritable source de l'honneur[362]. » En d'autres mots, l'amour-propre est un amour de soi dénaturé. Car dans l'amour-propre, c'est soi-même qu'on aime, mais un faux soi-même, une image de soi-même, un soi-même qui n'est plus soi-même, mais ce que les autres en pensent. « Mais sitôt que cet amour absolu dégénère en amour-propre et comparatif, il produit la sensibilité négative ; parce qu'aussitôt qu'on prend l'habitude de se mesurer avec d'autres et de se transporter hors de soi pour s'assigner la première et meilleure place, il est impossible de ne pas prendre en aversion tout ce qui nous surpasse, tout ce qui nous rabaisse, tout ce qui nous comprime, tout ce qui étant quelque chose nous empêche d'être tout. L'amour-propre est toujours irrité ou mécontent, parce qu'il voudrait que chacun nous préférât à tout et à lui-même, ce qui ne se peut : il s'irrite des préférences qu'il sent que d'autres méritent, quand même ils ne les obtiendraient pas ; il s'irrite des avantages qu'un autre a sur nous, sans s'apaiser par ceux dont il se sent dédommagé[363]. » On comprend alors pourquoi l'amour propre est un sentiment socialisé : je ne peux arriver à vivre de l'amour-propre que si j'ai connu des relations stables et vitales avec les autres, des relations qui aient donné un minimum de réalité à ce faux moi qu'est leur opinion de moi. On comprend aussi, du même coup, comment la passion d'amour-propre est vaine et destructrice : elle ne peut jamais être satisfaite puisqu'elle vise un être qui n'existe pas et dont les besoins sont par définition inassouvissables, puisqu'elle demande de l'autre quelque chose qu'il ne peut pas donner : me préférer à lui. Satisfaire son amour-propre, c'est réussir la quadrature du cercle : de même que je ne peux en vérité faire qu'une ligne droite donne un cercle, je ne peux faire que celui qui me regarde ait une meilleure opinion de moi que de lui-même ; or, en dernière analyse, c'est ce qu'exige l'amour-propre. Une tâche sysiphique.

En revanche, il y a un autre sentiment qui influence l'histoire humaine parce qu'il habite le cœur humain : la pitié. Selon Rousseau, l'homme a une propension naturelle à limiter ses besoins au strict nécessaire, à ne prendre que ce qu'il lui faut et à laisser le reste aux autres. Cette pitié est en quelque sorte l'envers de l'amour de soi ou, plus précisément, sa limite naturelle. Une fois la sécurité de sa personne assurée – et cela est vite fait lorsqu'on est animé par le seul amour de soi –, c'est la pitié qui opère et modère l'activité de l'individu. C'est dire que la pitié est d'abord négative : elle empêche l'homme de faire du mal aux autres. Bien mieux, la pitié, pour autant qu'elle se comprend maintenant comme le résultat d'une secrète identification entre un spectateur et un être souffrant, viendra à ressembler à l'active charité chrétienne. « Il est donc bien certain que la pitié est un sentiment naturel qui, modérant dans chaque individu l'activité de l'amour de soi même, concourt à la conservation mutuelle de toute l'espèce. C'est elle qui nous porte sans réflexion au secours de ceux que nous voyons souffrir[364]. » Mais la pitié n'est pas la charité, puisqu'elle est naturelle et donc ne dépend pas de Dieu ni ne le vise.

Le cœur humain tel que Rousseau le décrit est à la fois plus complexe et plus simple que celui que croit voir Hobbes. Plus complexe, parce qu'il suppose l'existence de deux et même trois principes qui se complètent ou se font la lutte. Plus simple par ailleurs, parce que tout remonte à l'amour de soi, lequel est un sentiment absolu, qui ne suppose pas l'existence d'un autre pour lui donner une réalité[365]. On devine aussi comment le développement des sciences et des arts peut contribuer au pervertissement de cet élan premier: plus les facultés intellectuelles sont développées, plus il y a des critères de comparaison entre les hommes, plus il y a des lieux de compétition entre les hommes, et plus l'amour-propre aura de fondements psychologiques, plus il aura de quoi s'exercer, plus il sera puissant. «C'est la raison qui engendre l'amour-propre, et c'est la réflexion qui le fortifie[366].» L'histoire est le récit de l'extension du domaine de la lutte, et le moteur de l'extension est le *progrès* de l'amour-propre par le *progrès* de l'esprit et des institutions. C'est pourquoi le problème politique par excellence sera de réduire le jeu de l'orgueil et d'offrir aux individus et aux sociétés des solutions de remplacement au Léviathan hobbien. C'est là le sens de la *Fiction ou Morceau allégorique sur la révélation*.

III. Sur la Fiction

8. Allégories

La pensée de Rousseau est en étroite relation avec celle de Platon ; quelques-unes des remarques qui précèdent ont d'ailleurs tenté de l'illustrer[367]. Ainsi dès le *Discours sur les sciences et les arts*, Rousseau se propose, discrètement, une tâche qu'il n'accomplira que plusieurs années plus tard lorsqu'il écrira la *Lettre à d'Alembert*, la *Nouvelle Héloïse* et l'*Émile :* « Les hommes seront toujours ce qu'il plaira aux femmes : si vous voulez donc qu'ils deviennent grands et vertueux, apprenez aux femmes ce que c'est que grandeur d'âme et vertu. Les réflexions que ce sujet fournit, et que Platon a faites autrefois, mériteraient fort d'être mieux développées par une plume digne d'écrire d'après un tel maître et de défendre une si grand cause (note g). » Le thème de la juste relation entre l'homme et la femme – thème capital dans l'œuvre de Rousseau, au point qu'en saisir les paramètres signifie comprendre l'essentiel de sa pensée –, c'est à l'école de Platon qu'il le développe : il n'écrit pas seulement *après* Platon, mais *d'après* lui. Ce qui ne veut pas dire qu'il soit d'accord avec son maître, loin de là. En un sens, tout l'œuvre de Rousseau est une réponse à celle de Platon, le fruit d'un dialogue entre le citoyen de Genève et le philosophe d'Athènes[368].

Cette vérité d'histoire de la philosophie sera d'autant plus pertinente qu'il s'agit maintenant d'analyser l'étrange allégorie de Rousseau[369]. Car le texte le plus connu de Platon est son allégorie de la caverne. Tout le monde a lu ou a entendu parler de cette caverne et de ses prisonniers ; tous ont vibré à la description de l'*échappée* d'un des habitants de la sombre prison souterraine vers le monde supérieur de la lumière et de la liberté. Il est indubitable que Rousseau a connu et réfléchi sur cette image. En effet, la *Fiction ou Morceau allégorique sur la révélation* est la reprise par Rousseau des problèmes qu'abordait Platon dans sa propre allégorie. Une reprise avec des différences qu'il importe de souligner. Pour ce faire, il est nécessaire d'abord de rappeler les éléments principaux de la puissante symbolique de Platon.

L'allégorie de la caverne se trouve dans la *République*, au début du septième livre[370]. Socrate invite le jeune Glaukôn à imaginer la nature humaine selon qu'elle est ou n'est pas touchée par l'éducation, en s'aidant d'une étrange image qu'il lui propose[371]. Il s'agit de se représenter une caverne habitée par des prisonniers qui ne connaissent que des ombres projetées sur le mur du fond par la lumière d'un feu placé derrière eux. Les causes formelles ou exemplaires de ces ombres sont des statues, c'est-à-dire des objets artificiels, portées par-dessus leur tête par des hommes libres cachés derrière un autre mur, qui semble artificiel. On établit que ces prisonniers sont satisfaits de leur sort et qu'ils prennent les ombres pour la somme de la réalité. Lorsque quelqu'un tentera par force de libérer un d'eux et de lui montrer la source de ses ombres, ce dernier, ébloui et souffrant dans ses membres ankylosés, voudra retrouver la vérité bien imparfaite qui était la sienne. Lors d'une deuxième tentative imaginaire, on réussira à traîner le prisonnier à l'extérieur de la caverne. Par un processus graduel, qui part d'ombres visibles à l'extérieur de la caverne, on l'amènera à découvrir d'abord les choses réelles du bas monde et ensuite les astres et le Soleil. Cet homme, maintenant libéré en son âme tout autant qu'en son corps, se souviendra alors de son ancien séjour et se jugera satisfait de son progrès : il voudra, suggère Glaukôn, mourir plutôt que de retomber dans ses anciennes illusions, c'est-à-dire retourner dans la caverne. Pourtant, il redescendra auprès des siens. Ébloui de nouveau, mais cette fois par les ténèbres qui l'environnent, il sera incapable de voir ce que les siens voient le plus simplement du monde. Il deviendra l'objet de la risée générale, tant qu'il ne fera rien, et de violence organisée, aussitôt qu'il tentera de faire faire à un autre son trajet libérateur.

Dès la première ligne du texte, on comprend que l'allégorie de Platon traite de l'éducation des hommes : passer de la lumière incertaine de la caverne au plein soleil de l'air libre, c'est cheminer de l'ignorance à la connaissance. Or cette première ligne dit qu'il sera question de la nature humaine selon qu'elle est éduquée ou non : Socrate met l'éducation avant l'ignorance. Ce détail permet de remarquer que les prisonniers de la caverne sont bel et bien éduqués : ils savent tout plein de choses, du moins c'est ce qu'ils croient ; bien mieux, ce qu'ils savent, ils le savent dans la plus parfaite sérénité, et ils le savent depuis toujours ; ce qu'ils savent, ils le savent en commun ; leur science est le fruit d'une espèce d'évidence et du consensus de tout le monde, ce qui engendre par rétroaction une *évidence* plus grande et un consensus plus fort. On nous apprend même que certains d'entre eux sont respectés et récompensés parce qu'ils savent à la fois prédire et dire quelles ombres passeront à un moment donné et dans quel ordre. Il faut donc compléter l'interprétation suggérée : l'allégorie de la caverne présente en même temps deux processus, ou un état et un processus : celui de l'éducation, que tout le monde reconnaît, et celui d'une *déséducation*, qui pour être moins visible n'en est pas moins réelle. Si on ne rattache pas l'éducation et la déséducation, plusieurs des éléments de l'allégorie sont incompréhensibles. Par exemple : la résistance que rencontre le libérateur d'un prisonnier vient d'abord et avant tout du fait que le prisonnier perd ses connaissances, perd ses certitudes et, puisqu'il perd de vue jusqu'à l'ombre de lui-même, perd sa connaissance de soi : au nom de leurs connaissances, les prisonniers offrent une résistance active à l'influence du libérateur éventuel, effet que la pure et simple ignorance n'expliquerait pas ; parce que l'éducation *philosophique* suit l'éducation politique, elle doit être une déséducation.

Une lecture attentive de l'allégorie montre que Glaukôn est la *cause* de l'interprétation unidimensionnelle qu'on *impose* à l'allégorie de l'éducation. Dès le premier arrêt dans la description physique de la caverne, tout de suite après que Socrate lui a demandé d'imaginer les « marionnettistes » derrière le mur, il oublie qu'il y a des hommes libres dans la caverne : « Tu décris une image bizarre et des prisonniers bizarres ! » s'écrit-il[372]. Ce faisant, les porteurs de statues sont laissés dans l'ombre, c'est le cas de le dire. Pourtant, ces personnages sont importants. On comprend pourquoi les prisonniers refusent de sortir de la caverne : leurs chaînes sont moins physiques que psychologiques ; ils ne savent pas qu'il y a autre chose que les ombres, ils ne savent pas que les ombres ne sont que des projections irréelles et imparfaites venues de derrière, ils ne savent même pas qu'il y a quelque chose derrière eux ; ils ont tout à perdre et rien à gagner en se retournant. Mais alors qu'est-ce qui garde les porteurs de statues à l'intérieur de la caverne[373] ? Certes, ils sont libres et donc capables de sortir ; certes, ils savent qu'il pourrait y avoir quelque chose derrière eux, puisqu'ils se voient derrière les prisonniers. Et surtout pourquoi prennent-ils la peine de monter et descendre le chemin et remplir ainsi le mur d'ombres ? Pourquoi ne tentent-ils pas de libérer, même en partie, les hommes, leurs frères, qui ne connaissent que les ombres, qui ne se rendent pas compte que ce ne sont que des ombres ? La seule réponse, ou presque, qu'on puisse imaginer est qu'ils trouvent quelque utilité personnelle ou politique à agir ainsi. Pour le dire en un mot, les porteurs des statues sont les *autorités*, politiques et intellectuelles, de la caverne. Leur récompense est le pouvoir qu'ils détiennent, ou au mieux, le bien qu'ils peuvent faire.

Une dernière remarque. La libération de la caverne, plus exactement la découverte de la vérité extérieure est un processus intellectuel. Certes, il n'est pas doublé d'un travail émotif énorme et d'un labeur physique important. Mais en dernière analyse, les sentiments et les efforts physiques sont mis au service d'une prise de conscience qui se fait grâce à un cheminement rationnel : l'intelligence du prisonnier passe d'une série d'erreurs qui se tiennent à une autre série d'idées, vraies cette fois, qui lui révèlent la structure de l'Univers et sa place dans le Tout. De plus, pour se libérer, le prisonnier doit se laisser interroger par celui qui l'accompagne et le guide, examiner les choses qu'on lui présente, remonter des effets qu'il voit aux causes qu'il entrevoit. Et le fin mot de son évolution est de faire des liens entre le haut et le bas, entre le Soleil et tout ce qui se passe à l'extérieur et à l'intérieur de la caverne, entre son ancienne situation à l'intérieur de la caverne et celle, toute nouvelle, à l'extérieur. Tant le processus de libération que le résultat qu'il atteint sont rationnels. En somme, l'allégorie de la caverne propose sous forme d'image un processus d'éducation-déséducation, qui libère un individu des opinions proposées par les autorités de son groupe, et ce, par un effort essentiellement rationnel. Ces trois remarques, qui ne se veulent pas exhaustives, serviront de points d'appui dans l'analyse de l'allégorie de Rousseau.

La *Fiction* comporte une image à deux volets : on décrit d'abord les conditions physiques et politiques de l'existence humaine, pour ensuite raconter les tentatives de transformer cette dernière. Un philosophe s'assoupit, après avoir réfléchi sur le monde et sur Dieu, après avoir, contre son attente, entrevu la vérité cosmologique et métaphysique, mais avant d'avoir pu retourner auprès des hommes, ses frères, pour leur enseigner ce qu'il a appris, ou du moins les implications morales de ses découvertes. Pris dans son propre rêve, il se retrouve d'un coup au milieu d'un immense édifice dont le dôme recouvre et protège des hommes ; le toit repose sur de puissants piliers qui sont en même temps les objets du culte des habitants : cet impressionnant bâtiment est un temple. Les hommes en société ne vivent donc pas dans un lieu naturel plus ou moins salubre, mais dans un espace imaginé et créé par la volonté humaine ; en d'autres mots, l'homme n'est pas sociable par nature, ou de tout temps, puisque le fait de vivre en société est le résultat d'une décision historique[374]. De plus, quoique les habitants du temple, tout comme ceux de la caverne, soient les victimes d'illusions, l'aliénation humaine consiste moins à regarder passer des ombres qu'à consacrer et sacrifier tous ses biens, et jusqu'à sa vie, aux dieux du temple : selon l'allégorie de Rousseau, les habitants, plus libres de corps, sont plus asservis de cœur.

À l'instar de l'allégorie de la caverne, la *Fiction* présente deux types d'habitants : il y a les hommes ordinaires, qui adorent les idoles mensongères, et les chefs du temple, promoteurs des illusions de leurs *concitoyens*. Mais ce point de ressemblance est en même temps le lieu de la différence la plus importante. Chez Platon, les hommes cachés derrière le mur disparaissent de l'allégorie aussitôt qu'ils y sont apparus. Chez Rousseau, les « ministres du temple » sont partout ; il parle même plus longuement et plus clairement d'eux que de leurs sujets. « Parmi la foule qui affluait sans cesse en ce lieu, il distingua d'abord quelques hommes singulièrement vêtus et qui, au travers d'un air modeste et recueilli, avaient dans leur physionomie je ne sais quoi de sinistre qui annonçait à la fois l'orgueil et la cruauté. Occupés à introduire continuellement les peuples dans l'édifice, ils paraissaient les officiers ou les maîtres du lieu et dirigeaient souverainement le culte des sept statues (paragr. 11). » Ils aveuglent les gens du peuple[375], ils dirigent une véritable chasse à l'homme contre les récalcitrants, puis contre les sages qui tentent de libérer le peuple ; ils tirent un profit réel de leurs menées et entreprises. Alors que l'allégorie de Platon est discrète sur le rôle des ministres du culte, discrète au point d'être silencieuse, l'allégorie de Rousseau insiste sur ces personnages : ils sont en dernière analyse la cause la plus importante de l'aveuglement humain ; sans leur travail acharné, l'homme serait, sinon sauvé, du moins libéré en partie[376].

Or la condition des habitants du temple est bien plus misérable que celle des prisonniers de la caverne. Dans la caverne de Platon, le mal pour ainsi dire unique est l'ignorance ou l'erreur : n'ayant presque pas parlé des maîtres de la caverne, on ne parle pas des conséquences pratiques de l'aveuglement dont ils sont la source. Rousseau ne s'en tient pas à des suggestions aussi modérées : l'action des chefs est violente quand il s'agit de faire taire les libérateurs éventuels : ils immolent le premier sage, ils font assassiner par voie légale le deuxième, ils voudraient bien en faire autant avec le dernier. De plus, le bien qu'ils retirent de leur position étant le pouvoir et la fortune, le mal qu'ils font aux hommes est bien plus réel, à savoir physique ; l'ignorance et l'erreur imposées avec force et décision sont la cause directe d'infamies et de meurtres. «Le bruit continuel des hymnes et des chants d'allégresse jetait les spectateurs dans un enthousiasme qui les mettait hors d'eux-mêmes. L'autel qui s'élevait au milieu du temple se distinguait à peine au travers des vapeurs d'un encens épais qui portait à la tête et troublait la raison [...] Des pères dénaturés plongeaient en gémissant le couteau dans le sein de leurs propres filles [...] tandis que d'autres étaient livrées en cérémonie à la plus infâme débauche, et l'on entendait à la fois par un abominable contraste les soupirs des mourants avec ceux de la volupté (paragr. 16).» L'allégorie de Rousseau inspire au lecteur un sentiment de révolte, qui devrait conduire à une révolte politique. Il ne peut être question, si l'on veut agir, de sauver quelques-uns en leur montrant la vérité, plus exactement en les montant vers la vérité : l'ignorance n'est pas le mal premier du temple de l'erreur, mal qui blesserait une faible minorité faite justement pour la vérité ; le mal, institutionnalisé, est réel, physique, émotif ; il touche tous les hommes dans ce qu'ils ont de plus cher. Il s'agira d'aider tous ces hommes en détruisant le réseau du mensonge, en s'attaquant aux ministres et en leur arrachant les armes.

C'est ici qu'apparaissent les trois sages. « " Ah ! s'écria le philosophe [...] Hâtons-nous de quitter ce séjour infernal. — Il n'est pas temps encore, lui dit en le retenant l'être invisible qui lui avait déjà parlé. Tu viens de contempler l'aveuglement des peuples : il te reste à voir quel est en ce lieu le destin des sages (paragr. 17). " » Le premier semble être l'image du philosophe lui-même : il est habillé comme lui ; comme lui, il a vu clair et a compris les subterfuges qui trompent les habitants du temple. Sans vouloir s'engager dans les jeux de pouvoir, il tente de faire du bien à quelques individus, mais il évite de contester en public la source même du mal. Son calcul est faux : il est vite éliminé sans qu'on s'inquiète de donner à son meurtre les formes, c'est-à-dire les apparences, de la justice. Ce premier sage ressemble au libérateur de l'allégorie de la caverne de Platon : il agit ou tente d'agir sur l'individu seul sans atteindre la structure politique responsable de l'aveuglement des masses [377].

Le second sage est Socrate. Il est plus profond que le premier : ayant perçu le mal, il a compris d'où il vient. Il est plus rusé : il a compris aussi qu'il faut mentir au moins assez longtemps pour gagner une position permettant de rejoindre tous les hommes ou la plupart d'entre eux. Mais son erreur à lui est double. D'abord, il ne s'attaque pas à la statue centrale, il ne fait que la dévoiler. Pour réussir, il faudra la remplacer, il faudra offrir aux hommes autre chose qui puisse attirer leurs regards, voire aimanter leurs désirs. « Cet aspect fit frémir le philosophe, mais loin de révolter les spectateurs, ils n'y virent, au lieu d'un air de cruauté, qu'un enthousiasme céleste et sentirent augmenter pour la statue ainsi découverte le zèle qu'ils avaient eu pour elle sans le connaître (paragr. 20). » Ensuite, son ton n'est pas le bon : il crie, et les ministres peuvent crier plus fort que lui. Pour réussir, il faudra trouver un ton nouveau, inédit, qui surprenne les ministres, qui rejoigne les hommes directement, qui parle plus fort tout en étant plus doux. En dernière analyse, ces deux erreurs sont la même ou, plus exactement, tirent leur origine d'une erreur plus fondamentale : Socrate, quoi qu'il en dise, quoi qu'il en pense lui-même, est en accord avec les ministres ; il est lui aussi un adorateur de la statue centrale : croyant que les hommes sont raisonnables, que le bien premier de l'homme est de voir clair au sujet des dieux, Socrate est lui-même orgueilleux, ou du moins il est l'allié objectif de l'amour-propre [378], qu'il trouve normal, malgré ses effets délétères. « Mais le dernier discours du vieillard, qui fut un hommage très distinct à cette même statue qu'il avait dévoilée, jeta dans l'esprit du philosophe un doute et un embarras dont il ne se tira jamais bien [...] il restait toujours entre cette action et la précédente une contradiction qui lui parut impossible à lever (paragr. 21). » Il faut faire mieux que le deuxième sage, non seulement parce qu'il échoue, mais encore parce qu'il n'est pas assez juste, dans les deux sens du mot. Il faut un nouveau Socrate, meilleur que celui que Platon *révéla.*

Le troisième sage, pour ainsi dire, tire profit des erreurs des deux premiers. Son apparition est tout à fait inattendue : il n'a pas eu à composer avec les maîtres des lieux pour acquérir droit de parole. Si lui aussi se place au centre du temple pour rejoindre d'un coup autant d'hommes que possible, il est plus doux et plus humble que Socrate. Aussi ses tendres paroles pénètrent l'âme de tous ceux qui l'entendent, ou presque. Plus important, il jette à terre l'idole centrale pour la remplacer par sa personne. On résumerait tout en disant qu'il ne se satisfait pas de faire voir, d'argumenter, de conduire par la raison ; il a compris qu'il faut faire sentir : la faculté qui fait que l'homme est homme, qui fait qu'un homme est bon ou qu'il peut devenir pire ou meilleur, n'est pas l'intelligence ou la raison, mais le cœur. « Après le témoignage de force et d'intrépidité qu'il venait de donner, il reprit son discours avec la même douceur qu'auparavant ; il peignit l'amour des hommes et toutes les vertus avec des traits si touchants et des couleurs si aimables que, hors les officiers du temple, ennemis par état de toute humanité, nul ne l'écoutait sans être attendri et sans en aimer mieux ses devoirs et le bonheur d'autrui (paragr. 23). » C'est que sa doctrine est une doctrine toute nouvelle : il ne s'agit pas seulement de révéler aux hommes leurs erreurs, mais aussi de leur offrir une nouvelle vérité sur eux-mêmes ; il ne s'agit pas de la leur dire, de les raisonner, mais plutôt de la leur faire sentir parce qu'elle est affaire de cœur ; il ne s'agit pas de rentrer dans les circuits du pouvoir pour établir un nouveau pouvoir, mais de renverser les appuis extérieurs d'un ordre artificiel et du même coup de disposer les hommes à rétablir l'ordre véritable sinon à l'échelle politique, du moins à l'échelle individuelle. Il paraît clair que ce troisième sage est Jean-Jacques Rousseau, citoyen de Genève [379].

Quel que soit le sens de l'allégorie que propose ici Rousseau, promeneur solitaire, le cadre de la *Fiction* est une rêverie ; or le rêve du « premier homme qui tenta de philosopher (paragr. 1) » est influencé par ce qui le précède : le contenu du rêve du philosophe est une allégorie qui est l'application politique des vérités découvertes à l'état de veille ; elle est la dramatisation prophétique de l'apostolat qu'il s'est choisi. « C'était dans ses pensées si flatteuses pour l'orgueil humain et si douces pour tout être aimant et sensible qu'il attendait le retour du jour, impatient d'en porter un plus pur et plus éclatant dans l'âme des autres hommes et de leur communiquer les lumières célestes qu'il venait d'acquérir. Cependant la fatigue d'une longue méditation ayant épuisé ses esprits et la fraîcheur de la nuit l'invitant au repos, il s'assoupit insensiblement en rêvant et méditant encore et s'endormit enfin profondément. Durant son sommeil, les ébranlements que la contemplation venait d'exciter dans son cerveau lui donnèrent un songe extraordinaire *comme les idées qui l'avaient produit* (paragr. 13). » Il ne faut pas oublier la rêverie pour le rêve, sous prétexte que le rêve et l'allégorie qu'il contient appellent une interprétation philosophique : la présence de la rêverie initiale est elle aussi porteuse de sens. Car l'auteur des *Rêveries du promeneur solitaire* accordait, parmi les facultés humaines, un statut particulier à l'imagination et, parmi les activités humaines, un rôle particulier à la rêverie. C'est ainsi qu'il suggéra à plusieurs reprises que ses œuvres les plus importantes étaient les *résidus* littéraires – l'expression n'est pas trop forte – d'une de ses rêveries[380]. Aussi, en plein milieu du *Premier Discours*, l'orateur convie son auditeur à rêver avec lui pour se rapprocher, en image du moins, de l'état naturel de l'homme. « On ne peut réfléchir sur les mœurs qu'on ne se plaise à se rappeler l'image de la simplicité des premiers temps. C'est un beau rivage, paré des seules mains de la nature, vers lequel on tourne incessamment les yeux et dont on se sent éloigner à regret. Quand les hommes innocents et vertueux aimaient à avoir les dieux pour témoins de leurs actions, ils habitaient ensemble sous les mêmes cabanes (paragr. 46). » Pour Rousseau, rêver, c'est encore penser ; ou on ne peut bien penser si on n'a pas rêvé de ce qui n'est pas visible, car l'idéal révèle le réel. L'idéal est l'essence de ce qu'il a appelé l'imagination créatrice[381], et la rêverie est le lieu de l'idéal.

Bien mieux, selon le système rousseauiste, la rêverie remplace l'œuvre littéraire. Dans la *Préface au Narcisse*, Rousseau avait souligné la nature problématique de l'œuvre littéraire ou philosophique : comment savoir d'avance qu'on est une de ses âmes privilégiées à qui la nature permet de jouir sans mal des prestigieux plaisirs de la culture ? Comment s'assurer, même dans ce dernier cas, qu'on soit, en tant qu'individu, capable de résister aux charmes de se savoir plus doué que les autres ? Par ailleurs, comment trouver un délassement facile, peu dispendieux et innocent lorsque la vie accable un homme, comme elle le fait tôt ou tard ? Ces questions, Rousseau se les est posées ; on sent qu'elles l'inquiètent toujours, quand il écrit : « S'il reste quelque difficulté à ma justification, j'ose le dire hardiment, ce n'est vis-à-vis ni du public ni de mes adversaires, c'est vis-à-vis de moi seul ; car ce n'est qu'en m'observant moi-même que je puis juger si je dois me compter dans le petit nombre et si mon âme est en état de soutenir le faix des exercices littéraires. J'en ai senti plus d'une fois le danger ; plus d'une fois je les ai abandonnés dans le dessein de ne les plus reprendre et, renonçant à leur charme séducteur, j'ai sacrifié à la paix de mon cœur les seuls plaisirs qui pouvaient encore le flatter (*Narcisse* paragr. 37). » On le voit, même pour un Rousseau, la littérature est dangereuse ; on le voit, surtout pour un Rousseau, citoyen exemplaire devant les hommes, la carrière littéraire est problématique parce que source de scandale.

Mais Jean-Jacques souffre ; il souffre plus que les autres. Il faudrait donc trouver un autre remède apte à guérir les blessures d'un cœur trop tendre. La rêverie est le parfait délassement pour cette âme en peine: elle permet d'éviter le danger de la relation à l'autre, inévitable dans l'œuvre littéraire ordinaire; elle n'exige qu'une bien faible participation de la raison critique; elle console des douleurs et des maux de la vie à peu de frais. Si, après examen, telle ou telle rêverie peut servir aux autres, la transcrire sur papier et même la publier n'est que faire d'une pierre deux coups: aider les autres après s'être fait du bien [382]. Il serait donc utile d'examiner la rêverie qui a conduit à l'allégorie pour mieux saisir le *message* qui se trouve dans cette dernière et pour toucher de cette façon à un des éléments clés de la pensée de Rousseau.

On notera d'abord le contexte physique d'où s'élève la rêverie: c'est l'été, mais à la fin du jour alors que la lumière se fait moins dure pour les yeux, la chaleur moins oppressante pour le corps; l'odorat, sens secondaire et faible, imprécis et sensuel, entre en jeu pour la première fois de la journée; on est loin de la ville, sans être dans un désert: on est près des hommes simples; on est près des bêtes, sans être parmi les fauves: on entend des oiseaux, et des animaux domestiques rentrent à la ferme; on perçoit le bruit des ruisseaux, mais tout juste. Pour tout dire, le lieu de la rêverie est celui de l'ambiguïté, et du même coup celui de la paix. « [L]e calme qui commençait à régner de toutes parts était d'autant plus charmant qu'il annonçait des lieux tranquilles sans être déserts et la paix plutôt que la solitude (paragr. 2). » Pour Rousseau, le lieu naturel de la rêverie, et sans doute du cœur humain, est celui de l'imprécision, de l'indécision, de la mollesse.

Pourtant même ici, dirait-on, la hardiesse de l'être humain fait irruption: elle est présente dans l'âme du philosophe. La douceur de la scène qui comble les sens et réjouit le cœur ne suffit pas à cet être trop énergique: il lui faut penser, comprendre clairement et distinctement ce que la nature ne lui offre qu'à voir, soumettre toutes les choses de l'Univers à la loi de sa raison, découvrir en lui tout ce qui existe hors de lui. Aussi, lorsqu'il s'agit de décrire la réflexion du philosophe, le récit passe de la troisième personne du singulier, plus neutre, à la première, plus égotique. Par l'exercice de la raison, le moi s'affirme. « Quelle mécanique inconcevable a pu soumettre tous les astres à cette loi? Quelle main a pu lier entre elles toutes les parties de cet univers? Et par quelle étrange faculté de *moi-même*, unies au dehors par cette loi commune, toutes ces parties le sont-elles encore dans *ma* pensée en une sorte de système que *je* soupçonne sans le concevoir (paragr. 3)? » Pourtant le cœur de ce philosophe-ci le conduit sur le droit chemin:

après peu de temps, essoufflée par son propre itinéraire, sa raison a abouti à une série d'apories qui bloquent son chemin ; mais, plutôt que s'obstiner dans l'affirmation d'un moi qui par sa raison se perd au dehors, le philosophe se replie sur lui-même et se reconnaît faible. Alors la vérité s'offre d'elle-même. « *Me* voilà donc réduit à supposer la chose du monde la plus contraire à toutes mes expériences [...] Las enfin de flotter avec tant de contention entre le doute et l'erreur, rebuté de partager son esprit entre des systèmes sans preuves et des objections sans réplique, *il* était prêt de renoncer à de profondes et frivoles méditations plus propres à *lui* inspirer de l'orgueil que du savoir, quand tout à coup un rayon de lumière vint frapper son esprit et *lui* dévoiler ces sublimes vérités qu'il n'appartient pas à l'homme de connaître par lui-même et que la raison humaine sert à confirmer sans servir à les découvrir (paragr. 8, 10). » On remarquera encore une fois le changement des personnes grammaticales : le *je* de l'affirmation de l'ego est remplacé par un *il* moins orgueilleux ; on remarquera aussi que la raison cède le pas à une faculté plus obscure, mais plus vraie.

Or ses découvertes cosmologiques, pour ainsi dire *arationnelles*, ont, du fait qu'elles conduisent à la certitude morale de l'existence d'« un Être puissant, directeur de toutes choses (paragr. 10) », des incidences morales et politiques. « [D]ans les perfections de leur commun auteur [se trouve] la source des vertus qu'ils devaient acquérir, et dans ses bienfaits l'exemple et le prix de ceux qu'ils devaient répandre (paragr. 12). » Ce sont ces vérités, ces « lumières célestes (paragr. 13) », qui forment l'essentiel de la découverte du philosophe, l'essentiel de ce qu'il veut porter aux autres de son espèce [383]. Mais son apostolat auprès des hommes devra se faire autrement que sous forme d'exposé théorique : son propre effort intellectuel a connu l'échec, les vérités découvertes sont d'abord des vérités de cœur au sujet du cœur ; les lumières d'un philosophe à la manière de Rousseau supposent la fin du Siècle des lumières. C'est cette conclusion pratique, à base historique ou épistémologique, que lui enseigne le rêve. C'est déjà ce que lui apprend la rêverie qui fut l'occasion de sa réflexion philosophique : elle fut douce et satisfaisante tant que la raison ne s'y mêlait pas, ou qu'elle s'y mêlait peu ; elle redevint douce aussitôt que la raison fut conduite à reconnaître ses limites. La rêverie, où l'idéal se découvre, est le lieu naturel de l'âme humaine, ou plutôt du cœur humain : par elle se découvre la douce vérité et la plus consolante révélation. En tout cas, cette conception typiquement rousseauiste n'allait pas tarder à marquer le christianisme.

9. Christianisme

Le titre complet de la *Fiction*, à savoir *Fiction ou Morceau allégorique sur la révélation*, indique qu'en un sens l'allégorie que propose Rousseau porte sur le christianisme. Car en Europe au XVIIIe siècle, le mot *révélation*, surtout précédé de l'article défini *la*, ne peut signifier que la révélation par excellence, la Révélation chrétienne. Si le morceau allégorique porte bel et bien sur la révélation en ce sens-là, il ne faut pas en conclure que ce texte reprend l'essentiel du message chrétien. C'est plutôt la relation entre la pensée de Rousseau et la «bonne nouvelle» chrétienne qu'il invite à examiner. Question fort complexe en soi et que la vie et les déclarations de Rousseau [384], sans parler des prises de position successives et diverses de ses commentateurs, ne simplifient pas.

Pour faire sentir quelque chose de la complexité de ce qui est en jeu ici, et en même temps l'attitude ambiguë qu'entretient Rousseau avec ses interlocuteurs, il serait bon de rappeler les premières pages de la *Lettre à d'Alembert* et la question du socinianisme. D'Alembert, dans un article de l'*Encyclopédie*, avait suggéré en passant que plusieurs pasteurs genevois étaient en secret des sociniens plutôt que de fidèles calvinistes. La secte socinienne [385] se distinguait par quelques attitudes qui ne pouvaient que heurter un chrétien traditionnel. C'est d'ailleurs ce que Rousseau signalait à d'Alembert en défendant les siens: «Mais, monsieur, quand on veut honorer les gens, il faut que ce soit à leur manière, et non pas à la nôtre; de peur qu'ils ne s'offensent avec raison des louanges nuisibles, qui, pour être données à bonne intention, n'en blessent pas moins l'état, l'intérêt, les opinions, ou les préjugés de ceux qui en font l'objet. Ignorez-vous que tout nom de secte est toujours odieux, et que de pareilles imputations, rarement sans conséquence pour les laïcs, ne le sont jamais pour les théologiens [386].» Les thèses qui, dans le socinianisme, faisaient difficulté étaient l'examen rationnel des mystères chrétiens, le rejet de la doctrine des peines éternelles, la réduction effective du christianisme à un code moral. À la limite, on a peu de peine à le comprendre, une doctrine semblable se confond avec le rationalisme moderne auquel il donne une teinte religieuse : le socinianisme, surtout tel que compris par les Encyclopédistes, s'appuie sur la raison au prix des dogmes les plus caractéristiques du christianisme pour ne garder que l'écorce de la doctrine qu'il *réforme*[387].

Or Rousseau ne nie pas qu'il peut y avoir des pasteurs genevois qui, en secret, soient sociniens : « Je ne prétends point pour cela juger ni blâmer la doctrine que vous leur imputez ; je dis seulement qu'on n'a nul droit de la leur imputer, à moins qu'ils ne la reconnaissent, et j'ajoute qu'elle ne ressemble en rien à celle dont ils nous instruisent[388]. » Bien mieux, il refuse de prendre position sur la justesse d'une telle pensée : « Je ne sais ce que c'est que le socinianisme, ainsi je n'en puis parler ni en bien ni en mal, et même sur quelques notions confuses de cette secte et de son fondateur, je me sens plus d'éloignement que de goût pour elle ; mais, en général, je suis l'ami de toute religion paisible, où l'on sert l'Être éternel selon la raison qu'il nous a donnée[389]. » En revanche, lorsque Rousseau développe sa propre pensée sur la religion, il rétablit sans bruit les thèses qu'il semble condamner. D'abord, il reconnaît que la raison doit avoir le dernier mot dans l'affirmation des dogmes religieux : « Si un docteur venait m'ordonner de la part de Dieu de croire que la partie est plus grande que le tout[390], que pourrais-je penser en moi-même, sinon que cet homme vient m'ordonner d'être fou ? Sans doute l'orthodoxe, qui ne voit nulle absurdité dans les mystères, est obligé de les croire ; mais si le socinien y en trouve, qu'a-t-[illegible] croyance en l'enfer : si Dieu est bon, l'enfer ne peut pas exister, quoique dise la Bible. « Je ne suis pas scandalisé que ceux qui servent un Dieu clément, rejettent l'éternité des peines, s'ils la trouvent incompatible avec sa justice [...] je soutiens que si l'Écriture elle-même nous donnait de Dieu quelque idée indigne de lui, il faudrait la rejeter en cela, comme vous rejetez en géométrie les démonstrations qui mènent à des conclusions absurdes ; car de quelque authenticité que puisse être le texte sacré, il est encore plus croyable que la Bible soit altérée, que Dieu soit injuste ou malfaisant[392]. » Enfin, il réduit le rôle des pasteurs genevois à celui de moralistes ou de censeurs : « Sensible au bonheur que nous avons de posséder un corps de théologiens philosophes et pacifiques, ou plutôt un corps d'officiers de morale et de ministres de la vertu, je ne vois naître qu'avec effroi toute occasion pour eux de se rabaisser jusqu'à n'être plus que de gens d'Église[393]. » En somme, parti à la rescousse des pasteurs genevois contre l'accusation d'un socinianisme larvaire ou inavouable, Rousseau donne à penser qu'il n'est pas lui-même au-dessus de tout soupçon [394].

Quel est le statut des nombreuses professions de foi du bon Jean-Jacques ? Le problème n'est pas facile à régler : le cœur d'un homme est obscur sur une question semblable ; l'interrogation elle-même vient chercher de secrètes énergies et développe de non moins secrètes résistances chez celui qui l'entretient vraiment [395]. Dans ces dernières pages du commentaire, à partir d'un examen du texte de la *Fiction*, on soulignera ce qui, dans les textes et thèses rousseauistes, pourrait troubler un lecteur chrétien et faire comprendre les réactions violentes que la pensée de Rousseau a suscitées chez certains croyants.

En revanche, dans son allégorie, Rousseau fait tout pour se rapprocher des chrétiens. Par exemple, dans la mise en scène du rêve, où on présente la réflexion d'un philosophe, il est très tôt question de dépasser la réflexion rationnelle par quelque chose qui ressemble à un acte de foi fondé dans l'humilité et récompensé ou fortifié par la grâce divine. « [I]l était prêt de renoncer à de profondes et frivoles méditations plus propres à lui inspirer de l'orgueil que du savoir, quand tout à coup un rayon de lumière vint frapper son esprit et lui dévoiler ces sublimes vérités qu'il n'appartient pas à l'homme de connaître par lui-même et que la raison humaine sert à confirmer sans servir à les découvrir (paragr. 10). » Or la foi (le fait de tenir à des vérités extra-sensibles sans les voir par la raison), l'humilité (la résistance à la tentation d'orgueil) et la grâce divine (le rayon de lumière venu de Dieu) sont les axes épistémologiques du christianisme. Ensuite, la doctrine des sept péchés capitaux, thèse chrétienne au pedigree irréprochable, est la matière principale de la partie critique de l'allégorie. Le temple de l'impiété et de la superstition, où vivent les femmes et les hommes malheureux, s'élève en s'appuyant sur la solidité de sept statues distinguées par des traits qui en font des symboles faciles à déchiffrer. « Ces statues avaient toutes des attitudes diverses et emblématiques. L'une, un miroir à la main, était assise sur un paon dont elle imitait la contenance vaine et superbe. Une autre d'un œil impudent et d'une main lascive excitait les objets de sa sensualité brutale à la partager. Une autre tenait des serpents nourris de sa propre substance qu'elle arrachait de son sein pour les dévorer et qu'on y voyait renaître sans cesse. Une autre, squelette affreux qu'on n'eût su distinguer de la mort qu'à l'étincelante avidité de ses yeux, rebutait de vrais aliments pour avaler à longs traits des coupes d'or en fusion qui l'altéraient sans la nourrir (paragr. 13).» Les quatre cas proposés par Rousseau représentent l'orgueil, la luxure, la colère et l'avarice, liste à laquelle il ne manque que la paresse, l'envie et la gourmandise pour atteindre le chiffre biblique de sept. Affirmer que ces vices, sous l'image des statues-piliers du temple, sont le soutien d'un régime de vie qui aliène les gens ne pouvait que réjouir les lecteurs chrétiens de la *Fiction.* Enfin, les allusions au Christ sont nombreuses, patentes et donc voulues par l'auteur. Tous savent que l'enseignement du Christ tire son charme et son originalité de l'usage de paraboles[396]; les évangélistes signalent que les foules étaient étonnées par la simplicité et la fermeté du message de Jésus[397]; des scènes inoubliables le montrent répondant avec une habileté ravissante aux diaboliques pièges théologiques qu'on lui dressait[398]; on sait que le Christ, par une image hardie, s'identifiait à la vérité[399]; on connaît les comparaisons faites entre le message évangélique et le lait et le pain[400]. Rousseau se souvient de tout cela quand, à la fin de son allégorie, il présente son troisième sage: «Son parler était simple et doux, et pourtant profond et sublime; sans étonner l'oreille, il nourrissait l'âme: c'était du lait pour les enfants et du pain pour les hommes; il animait le fort et consolait le faible, et les génies les moins proportionnés entre eux le trouvaient tous également à leur portée; il ne haranguait point d'un ton pompeux et soutenu, mais ses discours familiers brillaient de la plus ravissante éloquence, et ses instructions étaient des fables et des apologues, des entretiens communs, mais pleins de justesse et de profondeur. Rien ne l'embarrassait; les questions les plus captieuses que le désir de le perdre lui faisait proposer avaient à l'instant des solutions dictées par la sagesse; il ne fallait que l'entendre une fois pour être sûr de l'admirer toujours; on sentait que le langage de la vérité ne lui coûtait rien parce qu'il en avait la source en lui-même (paragr. 23).» La description de l'activité du dernier sage est un calque de la prédication de Jésus. Il n'y a alors qu'un pas à faire pour conclure que le sage qui renverse l'idole centrale est bel et bien le Christ et que Rousseau veut signifier par sa *Fiction* que la foi chrétienne est la réponse complète et suffisante au problème de l'existence humaine, que la doctrine morale chrétienne enseigne l'essentiel au sujet du cœur humain, que le Christ est le sauveur des hommes.

Conclusion qui n'est pas sans problème. La vie de Rousseau avec ses reniements successifs est loin d'inspirer confiance. Voir Rousseau passer aussi facilement de la foi protestante de ses pères au catholicisme hétérodoxe de madame de Warens, de ce nouveau credo au déisme théorique et à l'athéisme pratique des philosophes parisiens, pour retrouver à quarante ans une certaine forme du calvinisme, indépendant de la pratique ordinaire et de la participation à une communauté ecclésiale, et pratiquer à la fin de sa vie une espèce de déisme sensible, voir donc les adhésions successives du bon Jean-Jacques fait croire que la question de la foi occupe dans son esprit et sa vie une place bien problématique. Si l'on en croit l'homme lui-même, il est resté toujours le même à travers ces changements radicaux, qui en auraient bouleversé plus d'un, du moins parmi ceux qui prennent leur foi religieuse au sérieux; bien mieux, ces révolutions intérieures n'appartiennent pas, dit-il, à un homme instable, voire malhonnête, et y voir quelque problème que ce soit serait le signe d'une méchanceté indicible. «Ceux qui jugent publiquement de mon christianisme montrent seulement l'espèce du leur, et la seule chose qu'ils ont prouvée est qu'eux et moi n'avons pas la même religion [...] Malheur à vous, si, durant cette lecture, votre cœur ne bénit pas cent fois l'homme vertueux et ferme qui ose instruire ainsi les humains[401].» – Il faut passer outre à l'anathème, ne serait-ce que pour penser jusqu'au bout avec Rousseau. – On pourrait rappeler que l'*Émile* de Rousseau fut reçu par les autorités religieuses, catholiques *et* protestantes, comme un livre impie qui méritait les dernières rigueurs: l'affirmation rousseauiste fondamentale que l'homme est naturellement bon, qu'il n'y a pas de perversité originelle dans le cœur humain et qu'il ne devient méchant que sous l'influence de la société, ne revient-elle pas, tôt ou tard, à nier le péché originel qui est le fondement anthropologique de la bonne nouvelle[402]? À tout le moins, c'est donner une explication naturelle d'une condition dont le christianisme rend compte *théologiquement* dans le récit biblique. La pensée de Rousseau sape la foi chrétienne, a-t-on cru, et cru avec sincérité. C'est là en dernière analyse la raison d'être des deux grandes attaques intellectuelles qu'on lança contre le traité d'éducation de Rousseau[403]. Mais ce serait conclure au sujet de la pensée de Rousseau à partir de sa vie, raisonnement qu'il récuse dans la *Préface au Narcisse*, ou à partir de la position de ses adversaires, tactique moins que loyal[404]. Il sera plus juste et plus utile d'examiner ce que l'auteur lui-même dit de la foi, par exemple dans la présente *Fiction*.

On a montré que le philosophe y dépasse la réflexion rationnelle au moyen d'un acte qui a les traits d'une confession de foi. Mais il faut souligner que cet acte de foi ne s'inspire d'aucun témoignage apostolique et ne porte pas sur un credo identifiable : il n'y a aucun livre de révélations, et certes pas la Bible, c'est-à-dire le *Livre*, au principe, ou au terme, de ce saut hors des limites de la raison raisonnante ; il n'y a aucun complexe de vérités théologiques auquel le philosophe adhère par la foi. D'ailleurs, ce dépassement de la raison se fait moins par la grâce que par un abandon aux évidences du cœur, c'est-à-dire aux besoins du cœur qui donnent une solidité extra-rationnelle à certains arguments et qui minent des objections pourtant contraignantes ; c'est là le véritable rayon de lumière qui éclaire soudain l'esprit du philosophe. « Le cours des cieux, la magnificence des astres, la parure de la terre, la succession des êtres, les rapports de convenance et d'utilité qu'il remarquait entre eux, le mystère de l'organisation, celui de la pensée, en un mot, le jeu de la machine entière, tout devint pour lui possible à concevoir comme l'ouvrage d'un Être puissant, directeur de toutes choses. Et s'il lui restait quelques difficultés qu'il ne put résoudre, leurs solutions lui paraissant plutôt au-dessus de son entendement que contraires à sa raison, il s'en fiait au sentiment intérieur qui lui parlait avec tant d'énergie en faveur de sa découverte, préférablement à quelques sophismes embarrassants qui ne tiraient leur force que de la faiblesse de son esprit (paragr. 10). » En dernière analyse, c'est le sentiment intérieur qui fait tout ; c'est lui qui parle et non un prophète ou un autre envoyé de Dieu ; c'est sur lui que repose la décision d'abandonner la raison ou plutôt de la mettre au service d'une vérité jugée indémontrable ; c'est le fait que le philosophe est une « âme sensible où règne la tranquille innocence, [qui] livre son cœur et ses sens [aux] douces impressions [des objets agréables] », c'est le fait qu'il est un « être aimant et sensible (paragr. 3, 13) [405] » qui est la cause de sa *conversion*. La grâce et la parole de Dieu n'y sont pour rien.

Pour ce qui est de la doctrine des sept péchés capitaux, dans l'allégorie, une huitième statue s'ajoute aux sept premières, rompant le charme du nombre biblique d'autant mieux qu'elle est la plus importante. Elle est placée au centre du temple ; à partir d'elle, les vices paraissent être autant de vertus : façon imagée de suggérer que tout le mal que connaissent et font les hommes (le temple, le rituel, le pouvoir des ministres) trouve son explication finale en cette huitième statue. « [A]u centre du bâtiment et au point de perspective était un grand autel heptagone sur lequel les humains venaient offrir les offrandes et leurs vœux aux sept statues qu'ils honoraient par mille différents rites et sous mille bizarres noms. Cet autel servait de base à une huitième statue à laquelle tout l'édifice était consacré et qui partageait les honneurs rendus à toutes les autres (paragr. 13). » Si les sept péchés capitaux sont déjà représentés et qu'ils incluent l'orgueil, il faut donc trouver pour la huitième statue un sens originel, partant un sens qui dépasse la doctrine chrétienne connue des contemporains de Rousseau. La description de la statue met le lecteur sur la piste : « On voyait peinte sur son visage l'extase avec la fureur ; sous ses pieds, elle étouffait l'humanité personnifiée, mais ses yeux étaient tendrement tournés vers le ciel ; de la main gauche, elle tenait un cœur enflammé et, de l'autre, elle acérait un poignard (paragr. 20). » La statue représente une passion qui enflamme le cœur et tourne l'âme vers le ciel des objets surhumains, mais qui en même temps pousse l'individu qu'elle inspire à écraser, ou à assassiner, son semblable. Quiconque connaît le système de Rousseau reconnaît là la description de l'amour-propre. « Quand enfin tous les intérêts particuliers agités s'entrechoquent, quand l'amour de soi mis en fermentation devient amour-propre, que l'opinion, rendant l'univers entier nécessaire à chaque homme, les rend tous ennemis nés les uns des autres et fait que nul ne trouve son bien que dans le mal d'autrui, alors la conscience, plus faible que les passions exaltées, est étouffée par elles[406]. » Or l'amour-propre est tout à fait compatible, semble-t-il, avec une espèce de culte religieux, puisque c'est la statue centrale que tous adorent à travers des rituels consacrés aux sept autres. D'ailleurs est-ce un accident si Rousseau a imaginé les maîtres des lieux et les causes des malheurs des hommes comme des « ministres du temple » et des « officiers du temple »[407] ? Pourquoi avoir choisi de telles références s'il était le défenseur sincère du christianisme, c'est-à-dire d'une religion qui était hiérarchisée dès son origine ?

Enfin, si par son style le troisième et dernier sage ressemble au Christ, il ressemble tout autant à Rousseau. Le Christ utilisa des paraboles ? Mais qu'est-ce alors que cette allégorie que propose Rousseau ? Il répondit habilement à toutes sortes d'attaques spécieuses ? Mais que fit Rousseau toute sa vie, et ce, depuis la publication du *Discours sur les sciences et les arts* ? Le Christ touchait-il le cœur des hommes ? C'est l'objectif de Rousseau aussi. Bien mieux : cet appel à une sensibilité douce est pour ainsi dire la marque, distinctive, de son œuvre. « Cependant quand j'aurais eu tort en quelques endroits, quand j'aurais eu toujours tort, quelle indulgence ne mériterait point un livre où l'on sent partout, même dans les erreurs, même dans le mal qui peut y être, le sincère amour du bien et le zèle de la vérité ? [...] Un livre qui ne respire que paix, douceur, patience, amour de l'ordre, obéissance aux lois en toute chose, et même en matière de religion [408] ? » Selon Rousseau, grâce à un admirable effet de renvoi, son œuvre révèle à l'homme les mécanismes de son cœur à la fois par son contenu doctrinal et par son rythme ou sa tonalité. Le penseur se perd dans l'orateur et l'orateur dans le penseur pour mieux dire et faire sentir ce à partir de quoi l'existence humaine peut prendre son sens.

On objectera que la différence radicale entre le troisième sage et Rousseau est que ce troisième sage, tout comme le Christ, est venu sur terre offrir aux hommes l'image de sa personne comme guide pratique : c'est en jetant à terre la huitième statue et en prenant sa place qu'il extirpe le mal. En dernière analyse, un chrétien est, comme le nom l'indique, un imitateur du Christ : c'est en se laissant transformer par une personne-vérité qui est à la fois un chemin et une vie [409] qu'il se sauve, lui et les siens avec lui. L'objection est importante, mais elle ne conduit qu'à montrer la profondeur de l'opposition entre Rousseau et tout ce qui vient avant lui. Selon une idée constamment reprise dans l'œuvre du citoyen de Genève, le système qu'il compose et qu'il oppose à celui en place n'est rien de plus que la description de son cœur. Non seulement la pensée de Rousseau est fondée comme tant d'autres sur un « connais-toi toi-même » aussi vieux que la philosophie [410], mais elle propose à tout un chacun la connaissance de Jean-Jacques pour retrouver en soi le naturel. « D'où le peintre et l'apologiste de la nature, aujourd'hui si défigurée et calomniée, peut-il avoir tiré son modèle, si ce n'est de son propre cœur ? Il l'a décrite comme il se sentait lui-même [...] En un mot, il fallait qu'un homme se fut peint lui-même pour nous montrer ainsi l'homme primitif et si l'auteur n'eût été tout aussi singulier que ses livres, jamais il ne les eût écrits [411]. » Arriver à la vérité, c'est accepter la description que Rousseau fait de Jean-Jacques ; vivre dans la vérité, c'est imiter Rousseau ; être vrai, c'est se *rousseauiser*. Chez Rousseau, il faut le redire, la biographie fait partie de l'œuvre théorique, et l'œuvre théorique n'est au fond qu'une pièce de la biographie. La tactique particulière du troisième sage, à savoir offrir sa personne comme nouveau centre du temple de vérités qui couvre l'existence humaine, est donc l'image même du travail de Rousseau. Nul besoin de voir le Christ ici.

Face aux nombreuses ressemblances et aux aussi nombreuses différences entre la position que défend Rousseau et celle qui appartient au chrétien, la question devient : quelle est la source de la vision rousseauiste ? Rousseau serait-il un chrétien qui s'ignore ? Peut-être. En tout cas, c'est un chrétien qui sait, et qui peut expliquer ce qu'il sait ; c'est un chrétien qui trouve la source du mal dans des causes politiques, et non dans l'action d'un satan ; c'est un chrétien qui connaît des remèdes qui ne dépendent pas de la grâce de Dieu. « Je sais que les déclamateurs ont dit cent fois tout cela ; mais ils le disaient en déclamant, et moi je le dis sur des raisons ; ils ont aperçu le mal, et moi j'en découvre les causes, et je fais voir surtout une chose très consolante et très utile en montrant que tous ces vices n'appartiennent pas tant à l'homme, qu'à l'homme mal gouverné (*Narcisse* paragr. 30). » Pour répéter, la question qu'on doit se poser est de savoir si Rousseau croit au christianisme parce que celui-ci est une approximation valable de sa position, ou s'il est d'abord et avant tout chrétien : a-t-il trouvé la vérité dans le Nouveau Testament pour ensuite la dire dans son *Émile*, ou lit-il la Bible parce qu'elle lui rappelle son *Émile*[412] ? En tout cas, si le législateur du parfait contrat social peut se permettre de faire parler les dieux, s'il doit les faire parler pour créer des citoyens honnêtes[413], l'éducateur de l'humanité – rôle que Rousseau s'est reconnu – peut certes s'appuyer sur la révélation pour ramener les hommes à l'essentiel, à ce qui est le principe de la charité évangélique elle-même, un amour de soi tempéré. On conclura que Rousseau était d'accord, à sa façon toujours, avec un des premiers philosophes grecs, l'obscur Héraclite. Ce dernier aurait écrit : « L'un, le seul sage, ne veut pas et veut porter le nom de Zéus[414]. »

APPENDICE I

À LA RECHERCHE DU PREMIER *PREMIER DISCOURS*

Le problème

Dans la préface au *Discours sur les sciences et les arts*, Rousseau a écrit deux phrases à première vue anodines, qui ont causé une difficulté certaine aux historiens de la philosophie. «Comptant peu sur l'honneur que j'ai reçu, j'avais, depuis l'envoi, refondu et augmenté ce discours, au point d'en faire, en quelque manière, un autre ouvrage ; aujourd'hui, je me suis cru obligé de le rétablir dans l'état où il a été couronné. J'y ai seulement jeté quelques notes et laissé deux additions faciles à reconnaître et que l'Académie n'aurait peut-être pas approuvées (paragr. 3).» La note qui accompagne ce texte dans l'édition de la Pléiade permet de comprendre en quoi ces phrases font problème. L'éditeur François Bouchardy écrit : «*Deux additions faciles à reconnoitre.* Voire ? Les commentateurs les plus avertis ne désignent pas les mêmes passages. Pour M. Marcel Françon (*Annales J.-J. R.*, t. XXXI, p. 305), il s'agirait de deux passages vantant le courage et la simplicité des Suisses : / p. 11 "Telle enfin s'est montrée jusqu'à nos jours" [paragr. 22] / p. 20» Une troupe de pauvres montagnards" [paragr. 42] / Hypothèse plus probable à nos yeux, nous retiendrions p. 7 : Les Sciences, les Lettres et les Arts "étouffent en eux (les hommes) le sentiment de cette liberté originelle" [paragr. 9] ; avec la note d'un républicanisme rigoureux. L'alinéa où se trouve cette phrase étant supprimé, la suite des idées n'est pas rompue. Et p. 25 : "D'où naissent tous ces abus, si ce n'est de l'inégalité funeste ?" [paragr. 53].» La note de la Pléiade continue : «Le *Mercure* (janvier 1751) remarquait : "Ce discours ... est accompagné de notes aussi hardies que le texte ... On voit que l'Auteur s'est nourri l'esprit et le cœur des maximes de son pays" ; et le mois suivant, les *Mémoires de Trévoux* : "Quelques traits décelent la première éducation reçue dans une République ... traits qui n'étoient pas dans l'exemplaire manuscrit remis à l'Académie. "» Fait montrant encore mieux que les avis sont partagés, Havens, le méticuleux et savant éditeur du *Premier Discours*, proposait comme réponse à l'énigme le second des passages de l'hypothèse de Françon et le second de l'hypothèse de Bouchardy, mais avant tout un troisième tout à fait différent, à savoir la citation des *Pensées philosophiques* de Diderot (paragr. 51). Donc trois lecteurs autorisés de Rousseau et trois propositions différentes sur ces « additions faciles à reconnaître ». Voici donc une quatrième hypothèse.

La méthode

Quels sont les passages que Rousseau a ajoutés au manuscrit qu'il avait fait parvenir à l'Académie de Dijon ? Et d'abord comment les trouver ? Les additions du texte imprimé seraient-elles, comme plusieurs le croient, des passages hardis ? Certes Rousseau a suggéré que l'Académie ne les aurait pas approuvées. Mais il n'a pas dit pourquoi, et il a ajouté « peut-être ». Ce « peut-être » pourrait signifier qu'on les aurait refusées parce qu'il s'agissait justement d'ajouts et que les membres de l'Académie auraient voulu que le texte originel fût publié. Même en supposant que les passages ajoutés sont audacieux, ou plus audacieux que l'ensemble, le travail de découverte n'a pas avancé : l'audace de l'un est le lieu commun d'un autre.

Plutôt que de chercher quelque chose d'incongru par rapport aux opinions du Siècle des lumières, d'autres interprètes croient identifier des phrases qui entrent difficilement, ou plus difficilement, dans l'ordre et le mouvement du texte ; en somme, ils cherchent des incongruités textuelles : ils supposent que Rousseau, en ajoutant les deux passages, n'aurait pas su les fondre tout à fait avec le texte originel, qu'il aurait effectué un rapiéçage cousu de fil blanc, comme on dit. Il s'agirait donc de trouver ce qui paraît être hors contexte, ce qui jure avec l'esprit ou le rythme du *Premier Discours*. Ce critère de choix souffre de la même difficulté que le précédent : il dépend de l'idée que l'interprète se fait de l'intention de l'auteur, des lignes de force du texte et du mouvement essentiel de la pensée de Rousseau dans le *Premier Discours*, plutôt que de se fonder sur quelque signe visible. La moindre discussion autour du *Discours sur les sciences et les arts* permet de découvrir à quel point ce critère peut être sujet à caution, puisque si ce riche texte ne se prête pas à une infinité de lectures, il révèle du moins de nombreuses nuances de sens qui justifient la *découverte* de structures différentes, et plausibles ; et la diversité des interprétations fait juger aux mal raccordés certains passages qui, à d'autres, paraissent bien intégrés.

À cette difficulté s'ajoute celle que Rousseau n'était pas satisfait de l'ordre et donc de l'intégration thématique de son discours. L'exergue du texte envoyé à l'Académie de Dijon est « *Decipimur specie recti* », qu'on traduit d'ordinaire par « Nous sommes trompés par l'apparence de la justice ». Or, selon son contexte originel, la citation se traduirait plutôt par « Nous sommes trompés par l'apparence de ce qui est esthétiquement correct », puisqu'elle est tirée de l'*Art poétique* de Horace et qu'elle traite de la cohésion d'un texte. Dès l'envoi du manuscrit originel, pourrait-on argumenter, Rousseau trouvait son discours insuffisamment ordonné. De plus, celui-ci a écrit dans les *Confessions* : « cet ouvrage, plein de chaleur et de force, manque absolument de logique et d'ordre (I 352) ». Mais alors, comment juger du désordre provoqué par des ajouts faits à un texte manquant déjà d'ordre ?

Il apparaît que ces deux critères, soit un possible décalage structurel dans le texte et une audace de pensée qui sourdrait ici ou là, sont peu sûrs lorsqu'on cherche à découvrir les additions ; tout au plus peuvent-ils servir de moyens d'appoint pour un critère plus objectif. La question revient donc : comment trouver ces passages que Rousseau affirme pourtant « faciles à reconnaître » ?

D'abord quelques faits de lecture : la remarque de Rousseau se trouve dans la préface au texte publié ; or cette préface est elle-même, avec l'épigraphe qui la précède, un ajout manifeste, puisque l'auteur y traite du texte imprimé, puisqu'il parle d'avoir gagné le concours ; de plus, il dit qu'il a ajouté non seulement les deux passages cherchés, mais aussi « quelques notes » ; enfin une des notes parle de l'image que fit graver Rousseau pour illustrer son livre, laquelle ne pouvait certes pas avoir accompagné le manuscrit originel. Voici donc un point d'appui sûr : la page de frontispice, l'épigraphe « *Barbarus hic ego sum quia non intelligor illis* », la préface et les notes ont été ajoutées au texte envoyé à l'Académie de Dijon. Y aurait-il dans ces ajouts des thèmes pointant vers des passages faits au même moment qu'eux mais insérés dans le texte principal ? En somme, ne pourrait-on pas partir de ce qui a certainement été ajouté au texte envoyé à l'Académie de Dijon pour deviner ce qui aurait probablement été joint au manuscrit ? C'est du moins une voie à explorer. Mais ce critère de choix demande d'abord qu'on puisse trouver deux thèmes constants.

Les thèmes des ajouts sûrs

L'épigraphe, la préface et une des notes présentent un thème semblable. «*Barbarus hic ego sum quia non intelligor illis*» se traduit par «Ici c'est moi qui suis un barbare parce que ces gens ne me comprennent pas». Selon le contexte originel, Ovide, exilé aux confins de l'Empire romain, se plaint: lui, l'homme sophistiqué et raisonnable par excellence, est considéré comme un barbare, parce que les barbares qui l'entourent ne comprennent pas ce qu'il dit. On voit tout de suite comment Rousseau pouvait appliquer à lui-même cette phrase et suggérer par ce moyen que ses lecteurs, des hommes modernes bornés, le croiraient fou et monstrueux parce qu'étant eux-mêmes corrompus ou incapables de penser en profondeur, ils ne pourraient pas saisir les vérités qu'il leur proposait.

Dans la préface, Rousseau expose explicitement ce thème du sage incompris et méprisé par la foule de ses contemporains: «Je prévois qu'on me pardonnera difficilement le parti que j'ai osé prendre. Heurtant de front tout ce qui fait aujourd'hui l'admiration des hommes, je ne puis m'attendre qu'à un blâme universel; et ce n'est pas pour avoir été honoré de l'approbation de quelques sages que je dois compter sur celle du public. Aussi mon parti est-il pris: je ne me soucie de plaire ni aux beaux esprits, ni aux gens à la mode. Il y aura dans tous les temps des hommes faits pour être subjugués par les opinions de leur siècle, de leur pays, de leur société (paragr. 2).» Cela est d'autant plus remarquable que dans l'exorde, qui sans doute faisait partie du texte de l'exemplaire manuscrit, l'auteur se montre au contraire optimiste quant à la possibilité d'être compris.

Or ce n'est pas là le seul endroit où Rousseau touche à l'idée que le sage ne doit pas s'attendre à être compris de la majorité de ceux qui l'entourent, et qu'il doit être fidèle à la seule vérité, qu'il comprend, et aux êtres d'exception, qui comme lui la saisissent. La deuxième note reprend le thème: «"J'aime, dit Montaigne, contester et discourir, mais c'est avec peu d'hommes et pour moi. Car servir de spectacle aux grands et faire à l'envi parade de son esprit et de son caquet, je trouve que c'est un métier qui ne convient pas du tout à un homme d'honneur." C'est celui de tous nos beaux esprits, hors un (note b).» Selon certains, cette dernière phrase indiquerait Denis Diderot, l'ami de Rousseau. Quoi qu'il en soit de l'identité de ce bel esprit, ignoré des siens et indifférent envers leur jugement, il y a là trois textes certainement ajoutés au texte envoyé à l'Académie de Dijon, qui se rejoignent et livrent donc un premier thème : celui du sage incompris.

Pour en découvrir un second, il faut reprendre l'épigraphe, car elle recèle un autre sens. Prise au premier degré, la phrase d'Ovide parle d'un sage méprisé par des êtres démunis d'esprit, ou du moins d'éducation. Or l'auteur de cette phrase est critiqué dans le corps du texte du *Premier Discours* : «Mais après les Ovide, les Catulle, les Martial et cette foule d'auteurs obscènes dont les noms seuls alarment la pudeur, Rome, jadis le temple de la vertu, devient le théâtre du crime, l'opprobre des nations et le jouet des barbares (paragr. 19).» Ne pourrait-on pas lire l'épigraphe en un sens tout à fait opposé, pour ainsi dire ironique, un sens par lequel le héros lettré devient un scélérat sophistiqué, et le barbare sans éducation qui le juge et le condamne un sage de fait ? Ovide, auteur raffiné et corrompu, serait alors l'exemple même de l'homme que Rousseau dénonce dans son texte. Or Ovide se plaint des barbares. Ne serait-ce pas que les barbares des confins de l'Empire romain, voire tous les peuples primitifs, sont des gens sains, vers lesquels le citoyen de Genève veut pointer, sur lesquels il veut faire réfléchir justement (paragr. 20, 23) ? À choisir entre Ovide et un honnête barbare, entre l'avis de l'un et celui de l'autre, on fait mieux de suivre le second. En fin de compte, le jugement des barbares sur le plan culturel, lequel porte sur les barbares sur le plan moral, est le bon. Pour le dire comme Rousseau, la science et la culture ne sont rien en regard de la vertu (paragr. 5). Ce qui est certain, c'est que trois notes de la première partie suggèrent que la référence fondamentale de Rousseau est moins Rome la républicaine et Sparte la frugale que les barbares, et même les peuples les plus primitifs qu'on puisse connaître ou imaginer.

Ainsi parle la toute première note : «Alexandre, voulant maintenir les Ichtyophages [peuplade primitive imaginée par les Anciens et qui ressemble aux bons sauvages du *Second Discours*] dans sa dépendance, les contraignit de renoncer à la pêche et de se nourrir des aliments communs aux autres peuples ; et les sauvages de l'Amérique, qui vont tout nus et qui ne vivent que du produit de leur chasse, n'ont jamais pu être domptés. En effet, quel joug imposerait-on à des hommes qui n'ont besoin de rien (note a) ? » Par ailleurs, la troisième note se lit comme suit : « Je n'ose parler de ces nations heureuses qui ne connaissent pas même de nom les vices que nous avons tant de peine à réprimer, de ces sauvages de l'Amérique dont Montaigne ne balance point à préférer la simple et naturelle police, non seulement aux lois de Platon [qui sont d'inspiration spartiate], mais même de tout ce que la philosophie pourra jamais imaginer de plus parfait pour le gouvernement des peuples. Il en cite quantité d'exemples frappants pour qui les saurait admirer. " Mais quoi, dit-il, ils ne portent point de chausses (note c) ! " » Enfin, une partie de la note suivante revient sur l'exemple des sauvages d'Amérique : « Et quand un reste d'humanité porta les Espagnols à interdire à leurs gens de loi l'entrée de l'Amérique, quelle idée fallait-il qu'ils eussent de la jurisprudence ? Ne dirait-on pas qu'ils ont cru réparer par ce seul acte tous les maux qu'ils avaient fait à ces malheureux Indiens (paragr. 23) ? » Voici donc un second thème, celui du sauvage, pour ne pas dire du bon sauvage, lequel sert d'exemple concret soulignant les imperfections de l'homme civilisé et corrompu.

Or la première note de la seconde partie, et donc la page de frontispice à laquelle elle renvoie, touche elle aussi à ce thème. « On voit aisément l'allégorie de la fable de Prométhée ; et il ne paraît pas que les Grecs qui l'ont cloué sur le Caucase en pensassent guère plus favorablement que les Égyptiens de leur dieu Teuthe. " Le satyre, dit une ancienne fable, voulut baiser et embrasser le feu, la première fois qu'il le vit ; mais Prométhée lui cria : ' Satyre, tu pleureras la barbe de ton menton, car il brûle quand on y touche. ' " C'est le sujet du frontispice (note e). » Or qu'est-ce qu'un satyre ? C'est un être qui est moins qu'un homme, un être à demi animal. Prométhée le demi-dieu, qui représente le citoyen de Genève, détourne cet être, imparfait, du flambeau, c'est-à-dire des lumières, ou encore du développement des sciences et des arts. En somme, suggère l'image, s'il faut choisir entre être un homme presque animal et devenir un homme civilisé, le meilleur est de rester une demi-bête. En deçà des Perses, des Spartiates et des premiers Romains, il y a les sauvages d'Amérique, les Ichtyophages des historiens anciens et les satyres de la mythologie grecque, lesquels sont préférables eux aussi, et même premièrement, aux hommes modernes. Voilà donc le second thème recherché : le sauvage exemplaire.

Les additions

Ce qui d'abord et avant tout est remarquable au sujet des deux thèmes soulignés, c'est qu'ils sont presque absents du texte principal. De fait, on n'y trouve que deux passages importants qui les rejoignent.

Pour ce qui est du sauvage, de la bonté de son existence et de sa supériorité sur l'homme civilisé, même ancien, au milieu de la seconde partie, Rousseau engage son lecteur à imaginer une scène délicieuse : « On ne peut réfléchir sur les mœurs qu'on ne se plaise à se rappeler l'image de la simplicité des premiers temps. C'est un beau rivage, paré des seules mains de la nature, vers lequel on tourne incessamment les yeux et dont on se sent éloigner à regret. Quand les hommes innocents et vertueux aimaient à avoir les dieux pour témoins de leurs actions, ils habitaient ensemble sous les mêmes cabanes. [Voilà une peuplade primitive semblable à celle qu'on avait découverte en Amérique.] Mais bientôt devenus méchants, ils se lassèrent de ces incommodes spectateurs et les reléguèrent dans des temples magnifiques. [Voilà un peuple ancien, comme les Spartiates ou les Romains républicains.] Ils les en chassèrent enfin pour s'y établir eux-mêmes, ou du moins les temples des dieux ne se distinguèrent plus des maisons des citoyens. [Voilà la Rome impériale et le Paris du Siècle des lumières.] Ce fut alors le comble de la dépravation ; et les vices ne furent jamais poussés plus loin que quand on les vit, pour ainsi dire, soutenus à l'entrée des palais des grands sur des colonnes de marbre et gravés sur des chapiteaux corinthiens (paragr. 46). » Notons que le mot *nature* est présent dans ce passage ; c'est une de ses seules apparitions dans le *Discours sur les sciences et les arts* : en remontant au-delà des peuples anciens pour atteindre les peuplades primitives, on se rapproche de ce que la nature seule a institué et que les institutions humaines ont déjeté.

Pour ce qui est de l'autre thème, celui du sage incompris de ces concitoyens, Rousseau propose un peu plus loin les remarques suivantes. « D'où naissent tous ces abus, si ce n'est de l'inégalité funeste introduite entre les hommes par la distinction des talents et par l'avilissement des vertus ? Voilà l'effet le plus évident de toutes nos études et la plus dangereuse de toutes leurs conséquences. On ne demande plus d'un homme s'il a de la probité, mais s'il a des talents, ni d'un livre s'il est utile, mais s'il est bien écrit. Les récompenses sont prodiguées au bel esprit, et la vertu reste sans honneurs. Il y a mille prix pour les beaux discours, aucun pour les belles actions. Qu'on me dise, cependant, si la gloire attachée au meilleur des discours qui seront couronnés dans cette académie est comparable au mérite d'en avoir fondé le prix ? / Le sage ne court point après la fortune, mais il n'est pas insensible à la gloire ; et quand il la voit si mal distribuée, sa vertu, qu'un peu d'émulation aurait animée et rendu avantageuse à la société, tombe en langueur et s'éteint dans la misère et dans l'oubli. Voilà ce qu'à la longue doit produire partout la préférence des talents agréables sur les talents utiles et ce que l'expérience n'a que trop confirmé depuis le renouvellement des sciences et des arts. Nous avons des physiciens, des géomètres, des chimistes, des astronomes, des poètes, des musiciens, des peintres ; nous n'avons plus de citoyens ; ou s'il nous en reste encore, dispersés dans nos campagnes abandonnées, ils y périssent indigents et méprisés. Tel est l'état où sont réduits, tels sont les sentiments qu'obtiennent de nous ceux qui nous donnent du pain et qui donnent du lait à nos enfants (paragr. 53-54). » Le passage est long, sans aucun doute, beaucoup plus long que celui choisi par Havens et Bouchardy. Mais il faut prendre les deux paragraphes pour constituer l'addition parce que le paragraphe 54 explique la position prise en 53. La raison pour laquelle le sage est incompris fait que le contrat social est rompu et que le nom de citoyen n'est plus qu'un mot: l'amour-propre, la compétition et la course à l'inégalité règnent dans le cœur des hommes modernes. Notons encore une fois que ce même paragraphe 54 contient cette phrase cruciale : « nous n'avons plus de citoyens ». Plus tard, commentant le mot *cité*, Rousseau écrira dans le *Contrat social*: « Le vrai sens de ce mot s'est presque entièrement effacé chez les modernes ; la plupart prennent une ville pour une cité et un bourgeois pour un citoyen. Ils ne savent pas que les maisons font la ville, mais que les citoyens font la cité [...] Nul auteur français que je sache n'a compris le vrai sens du mot *citoyen* (III 361). » En somme, le sage en vérité est incompris parce que la cité est viciée, ou parce que le monde politique (de *polis* en grec, ou *cité* en français) est déformé par la course à l'inégalité de pouvoir, ou parce que les hommes, et surtout les hommes modernes, sont devenus aveugles.

À quoi on peut maintenant ajouter que le choix de ces deux passages peut se faire tout aussi bien à partir des critères de sélection *subjectifs* signalés ci-dessus. Car les paragraphes 46, 53 et 54 sont, à leur façon, audacieux et mal intégrés. Ils sont audacieux, parce qu'il est audacieux d'affirmer que la vérité et la probité sont inaccessibles à la plupart des hommes modernes et de remonter au sauvage pour juger de ses contemporains ; certes, ces deux positions intellectuelles heurtent plus l'esprit du Siècle des lumières qu'une référence aux Anciens ou à la république suisse et une suggestion que les hommes modernes qui habitent les grandes monarchies sont souvent corrompus. En somme, Rousseau y change les notions mêmes de nature et de nature humaine, telles qu'entendues par les *philosophes*, et rejette non seulement les régimes politiques contemporains, mais les notions courantes de contrat social.

Et ces passages sont mal intégrés, parce que, comme il a été dit, tout en étant semblables à deux thèmes constants de l'épigraphe de la préface et des notes, ils jurent avec l'esprit du reste du texte principal, quand on a retranché les paragraphes 46, 53 et 54. Ainsi élagué et reconstitué, le premier *Premier Discours* livre un message unique et cohérent bien connu des contemporains de Rousseau. Le sage n'est pas incompris ; au contraire, il peut et doit agir sur ses concitoyens, il est le meilleur des citoyens, il connaît la gloire auprès des siens, mais pourrait faire un bien encore plus grand que de chercher la vérité scientifique. Et si Rousseau y critique la société moderne, c'est au nom des sociétés anciennes plutôt que de peuplades dont le mode de vie précède génétiquement l'état de société établie.

Le désordre

De plus, les trois paragraphes signalés se situent en dehors de l'ordre explicite du texte. Pour le voir, il faut lire attentivement la seconde partie. Les paragraphes 36 à 38 présentent les sciences et les arts dans leurs origines ou causes et dans leurs objets. À partir du paragraphe 39 et jusqu'au 54e, Rousseau examine les effets nocifs du développement et de la popularisation des sciences et des arts. Dans l'ordre, ces effets sont : la perte de temps (paragr. 39), la désacralisation des fondements de la vie sociale (paragr. 40), le luxe (paragr. 41-43), la corruption du goût (paragr. 44-45), l'affaiblissement du courage (paragr. 47-50), la dissolution morale (paragr. 51-52) et la course à l'inégalité politique et morale (paragr. 53-54). On notera qu'est omis le paragraphe 46, celui qui jette un regard nostalgique sur le monde sauvage. Il ne cadre bien ni avec ce qui le précède (où il est question de goût) ni avec ce qui le suit (où il est question de l'avachissement des citoyens). À bien le relire, ce paragraphe problème traite du développement parallèle des sciences et des arts et de l'inégalité parmi les hommes: à mesure que l'art de construire se raffine les dieux s'éloignent des hommes, et ces derniers se font des maîtres entre eux; le développement des sciences et des arts est lié au progrès de l'inégalité. «Quand les hommes innocents et vertueux aimaient à avoir les dieux pour témoins de leurs actions, ils habitaient ensemble sous les mêmes cabanes. Mais bientôt devenus méchants, ils se lassèrent de ces incommodes spectateurs et les reléguèrent dans des temples magnifiques. Ils les en chassèrent enfin pour s'y établir eux-mêmes, ou du moins les temples des dieux ne se distinguèrent plus des maisons des citoyens (paragr. 46).» On peut donc suggérer encore une fois que le paragraphe 46 rompt la suite des idées proposées par les paragraphes qui l'entourent, ou encore qu'il se rapproche du thème de l'inégalité des paragraphes 53-54.

Ce qui augmente la force de cette remarque, c'est que Rousseau semble avoir bouleversé l'ordre de ses considérations autour de ce paragraphe fâcheux. Car si on examine les indications laissées dans les paragraphes 39, 40, 41, 43, 45, 47 et 51, la considération des effets du développement des lettres devait se faire selon l'ordre suivant: la perte de temps («Nées dans l'oisiveté, les sciences] la nourrissent à leur tour, et *la perte irréparable du temps* est le *premier* préjudice qu'elles causent nécessairement à la société [paragr. 39]»), la désacralisation («*Que dis-je? Oisifs?* Et plût à Dieu qu'ils le fussent en effet! Les mœurs en seraient plus saines et la société plus paisible. Mais ces vains et futiles déclamateurs vont de tous côtés, armés de leurs funestes paradoxes, *sapant les fondements de la foi* et anéantissant la vertu [paragr. 40]»), le luxe («C'est un grand mal que l'abus du temps. D'autres maux pires encore suivent les lettres et les arts. Tel est le luxe, né comme eux de l'*oisiveté* et de la *vanité* des hommes [paragr. 41]»), l'affaiblissement du courage («Non, il n'est pas possible que des esprits dégradés par une multitude *de soins futiles* s'élèvent jamais à rien de grand; et quand ils en auraient la force, *le courage* leur manquerait [paragr. 43]»; et «Tandis que les commodités de la vie se multiplient, que les arts se perfectionnent et que le luxe s'étend, le *vrai courage* s'énerve, les vertus militaires s'évanouissent, et c'est *encore* l'ouvrage des sciences et de tous ces arts qui s'exercent dans l'ombre du cabinet [paragr. 47]»), la dissolution morale («Si la culture des sciences est nuisible *aux qualités guerrières*, elle l'est encore plus *aux qualités morales* [paragr. 51]»), la corruption du goût («C'est ainsi que *la dissolution des mœurs*, *suite* nécessaire du luxe, *entraîne à son tour* la corruption du goût [paragr. 45] »). Si on réorganise l'ordre des paragraphes selon les indications explicites du texte, le paragraphe 46, qui suit celui sur la corruption du goût, se trouve placé devant les paragraphes sur l'inégalité, soit les paragraphes 53 et 54. Ce qui ferait que tous les paragraphes ajoutés – dans l'hypothèse présente – par Rousseau sont regroupés à la fin de la liste des effets. Ce qui ferait le thème de l'inégalité, introduit au paragraphe 46, est repris et amplifié dans les paragraphes 53 et 54.

Mais il y a plus encore : la section sur les effets nocifs du développement des sciences et des arts est suivie d'une section sur les remèdes possibles. Or celle-ci commence par une considération sur les académies, qui doivent avoir pour but, selon Rousseau, moins de protéger la qualité des sciences et des arts, soit de conserver le bon goût en récompensant les meilleurs artistes et penseurs, que d'assurer la qualité morale de ceux qui pratiquent les lettres et influencent par leurs productions les citoyens ordinaires : « Ces sages institutions, affermies par son auguste successeur et imitées par tous les rois de l'Europe, serviront du moins de frein aux gens de lettres, qui tous, aspirant à l'honneur d'être admis dans les académies, veilleront sur eux-mêmes et tâcheront de s'en rendre dignes par des ouvrages utiles et des mœurs irréprochables. Celles de ces compagnies, qui, pour les prix dont elles honorent le mérite littéraire, feront un choix de sujets propres à ranimer l'amour de la vertu dans les cœurs des citoyens, montreront que cet amour règne parmi elles et donneront aux peuples ce plaisir si rare et si doux de voir des sociétés savantes se dévouer à verser sur le genre humain, non seulement des lumières agréables, mais aussi des instructions salutaires (paragr. 56). » En somme, en raison de l'approche qu'en fait Rousseau, on passerait très bien de la question de la corruption du goût et de la qualité des productions scientifique et littéraire à celle des académies comme remèdes à la corruption générale : c'est en s'appuyant sur le désir de se distinguer qui anime les hommes de lettres et qui cause la corruption du goût que les académies sauront limiter les dégâts moraux que causent les lettres. Ce qui veut dire qu'une fois l'ordre originel du texte rétabli – du moins tel qu'on le devinerait ici –, on pourrait retrancher les paragraphes 46, 53 et 54 sans que le mouvement du texte et la suite des idées soient rompus, sans qu'aucune des indications de l'ordre existant entre les effets et entre les effets et les remèdes soit laissée sans référent. Tout se passe comme si Rousseau créa après coup trois paragraphes qu'il s'efforça de placer dans une suite d'idées déjà établie. Pour amoindrir l'effet disruptif de cet ajout important, portant sur un certain état de nature et sur l'injuste traitement réservé aux meilleurs hommes, soit les paragraphes 46, 53 et 54, il fut obligé de morceler sa nouveauté et de réorganiser l'ordre originel, et ce, sans changer les mots mêmes de son texte.

Le Second Discours

Ajoutons ici un argument qui sort du texte du *Premier Discours* sans doute, mais qui s'appuie encore une fois sur ce qui est su de façon indubitable. Lorsqu'on considère les autres textes que Rousseau a publiés tôt après le *Discours sur les sciences et les arts*, que ce soit ceux qui servirent à défendre le *Premier Discours*, ou que ce soit le *Second Discours* lui-même, on est frappé de constater que les deux thèmes soulignés et proposés comme des nouveautés par rapport à la thématique originelle y apparaissent clairement. Il suffira d'examiner le *Discours sur l'origine et les fondements de l'inégalité parmi les hommes* pour étayer cette suggestion.

Premier thème : le sage incompris, le sage marginalisé. La première note du *Second Discours* parle d'un certain Otanès qui, voyant qu'il ne pouvait pas persuader les autres chefs perses à accepter le régime républicain, gagna pour lui et les siens un statut spécial à l'intérieur de l'État, par lequel il vivrait avec ses concitoyens, mais sans s'aliéner totalement des coutumes et institutions nées de leurs illusions (paragr. 155). En plein milieu de la seconde partie du *Discours sur l'inégalité*, Rousseau parle de « quelques grandes âmes cosmopolites qui franchissent les barrières imaginaires qui séparent les peuples et qui, à l'exemple de l'Être souverain qui les a créés, embrassent tout le genre humain dans leur bienveillance (paragr. 129) ». Il existe donc quelques êtres humains d'exception qui transcendent les illusions des bonnes gens ordinaires, et s'en séparent du fait même. Enfin – pour ne pas trop allonger la liste des exemples –, à la fin du *Second Discours*, Rousseau ramène tout le problème de l'origine de l'inégalité à celui du conflit entre certains hommes qui voient clair, c'est-à-dire qui voient que l'inégalité est nocive, et leurs contemporains qui sont obnubilés par les opinions que la société leur a inculquées. « C'est dans cette lente succession des choses qu'il verra la solution d'une infinité de problèmes de morale et de politique que les philosophes ne peuvent résoudre. Il sentira que le genre humain d'un âge, n'étant pas le genre humain d'un autre âge, la raison pourquoi Diogène ne trouvait point d'homme, c'est qu'il cherchait parmi ses contemporains l'homme d'un temps qui n'était plus ; Caton, dira-t-il, périt avec Rome et la liberté, parce qu'il fut déplacé dans son siècle, et le plus grand des hommes ne fit qu'étonner le monde qu'il eût gouverné cinq cents ans plus tôt (paragr. 153). » Chacun des trois textes présente non seulement l'exemple d'un sage, mais souligne le conflit plus ou moins ouvert qui existe entre lui et les membres de sa société d'origine.

Ce qui conduit au second thème : celui du sauvage exemplaire. Car ce que les plus sages voient, c'est que la corruption est installée sans doute, mais aussi, mais surtout qu'elle n'est pas naturelle, qu'elle est l'effet des institutions humaines. Le sauvage exemplaire, que ce soit le primitif ou l'homme dans l'état de nature, est l'être humain qui vit hors de ces institutions parce qu'il vit avant qu'elles ne soient établies et qu'elles ne travaillent les cœurs et les imaginations. Or, quand on compare les deux discours, il devient évident que le bon sauvage est la grande nouveauté de la pensée de Rousseau : l'idée de l'état de nature – à peu près absente des premiers textes – est le socle conceptuel sur lequel repose l'édifice du *Second Discours*. Un seul passage du *Premier Discours* permet de remonter par-delà l'histoire : le paragraphe 46. Par ailleurs, la proximité entre la rêverie offerte là et la présentation du bon sauvage faite dans le *Second Discours* peut se mesurer au moyen de passages comme le suivant : « Tant que les hommes se contentèrent de leurs cabanes rustiques, tant qu'ils se bornèrent à coudre leurs habits de peaux avec des épines ou des arêtes, à se parer de plumes et de coquillages, à se peindre le corps de diverses couleurs, à perfectionner ou embellir leurs arcs et leurs flèches, à tailler avec des pierres tranchantes quelques canots de pêcheurs ou quelques grossiers instruments de musique : en un mot tant qu'ils ne s'appliquèrent qu'à des ouvrages qu'un seul pouvait faire et qu'à des arts qui n'avaient pas besoin du concours de plusieurs mains, ils vécurent libres, sains, bons et heureux, autant qu'ils pouvaient l'être par leur nature, et continuèrent à jouir entre eux des douceurs d'un commerce indépendant. Mais dès l'instant qu'un homme eut besoin du secours d'un autre, dès qu'on s'aperçut qu'il était utile à un seul d'avoir des provisions pour deux, l'égalité disparut, la propriété s'introduisit, le travail devint nécessaire et les vastes forêts se changèrent en des campagnes riantes qu'il fallut arroser de la sueur des hommes et dans lesquelles on vit bientôt l'esclavage et la misère germer et croître avec les moissons (*SD* paragr. 114). » On a ici une amplification de la brève évocation, faite dans le *Premier Discours*, de ces peuples qui vivent innocents et vertueux dans leurs cabanes, puis qui introduisent entre eux l'inégalité avec les arts. Comme par rétroaction, ce même paragraphe 46 propose en résumé le mouvement macro-historique de corruption que la seconde partie du *Discours sur l'inégalité* présente si puissamment. S'il est permis de choisir les additions que fit Rousseau au discours primé par l'Académie de Dijon parmi les passages qui ressemblent le plus à ce que les œuvres subséquentes ajoutent aux thèmes principaux du *Premier Discours*, les paragraphes 46, 53 et 54 avec leurs thèmes particuliers s'offrent au lecteur comme des candidats probables.

La contre-épreuve

Mis à part la comparaison entre les thèmes et textes des deux discours, on peut trouver une dernière confirmation de la présente suggestion au sujet des additions que fit Rousseau. Car l'histoire fournit un témoin autorisé du contenu du manuscrit originel : un membre de l'Académie de Dijon. Le *Mercure de France* publiait régulièrement des comptes rendus des réunions annuelles des académies situées en province. C'est pourquoi l'édition de novembre 1750 contient le procès-verbal de la dernière assemblée de l'Académie de Dijon pour l'année 1750, réunion où fut couronné le texte de Rousseau. Or par chance on y présente la longue intervention de monsieur Gelot, qui a eu l'idée brillante de résumer le texte de Rousseau pour ceux qui assistaient à la réunion. – Voir le second appendice. – Son résumé est d'une fidélité presque bénédictine, comme on peut le voir en comparant le texte du Mercure avec le *Premier Discours*. Un exemple parmi plusieurs. Monsieur Gelot a dit : « Si le progrès des sciences et des arts n'a rien ajouté à notre véritable félicité ; s'il a corrompu nos mœurs, si leur corruption a porté atteinte au bon goût ; que doit-on penser de cette foule d'auteurs élémentaires qui ont écarté du temple des Muses les difficultés qui en avaient défendu l'entrée et que la nature y avait placées comme une épreuve des forces de ceux qui seraient tentés de savoir (*Mercure* paragr. 13) ? » Ce qui donne dans le texte qu'a publié Rousseau : « Mais si le progrès des sciences et des arts n'a rien ajouté à notre véritable félicité, s'il a corrompu nos mœurs et si la corruption des mœurs a porté atteinte à la pureté du goût, que penserons-nous de cette foule d'auteurs élémentaires qui ont écarté du temple des Muses les difficultés qui défendaient son abord et que la nature y avait répandues comme une épreuve des forces de ceux qui seraient tentés de savoir (paragr. 59) ? » Manifestement le texte de Gelot est presque un calque du texte envoyé par Rousseau à l'Académie, puis publié par lui.

L'apparition de ce témoin a l'avantage de montrer l'impossibilité d'une des suggestions de messieurs Bouchardy, Havens et Françon. Car, il faut le souligner, parmi les exemples cités par Rousseau, Gelot mentionne les Suisses. C'est donc dire que Rousseau en avait parlé dans son texte originel. « Tandis que les Lacédémoniens, les Scythes et les Suisses, préservés de la contagion des vaines connaissances » a dit Gelot (*Mercure* paragr. 4). Il renvoie sans aucun doute au paragraphe 22 du *Premier Discours*. Mais du fait même une partie de l'hypothèse de Havens et toute celle de Françon doivent être rejetées, puisque ceux-ci suggèrent que les passages où il est question des Suisses seraient les fameuses additions au manuscrit original. De plus, Gelot signale que le texte dont il fit la lecture devant l'Académie de Dijon est passablement audacieux sur le plan politique. Sans doute fait-il allusion à des phrases d'un « républicanisme rigoureux » quand il dit (*Mercure* paragr. 18) : « L'Académie en couronnant l'ouvrage de monsieur Rousseau n'a point prétendu adopter ses maximes de politique qui ne sont point à nos usages. » Ce qui affaiblit d'autant plus le critère qu'emploie Bouchardy pour choisir les additions au texte publié par Rousseau.

Certes, le résumé de Gelot n'est pas un calque parfait du texte que Rousseau envoya à l'Académie de Dijon : on n'y trouve par exemple aucune mention de la fameuse prosopopée de Fabricius, qui faisait certainement partie du texte initial. Et on ne peut pas argumenter avec une pleine assurance depuis l'absence d'un passage dans le résumé paru dans le *Mercure* vers un ajout dans le texte publié par Rousseau. Il peut cependant servir de contre-épreuve : aucun passage choisi comme addition ne peut se trouver dans le résumé de Gelot. Pour faire bref, les paragraphes 23, 25, 32, 33, 35, 37, 38, 46, 53, 54 et 56 ne contiennent aucune citation, ou paraphrase, faite par Gelot. On peut tout de suite noter ceci : les deux passages proposés ici comme des additions se trouvent dans cette dernière liste ; de plus, il n'y a pas dans le résumé de Gelot la moindre allusion aux peuples primitifs ou à l'incompréhension que subissent les sages de la part de leurs contemporains.

Mieux encore, le résumé présente la suite des effets nocifs du développement des sciences et des arts dans l'ordre *rétabli* proposé ci-dessus. «Monsieur Rousseau invective ensuite contre cette foule d'écrivains obscurs et de lettrés oisifs, dont les vaines et futiles déclamations et les funestes paradoxes sapent les fondements de la foi et de la vertu. / Les arts, selon lui, ne sont pas moins dangereux pour les bonnes mœurs que pour l'État. Ils ont amené le luxe, et le luxe entraîne toujours la chute des uns et des autres. / D'un autre côté, les talents, réglés sur les mauvais goût de ceux pour qui on les emploie, dégradent les arts et les artistes. / Louis le Grand les avait favorisés ainsi que les sciences. Il voulut que ces sociétés célèbres, chargées du dangereux dépôt sacré des mœurs, eussent une attention particulière à en maintenir chez elles toute la pureté, et à l'exiger dans tous les membres qu'elles recevaient» La citation (*Mercure* paragr. 7-10) montre que l'académicien Gelot a lu un texte qui passait de la question de la perte du temps et de la désacralisation au luxe, puis de la décadence morale et politique (sans doute causée par la perte du courage militaire) à la corruption du goût et enfin à la présentation de remèdes contre la maladie morale causée par la popularisation des lettres. Or le texte publié par Rousseau présente un ordre différent, comme chacun peut le vérifier. Et encore une fois le contenu du paragraphe 46 (le regard nostalgique jeté sur les peuples primitifs) et celui des paragraphes 53 et 54 (l'apologie du sage incompris) ne se trouvent jamais touchés, même de loin par Gelot. Or, notons-le, le paragraphe 53 commence par la phrase: «D'où naissent tous ces abus, si ce n'est de l'inégalité funeste introduite entre les hommes par les distinctions des talents et par l'avilissement des vertus?» Si on prétend que ces paragraphes 53 et 54 faisaient partie de la première version du discours, il faudrait donc croire que le méticuleux académicien n'a pas inclus dans son résumé le plus important, de l'avis de l'auteur, et le clou du texte qu'on avait primé.

Les échos philosophiques

Supposons que soient trouvées les additions dont Rousseau parle dans sa préface; supposons, par impossible, qu'il soit prouvé que ces trois paragraphes, et ces deux thèmes, sont de fait des ajouts à la première production du citoyen de Genève. Quel est alors le gain? Peu de chose ; presque rien. À moins de commencer à réfléchir sur ces textes, à moins de reprendre ces thèmes pour les sonder. Et alors, peut-être, cet exercice fera preuve de quelque utilité.

Notons d'abord que ces deux thèmes doivent être liés entre eux : c'est en jetant un regard sur les peuplades primitives, c'est en essayant de penser la vie des premiers hommes qu'un homme civilisé, qu'un homme du Siècle des lumières réussira à se protéger contre l'aveuglement que les lumières ont causé et qu'ainsi il pourra se faire un peu plus sage ; par ailleurs, les premiers sages, qui savent se détacher des opinions de leur siècle, sont ceux qui d'emblée cherchent à penser et à rêver l'état, plus naturel, du bon sauvage. Or ces deux thèmes sont liés entre eux par un troisième, celui de l'inégalité, qui est le sujet du *Second Discours*.

Et à travers cet accouplement des deux thèmes, on peut être conduit à réfléchir sur les graves questions que soulève la pensée de Rousseau. Des questions comme : « Quelle est la véritable condition naturelle de l'homme ? » Du temps de Rousseau, la question semblait réglée pour de bon : la condition naturelle de l'homme était sa condition hors de la nature initiale. Car la nature est ainsi faite, croyait-on alors, que la condition primitive de l'homme est inhumaine et que la raison, faculté qui permet à l'homme de sortir de cette condition, est naturelle justement parce qu'elle libère du naturel primitif. Rousseau suggère, pour sa part, que la condition naturelle est perdue pour l'homme, comme une mère qu'on n'a jamais vraiment connue, une mère nature qu'on peut retrouver non pas tellement au moyen d'une réflexion rationnelle que grâce à une rêverie nostalgique, une mère nature dont on ressent toujours le besoin quelque part au fond de son cœur.

Il suffit de réfléchir un peu pour voir comment l'idée contemporaine de la condition humaine a été touchée, pour ne pas dire informée, par les écrits de Rousseau. Le fait suivant permettra sans doute d'entamer cette réflexion. Il y a plus de vingt ans, on a découvert dans les forêts vierges de l'Amérique du Sud une peuplade primitive inconnue, les Tasadays. Or les anthropologues – est-il besoin de rappeler que c'est Rousseau qui fonda la science de l'anthropologie dans une note du *Second Discours* ? –, dépêchés sur les lieux, ont atterri par hélicoptère à quelques kilomètres de ces hommes, les ont étudiés pendant deux semaines et sont repartis sans les déranger, et justement dans l'intention de les laisser intacts. En somme, on refusa de civiliser les Tasadays, on ne fit que les observer brièvement. Bien mieux, dans un article de journal qui racontait le fait, le reporter, reproduisant sans doute l'opinion des anthropologues et de bon nombre de ses lecteurs, craignait les effets de la ponctuelle intervention des hommes civilisés auprès de ces Adam et Ève rescapés de l'histoire. Certes est-on au XXe siècle à mille lieues de l'orgueilleuse conquête civilisatrice que l'Europe fit du Nouveau Monde. Malgré des anecdotes semblables, et peut-être à cause d'elles, la thèse rousseauiste de la bonté du sauvage doit être reconsidérée, et ce, jusqu'à ses fondements. Peut-être en serons-nous reconduits aux opinions du Siècle des lumières, ou plus haut encore. Mais il faut d'abord se laisser interroger par la remise en question radicale que proposait Rousseau à son propre siècle, à la rêverie qu'il opposait aux opinions combien assurées de ses contemporains.

Est touchée ici une autre question primordiale, et donc philosophique : celle de la force de l'opinion. La grande tradition philosophique occidentale est hantée par le personnage de Socrate, cet homme qui passait le plus clair de son temps à poser des questions à ses concitoyens sur les *vérités* évidentes dans lesquelles ils enracinaient toute leur existence, ce satyre qui disait à tout venant que la vie sans examen n'est pas digne d'être vécue par les êtres humains. Dans un des textes fondateurs de cette tradition, Platon présente la condition humaine sous l'image d'une caverne habitée par d'étranges prisonniers. Ils sont étranges surtout du fait de ne pas vouloir sortir de leur prison, même quand on les libère des chaînes qui les y retiennent. C'est que cette caverne est le siège de toutes leurs vérités, acquises par la tradition, le consensus social et l'expérience irréfléchie, c'est-à-dire acquises par un système d'éducation. Et Platon de dire que la philosophie est une déséducation, que l'activité philosophique consiste à se libérer de ce que l'éducation inculque pour voir les choses telles qu'elles sont, soit telles qu'elles se voient hors de la caverne. Or sur ce point précis, quel que soit l'avis final de Rousseau sur Socrate et Platon, quels que soient les principes premiers de leurs pensées respectives, le citoyen de Genève est du même avis que les philosophes d'Athènes. Vivre et penser vraiment impliquent l'effort de vivre et de penser contre l'avis de tout un chacun, parce que presque personne ne sait vivre et surtout parce que l'imagination, laissée à elle-même, est une faculté puissante qui reprend les expériences les plus simples pour les informer et les déformer selon ses lois propres, ou selon les formes qui l'habitent en raison de l'éducation sociale.

Ceux qui se targuent d'être philosophes diront qu'il n'y a là rien de bien nouveau : il est évident que la philosophie se fait, pour ainsi dire, sur le dos du bon sens et des fausses évidences. Et chacun de faire comprendre qu'il sait depuis toujours que le philosophe est par nature ennemi du mode de vie des nantis et de l'ersatz de pensée qui consolide le statu quo. Mais cette évidence au sujet de la philosophie n'est-elle pas elle aussi une opinion que les philosophes ne veulent pas examiner, soit une tradition constituée contre les traditions ? En entendant certains discours qui sortent de la bouche des philosophes contemporains : que la modernité, née directement de la philosophie, est un incontestable pas en avant, que l'histoire de chacun et la situation historique de chacun constituent l'horizon inéluctable à l'intérieur duquel il pense et se pense, que la tension entre la foi et la raison est, pour les hommes modernes, un problème résolu, fini, ou du moins sur le point de s'évanouir ; en entendant ces discours et surtout le ton catégorique qui les porte, ne faudrait-il pas rappeler à ceux qui se croient à l'extérieur de la caverne, aux habitants de la république des lettres, à ces êtres humains si sûrs d'eux-mêmes, que l'opinion est un piège humain, trop humain ?

Les dérives autobiographiques

En revanche, la *vérité* première de Rousseau n'est-elle pas que l'homme est seul, ou pour le dire d'une façon plus guindée, que le sujet est non seulement le point de départ de toute réflexion, mais la source de toute vérité et le seul objet de la vérité ? Pour le philosophe de Genève, l'homme qui pense jouit du maigre avantage de se rendre compte de ce que l'autre vit dans l'inconscience, et que chacun est unique peut-être, mais bien solitaire. Aussi solitaire que l'homme sauvage, « errant dans les forêts sans industrie, sans parole, sans domicile, sans guerre et sans liaisons, sans nul besoin de ses semblables, comme sans nul désir de leur nuire, peut-être même sans jamais en reconnaître aucun individuellement (*SD* paragr. 88). » Idée qu'il exprima dès les premières pages du *Premier Discours* : « après avoir soutenu, selon ma lumière naturelle, le parti de la vérité, quel que soit mon succès, il est un prix qui ne peut me manquer : je le trouverai dans le fond de mon cœur (paragr. 6). » Idée qui hanta toujours la pensée du promeneur solitaire. Qu'on songe au magnifique, mais combien attristant *Rousseau juge de Jean-Jacques*, où est révélée dans tous ses détails une paranoïa virulente, habitée pourtant par une raison fonctionnant encore fortement et exposée par un verbe d'une clarté et d'une force inégalée, peut-être, dans l'œuvre de Rousseau.

Cette dernière évocation est trop douloureuse. J'y mets fin pour reprendre encore une fois les deux textes qui se sont offerts à moi. Pour les reprendre sur un ton plus personnel. Comment l'éviter quand on suit comme à la trace le plus personnel des philosophes ?

Un jour, au hasard d'une conversation, quelqu'un que j'estime m'a suggéré que Rousseau fut un penseur de grande envergure. Après lecture de quelques textes importants, je suis tombé d'accord avec lui. Et les nombreuses relectures de l'œuvre n'ont fait que renforcer cette impression première. Peut-être l'élément le plus important de sa grandeur est-il que Rousseau pense tout à partir de la question du bonheur, c'est-à-dire du *pour-quoi* fondamental. Et comme le bonheur est bonheur d'homme, sa pensée est une anthropologie avant tout. Et comme on ne peut penser l'homme sans penser ce qu'il en est de Dieu, sa pensée a de nombreuses redondances théologiques, que Rousseau prend explicitement en charge, En somme le citoyen de Genève, comme Rousseau aimait se nommer, est un philosophe, né à Genève.

Sans doute la raison pour laquelle je suis encore et toujours passionné par les *élucubrations* de Jean-Jacques est qu'il est d'abord et avant tout le rêveur-promeneur solitaire. Ce qui veut dire que Rousseau est le père du romantisme. Et le romantisme est une de mes maladies philosophiques, une maladie due à un virus que j'ai attrapé dans l'air de mon temps. Or dans le premier des deux passages soulignés, on a un des premiers exemples du délire romantique. « On ne peut réfléchir sur les mœurs qu'on ne *se plaise à se rappeler l'image* de la simplicité des premiers temps. C'est un beau rivage, paré des seules mains de la nature, vers lequel on tourne incessamment les yeux et *dont on se sent éloigner à regret*. Quand les hommes innocents et vertueux aimaient à avoir les dieux pour témoins de leurs actions, ils habitaient ensemble sous les mêmes cabanes (paragr. 46). » Penser avec Rousseau, c'est toujours, tôt ou tard, rêver, ou s'étendre au fond de sa barque et partir à la dérive sur le lac de Bienne. Aussi y a-t-il une atmosphère toute particulière dans ses écrits qui fait sentir leur mode de composition, tel que décrit dans les *Confessions*: «L'impossibilité d'atteindre aux êtres réels me jeta dans le pays des chimères, et ne voyant rien d'existant qui fut digne de mon délire, je le nourris dans un monde idéal que mon imagination créatrice eut bientôt peuplé d'êtres selon mon cœur [...] Dans mes continuelles extases je m'enivrais à torrents des plus délicieux sentiments qui jamais soient entrés dans un cœur d'homme. Oubliant tout à fait la race humaine, je me fis des sociétés de créatures parfaites aussi célestes par leurs vertus que par leurs beautés, d'amis sûrs, tendres, fidèles, tels que je n'en trouvai jamais ici-bas (I 427-428).» Il faut comprendre, je le répète, qu'on trouve là la condition de la création de toutes les grandes œuvres de Rousseau. Quoique ces écrits soient souvent, pour ne pas dire toujours, d'une admirable construction et d'une redoutable logique, l'auteur les a d'abord créés à partir de délicieuses rêveries où son imagination, libre, peignait les idéaux dont son cœur avait besoin. Avec Rousseau, la pensée est devenue interprétation ou, comme il le dit lui-même, imagination créatrice. Cette atmosphère révèle, avant les mots mêmes, ce que l'auteur croit être l'essentiel de la meilleure vie, et qu'il a proposé, entre autres, dans *Les Rêveries du promeneur solitaire*. Rousseau, père du romantisme ? Sans aucun doute, si le romantisme est d'abord une attitude vitale par laquelle les désirs sans contrôle du moi envahissent l'espace qui existe entre le sujet et le monde, entre l'individu et les autres. J'avouerai donc que je lis Rousseau dans l'espoir de me guérir du romantisme. En somme, je suis romantique, mais je me soigne.

Je rappelle maintenant le second passage du *Discours sur les sciences et les arts*, celui qui porte sur le sage incompris: «Le sage ne court point après la fortune, mais il n'est pas insensible à la gloire; et quand il la voit si mal distribuée, sa vertu, qu'un peu d'émulation aurait animée et rendu avantageuse à la société, tombe en langueur et s'éteint dans la misère et dans l'oubli. Voilà ce qu'à la longue doit produire partout la préférence des talents agréables sur les talents utiles et ce que l'expérience n'a que trop confirmé depuis le renouvellement des sciences et des arts (paragr. 54).» Penser avec Rousseau, c'est toujours, tôt ou tard, affronter le péril de l'isolement et de la *marginalité*. Ce dont les premières lignes des *Confessions* offrent un excellent exemple: «Je forme une entreprise qui n'eut jamais d'exemple, et dont l'exécution n'aura point d'imitateur. Je veux montrer à mes semblables un homme dans toute la vérité de la nature; et cet homme ce sera moi. / Moi seul

(I 5). » Ce « moi seul » n'est jamais tout à fait seul, on le voit : il est face à ses semblables, séparé d'eux, mais se montrant à eux... nu.

Si je lis Rousseau, enfin, depuis si longtemps et toujours avec intérêt, c'est qu'il me paraît un des penseurs chez qui le problème de la connaissance de soi et en même temps celui de la difficulté de vivre avec les autres sont présents d'une façon aiguë. Conformément au commandement premier de la philosophie, *Gnothi sauton*, soit « Connais-toi toi-même », il me paraît que ma connaissance du Tout dépend de la connaissance de ma personne ; mais il me paraît tout autant que la vraie connaissance de soi implique la réflexion sur le même, c'est-à-dire sur ce qui est le moins individuel, sur ce qui est le plus éloigné de soi. Pour le dire autrement encore, ce qui m'intéresse dans les *confessions* qui constituent l'œuvre de Rousseau, c'est que celui-ci promet que je me connaîtrai à travers lui, mais aussi que par là je connaîtrai l'homme. Pour le dire à ma façon, je ne puis me connaître qu'en me connaissant dans l'autre, et l'un et l'autre dans quelque chose, quelque stabilité hors de nous deux, une stabilité qui permet à l'un de passer à l'autre et l'autre à l'un, une stabilité qui est distincte de chacun, sans laquelle pourtant ni l'un ni l'autre ne serait ce qu'il est, une stabilité dont l'approche découvrante rapproche et éloigne de ceux qui s'en sont éloignés depuis toujours et pour toujours. Ceux qui connaissent Rousseau reconnaissent à quel point en parlant ainsi je suis loin de sa métaphysique – car il en avait une – et de son anthropologie. Mais c'est par une lecture assidue de son œuvre que j'en suis arrivé à ces conclusions ; c'est par un dialogue avec Jean-Jacques que je me suis rapproché de lui, que je m'en suis séparé et que j'ai découvert ce que je pense.

Ce dialogue dure depuis près de quarante ans maintenant, et je sais qu'il ne finira qu'avec ma mort. Je me débats avec ce diable d'homme un peu comme Jacob avec l'ange de Dieu. « Et quelqu'un lutta avec Jacob jusqu'au lever de l'aurore. Voyant qu'il ne le maîtrisait pas, il le frappa à l'emboîture de la hanche, et la hanche de Jacob se démit pendant qu'il luttait avec lui (*Genèse* 32 24-25). » Je suis blessé moi aussi. Car si je suis d'avis que la pensée de Rousseau sur la solitude du sujet est inexacte, si je suis d'avis que son romantisme, tout séduisant qu'il soit, est une attitude de vie fausse et dangereuse, si je suis d'avis que sa vision du politique totalisant est une des influences premières derrière les totalitarismes dont le XXe siècle a offert une si triste expérience ; si je crois ces choses, je n'en suis pas sûr : je me demande chaque jour si

Rousseau n'a pas raison, ou encore je me demande si je ne suis pas un romantique honteux, ou un rousseauiste qui s'ignore.

Et pour finir, je parodierai le Gavroche de Victor Hugo comme suit :

« Si je ne puis me taire,
« C'est la faute à Voltaire.
« Si je me trouve sot,
« C'est la faute à Rousseau.
« Visées d'aristocrate ?
« C'est la faute à Socrate.
« Nostalgie du ruisseau ?
« C'est la faute à Rousseau. »

APPENDICE II

EXTRAIT DU MERCURE DE FRANCE NOVEMBRE 1750

1. Monsieur Gelot, procureur du roi au Bureau des finances, académicien pensionnaire, fit ensuite la lecture de l'analyse de la pièce qui allait être couronnée et de celles qui avaient balancé les suffrages de l'Académie. Mais auparavant il fit voir quelles étaient les mœurs avant la renaissance des lettres.

2. Il s'agissait, dans le problème que l'Académie avait proposé pour cette année, de décider si le rétablissement des arts et des sciences avait contribué à épurer les mœurs.

3. Monsieur Rousseau a pris la négative, et il a soutenu que quoiqu'elles aient pu les épurer, elles ne l'ont pas cependant fait, et il a démontré qu'à mesure que les arts et les sciences se sont perfectionnés, les mœurs se sont corrompues [voir *PD* paragr. 7-16]. Il le prouve par ce qui s'est passé en Égypte, en Grèce, à Rome, à Constantinople et à la Chine [voir paragr. 17-21].

4. Tandis que les Lacédémoniens, les Scythes et les Suisses préservés de la contagion des vaines connaissances, conservèrent leur première simplicité, leurs mœurs étaient grossières, mais pures, autant que l'humanité le comportait [voir paragr. 22]. Les vices au contraire, conduits à Athènes par les beaux-arts, enchaînèrent la liberté des Grecs [voir paragr. 24].

5. Quelques sages, il est vrai, se sont garantis de la corruption générale dans le sein des Muses : tels furent un Socrate à Athènes et un Caton à Rome. Mais ce sont de ces exceptions qui confirment la règle générale [voir paragr. 26-31]. La première partie du discours de monsieur Rousseau est terminée par cette réflexion que les voiles épais dont la sagesse éternelle a couvert les sciences sont une preuve qu'elle a voulu nous en préserver, comme une tendre mère qui arrache les armes dangereuses des mains de son enfant [voir paragr. 34].

6. L'auteur nous apprend dans la seconde partie que c'était une tradition passée de l'Égypte en Grèce qu'un dieu, ennemi du repos des hommes, avait été l'inventeur des sciences. Nos vices leur ont donné la naissance, et nous serions moins en doute sur leurs avantages, si elles la devaient à nos vertus [voir paragr. 36].

7. Monsieur Rousseau invective ensuite contre cette foule d'écrivains obscurs et de lettrés oisifs, dont les vaines et subtiles déclamations et les funestes paradoxes sapent les fondements de la foi et de la vertu [voir paragr. 39-40].

8. Les arts, selon lui, ne sont pas moins dangereux pour les bonnes mœurs que pour l'État. Ils ont amené le luxe, et le luxe entraîne toujours la chute des uns et des autres [voir paragr. 41-43 et 47-52].

9. D'un autre côté, les talents, réglés sur le mauvais goût de ceux pour qui on les emploie, dégradent les arts et les artistes [voir paragr. 44-45].

10. Louis le Grand les avait favorisés ainsi que les sciences. Il voulut que ces sociétés célèbres, chargées du dangereux dépôt des sciences et du dépôt sacré des mœurs, eussent une attention particulière à en maintenir chez elles toute la pureté et à l'exiger dans tous les membres qu'elles recevraient [voir paragr. 55]. Précaution dont l'auteur tire avantage pour son système parce que l'on ne cherche pas, dit-il, des remèdes à des maux qui n'existent pas : tant d'établissements en faveur des sciences annoncent la crainte où l'on est de manquer de philosophes, comme si l'on avait trop de laboureurs [voir paragr. 57].

11. Qu'enseignent cependant ces prétendus sages ? Qu'il n'y a point de corps, que tout est représentation, qu'il n'y a d'autre substance que la matière, ni d'autre dieu que le monde, qu'il n'y a ni vertus ni vices, que le bien et le mal ne sont que des chimères [voir paragr. 57].

12. Mais parmi les égarements auxquels le paganisme a été livré, a-t-il rien laissé qui puisse être comparé aux monuments honteux que lui a préparés l'imprimerie sous le règne de l'Évangile ? Les écrits impies des Leucippes et des Diagoras sont presque péris avec eux, mais grâce aux caractères typographiques, les rêveries de Hobbes et de Spinoza resteront à jamais [voir paragr. 58].

13. Si le progrès des sciences et des arts n'a rien ajouté à notre véritable félicité, s'il a corrompu nos mœurs, si leur corruption a porté

atteinte au bon goût, que doit-on penser de cette foule d'auteurs élémentaires qui ont écarté du temple des Muses les difficultés qui en avaient défendu l'entrée et que la nature y avait placées comme une épreuve des forces de ceux qui seraient tentés de savoir [voir paragr. 59] ?

14. Que penserons-nous de ces compilateurs de dictionnaires, sans le secours desquels une populace, indigne d'approcher du sanctuaire des Muses, rebutée par les difficultés, s'occuperait à des arts utiles à la société [voir paragr. 59] ?

15. Les Verulams, les Descartes, les Newtons, ces précepteurs du genre humain, n'ont point eu de maîtres. C'est à des génies de cette trempe qu'il est permis d'élever des monuments à la gloire de l'esprit humain. Mais si l'on veut que rien ne soit au-dessus du leur, il faut que rien ne soit au-dessus de leurs espérances. Si les récompenses accordées à Cicéron et au chancelier Bacon eussent été bornées à une chaire dans une université pour l'un et à une pension de l'Académie pour l'autre, croit-on qu'ils auraient travaillé avec la même application à ces ouvrages qui feront l'admiration de tous les siècles [voir paragr. 59] ?

16. Monsieur Rousseau conclut en disant que la véritable science consiste à rentrer en soi-même, à écouter la voix de la nature dans le silence des passions, et que c'est là la véritable philosophie [voir paragr. 61].

17. Laissons, dit-il, à ces hommes célèbres qui s'immortalisent dans la république des lettres la gloire de savoir bien dire. C'est assez pour un homme qui vit sans ambition de se contenter de la gloire de bien faire [voir paragr. 60-61].

18. L'Académie en couronnant l'ouvrage de monsieur Rousseau n'a point prétendu adopter ses maximes de politique qui ne sont point à nos usages [voir paragr. 8-13], ni ce qu'il a dit de l'inutilité des découvertes des physiciens et des géomètres, en ce que, selon lui, elles ne contribuent rien au gouvernement de l'État et à la pureté des mœurs [voir paragr. 39]. Il est en cela sorti du problème, car ce serait lui donner une trop grande extension de regarder comme inutile tout ce qui ne tend point directement à ce but. La plupart des découvertes ont procuré de si grands avantages qu'il n'est pas permis de les regarder avec indifférence. Cependant comme il a solidement démontré que le rétablissement des arts et des sciences n'a pas contribué à épurer les

mœurs, l'Académie a cru devoir décerner le prix à la démonstration d'une question de fait, de la vérité de laquelle on ne peut disconvenir, à moins de s'inscrire en faux contre l'expérience.

19. Monsieur du Chasselat, de Troyes en Champagne, a soutenu la négative, ainsi que monsieur Rousseau. L'Académie l'a jugé digne de l'*accessit*. Il a parfaitement démontré par le fait même combien la corruption des mœurs était devenue générale depuis le rétablissement des sciences, ce qui est la même chose que s'il avait dit qu'il n'avait pas contribué à épurer les mœurs.

20. Pour prouver sa proposition, il a parcouru les différentes mœurs des Grecs avant Périclès, celles du siècle du fameux disciple de Zénon et d'Anaxagore, des Romains avant et sous Auguste, celles de l'Italie sous le pontificat de Léon X, enfin les nôtres sous le règne de Louis XIV. Et par tous ces différents parallèles, et par le portrait que le père Rapin a tracé des mœurs de son siècle, il conclut que les siècles les plus polis n'ont point été les plus vertueux.

21. Parmi plusieurs dissertations savantes qui ont été adressées à l'Académie pour l'affirmative de son problème, celle de monsieur l'abbé Talbert, chanoine, coadjuteur de l'église métropolitaine de Besançon, lui a paru la mieux écrite.

22. Si l'Académie n'avait consulté que son inclination et son zèle pour les lettres, elle se serait rangée du parti de monsieur Talbert. Mais c'eût été trahir celui de la vérité et faire tort aux sciences, puisqu'il n'arrive que trop souvent qu'en voulant par un zèle mal entendu accorder à quelqu'un des avantages dont il ne jouit pas, on donne lieu par cette partialité à des doutes sur ceux qu'il possède véritablement. Il n'est que trop vrai que les sciences ont produit plus de mal que de bien, parce que celui-ci n'est jamais par ses effets en raison égale avec l'autre. Monsieur Talbert a fait valoir l'utilité des sciences et leur nécessité ; la question de droit a été épuisée et mise dans le plus beau jour. Mais en bonne logique on ne conclut jamais de l'acte par le pouvoir : il a négligé la question de fait, la seule dont il s'agissait dans le problème, L'Académie ne demandait pas si les sciences pouvaient épurer les mœurs – elle en est très persuadée –, mais si elles les avaient réellement épurées, c'est-à-dire si les hommes étaient devenus plus vertueux, plus sincères, plus équitables, à ne les prendre que dans l'ordre moral. C'est à ce point de fait qu'il fallait une démonstration. Monsieur Talbert ne l'a point donnée : il a toujours argumenté du fait par le droit au lieu qu'il

fallait prendre une route contraire. Il sentait sans doute la difficulté du succès. Il devait convenir de bonne foi que les lettres, utiles et nécessaires à certains égards, n'ont pas toujours produit l'effet qu'on devait en attendre. Faites pour éclairer l'homme, elles n'ont que trop souvent contribué à faire naître des doutes. Ce qu'il a gagné du côté de l'esprit a été pris sur la rigidité des mœurs. Par le commerce des sciences, elles sont devenues plus douces et plus sociables, elles ont même dépouillé leur antique férocité. L'éducation et l'usage du monde ont pu opérer ces changements, mais ce n'est point de cette sorte d'épurement dont il s'agissait. Plus savants peut-être et plus éclairés que nos pères, sommes-nous plus honnêtes gens qu'eux ? Voilà le point de difficulté.

23. Quels vices en effet régnaient parmi eux qui ne reparaissent aujourd'hui les mêmes, ou sous des modifications différentes ? Ils sont plus raffinés, il est vrai, mais ils n'en sont pas moins vices. C'est faire grâce aux lettres de dire qu'ayant, lors de leur rétablissement, trouvé les hommes déjà corrompus, elles les avaient laissés dans le même état. C'est assez pour les sciences que l'Académie convienne qu'elles pouvaient épurer les mœurs si on n'en avait point abusé. Un semblable aveu de sa part n'aura rien dont l'ignorance puisse tirer le plus léger avantage : elle n'a point prétendu la favoriser. On peut avec un grand fond d'ignorance n'avoir point de mœurs ; il est possible que l'on en ait avec de la science. La perversité ou la rectitude du cœur en décident, et les sciences, ainsi que l'ignorance, n'en sont que les causes occasionnelles. Une académie qui dévoile la turpitude du cœur humain et l'abus qu'il fait de ses lumières n'est point censée avoir voulu renouveler vis-à-vis des sciences l'indiscrétion indécente du père de Chanaan, et elle ne doit point en appréhender le sort.

NOTES

1. La formulation officielle de la question est différente de celle que lui donnera Rousseau dans l'exorde (voir paragr. 4).

2. Rousseau s'est longtemps et souvent vanté d'être le citoyen d'une petite république protestante, à savoir de Genève, comme pour mieux se distinguer des Français, membres d'une grande monarchie catholique. N'empêche que la présente signature est inexacte : en 1750, Rousseau n'était plus citoyen de Genève, ayant quitté sa patrie depuis l'âge de quinze ans et étant devenu catholique ; il ne redeviendra citoyen de la République de Genève qu'en 1754. En 1762, son *Émile* et son *Contrat social* seront condamnés par cette même république ; l'année suivante, Rousseau renoncera pour toujours à son statut de citoyen de Genève.

3. « Ici, je suis un barbare parce qu'ils ne me comprennent pas (Ovide, *Tristes* X 37). » D'après le contexte originel de la citation, Ovide, exilé aux confins de l'Empire romain, se plaint d'être tenu pour un barbare parce qu'il ne parle pas la langue des habitants des lieux, qui, eux, méritent vraiment le nom de barbares. – Noter qu'Ovide sera un des auteurs condamnés par l'« orateur » du *Premier Discours*. Voir paragr. 19.

4. Construction fautive, qui ne fut pas corrigée dans les éditions subséquentes.

5. La Ligue, ou plus exactement la Sainte Ligue, fut le parti catholique en France, mené par la famille des Guise pendant les guerres de religion du XVIe siècle. Rousseau utilise cette référence historique comme l'exemple même d'un mouvement politique *réactionnaire*.

6. Contrairement à ce que Rousseau affirme ici, les additions ne sont pas « faciles à reconnaître » : plusieurs hypothèses ont été proposées par les historiens pour indiquer les ajouts, mais aucune n'a fait l'unanimité. Voir appendice I.

7. « Nous sommes trompés par l'apparence du correct (Horace, *De l'art poétique* 25). »

8. Le mot *lumières* signifie l'intelligence et surtout ses produits : les sciences et les arts. Ce mot et l'image de la lumière – noter les paragraphes septième et huitième du discours – comportaient, en ce siècle dit justement « des lumières », un poids d'évidence et une charge d'affectivité tout particuliers. Tout le débat tourne autour de ce mot et du sens qu'on lui donne au XVIIIe siècle.

9. Rousseau parle elliptiquement du Moyen-Âge en Europe, souvent considéré comme une époque de semi-barbarie, à la fois parce qu'il suivit l'invasion des

barbares et la chute de l'Empire romain d'Occident (en 476 apr. J.-C.), et parce que la vie intellectuelle y fut contrôlée par le pouvoir ecclésiastique et dominée par la scolastique chrétienne avec son « jargon scientifique ». – Le Moyen-Âge est présenté comme une chute après un moment de grandeur intellectuelle et culturelle : l'Europe est « retombée dans la barbarie ». Le « rétablissement » des sciences et des arts correspond donc à la Renaissance. Voir aussi paragr. 48 et 54 pour des termes qui rappellent le contexte historique premier à partir duquel est posée la question de l'Académie de Dijon et proposée la réponse de Rousseau.

10. De l'avis général, la Renaissance commença en bonne partie à cause de la chute de l'Empire romain d'Orient, consommée en 1453. Pour échapper aux « barbares » musulmans, plusieurs *intellectuels* grecs se réfugièrent en Europe, en particulier en Italie, apportant avec eux une révérence profonde pour les grands documents de la civilisation grecque et le moyen de les consulter directement, à savoir la langue grecque.

11. C'est à la suite des invasions successives de l'Italie par les Français (en 1494 sous Charles VIII, en 1499 sous Louis XII et, surtout, en 1515 sous François Ier) que la France subit l'influence de la Renaissance italienne.

12. Déesses grecques, patronnes des sciences et des arts.

13. Il serait difficile de délimiter un champ précis pour chacun de ces trois mots, particulièrement en ce texte de Rousseau. Il n'en reste pas moins que l'opposition classique entre les sciences (théoriques) et les arts (pratiques) peut, d'une part, être coiffée par le genre lettres (avoir des lettres, c'est savoir lire, être éduqué et donc avoir acquis sciences et arts) et, d'autre part, être complétée par les lettres, pour autant qu'elles sont plutôt du domaine de la culture publique et vont de la littérature jusqu'aux bonnes manières. Voir paragr. 15, où les trois termes sont présentés dans un autre ordre.

14. Voir Montesquieu, *De l'esprit des lois* XXI 8, ou Pline, *Histoire naturelle* VI 25. – Le nom *Ichtyophage* signifie justement, selon l'étymologie grecque, « qui mange du poisson ».

15. Il ne peut être question que de la France : la France du XVIIIe siècle est le foyer de la culture européenne et le Français le modèle de l'homme civilisé. L'orateur, celui qui parle dans le *Premier Discours*, ne peut donc être qu'un Français. – Voir pourtant la note 16.

16. Tudesque : qui appartient aux Allemands, germanique (avec une connotation péjorative). Ultramontaine : qui est de l'autre côté des monts, c'est-à-dire italien (encore une fois avec une connotation péjorative). Au juste milieu moral correspond un juste milieu géographique : entre l'Allemagne protestante au nord et l'Italie catholique et papiste au sud, il y a la France catholique, mais peut-être aussi la Suisse protestante française si différente de

la Suisse italienne et allemande. Au fond, pourrait-on dire, tout l'enjeu du *Premier Discours* est de faire glisser le *juste milieu*, géographique et moral, de la France sophistiquée à la rustique cité de Genève.

17. Michel de Montaigne (1533-1592), penseur français et auteur des *Essais*. Rousseau met souvent à profit les *Essais* en en tirant non seulement comme ici des citations, mais en en reprenant sans le dire certains des thèmes.

18. *Essais* III 8 « De l'art de conférer ». – Les citations de Montaigne ont été modernisées.

19. Impossible de savoir à qui Rousseau fait référence ici ; on suggère souvent le nom de Diderot, alors son ami ; eu égard à certaines de ses affirmations ultérieures, Rousseau parle probablement de lui-même.

20. Rousseau imagine le contraire de ce que Montaigne raconte dans les dernières lignes de l'essai « Des cannibales » (*Essais* I 30) : un visiteur qui est trompé par les apparences de la France sophistiquée. Voir aussi le dernier paragraphe de *Second Discours*.

21. Par une circonlocution, Rousseau affirme que le niveau de la moralité est affecté par le développement des sciences et des arts aussi nécessairement que la marée par la masse de la Lune. – Une des conquêtes intellectuelles les mieux connues du Siècle des lumières était d'expliquer, grâce au principe de l'attraction universelle de Newton, le lien qui existe entre le mouvement de la Lune et les marées. Voir à cet effet les lettres quatorzième et quinzième des *Lettres philosophiques* de Voltaire.

22. Sésostris III (1878-1841 av. J.-C.), pharaon du moyen empire qui étendit l'influence de l'Égypte. Il est possible que Rousseau se souvienne ici du *Discours sur l'histoire universelle* (III 3) de Bossuet, dont certains des thèmes le rapprochent du *Premier Discours*.

23. Il manque ici un bout de phrase comme : « elle subit ». L'ellipse de Rousseau relie directement, c'est-à-dire en sautant par-dessus les exigences de la grammaire, le développement des sciences et des arts à l'asservissement politique.

24. L'Égypte fut conquise par les Perses sous Cambyse vers 525 avant Jésus-Christ, par les Grecs sous Alexandre en 332, par les Romains, de façon définitive, en 30, par les Arabes en 642 après Jésus-Christ, et finalement par les Turcs sous Sélim Ier en 1517.

25. Selon les épopées homériques, l'*Iliade* et l'*Odyssée*, les Grecs détruisirent Troie, ville qui se situait sur le littoral méditerranéen de l'actuelle Turquie, et donc en Asie. Les villes grecques résistèrent à deux invasions perses et donc asiatiques en 490 avant Jésus-Christ (bataille de Marathon) et en 480-479 avant Jésus-Christ (batailles de Salamine et de Platées).

26. Le « Macédonien » est de fait deux rois macédoniens : Philippe II (382-336 av. J.-C.) et son fils, Alexandre le Grand (356-323 av. J.-C.). Partie des royaumes des diadoques, ou successeurs d'Alexandre, la Grèce fut conquise par les Romains vers 145 en attendant de tomber entre les mains des Turcs lors de la chute de l'Empire romain d'Orient.

27. Démosthène (385-322 av. J.-C.), orateur et homme politique athénien. Démosthène est surtout connu pour avoir tenté d'éveiller l'esprit d'indépendance des villes grecques et surtout d'Athènes contre les projets hégémonistes de Philippe, roi de Macédoine. Rousseau pense sans doute ici au récit de Plutarque, *Vie de Démosthène*.

28. Ennius (237-170 av. J.-C.) et Térence (194-159 av. J.-C.) sont des poètes latins du temps de la république et donc bien avant que les empereurs ne prennent le contrôle de la vie politique. Leur poésie était pourtant sévère quant à ses thèmes.

29. Le « pâtre » est Romulus, qu'il serait plus exact d'appeler un homme de guerre. Rousseau continue de s'inspirer des *Vies* de Plutarque (voir *Vie de Romulus* 1-11). Pour une estimation plus exacte du rôle de Romulus, voir la *Préface au Narcisse*, qui suit, à la note 182.

30. Un de ces laboureurs est sans doute Cincinnatus, dictateur du Ve siècle avant Jésus-Christ. Les Romains, qui l'avaient nommé chef suprême extraordinaire de la ville, le trouvèrent dans son champ occupé à labourer. Après avoir sauvé la ville, il retourna à ses occupations champêtres.

31. Ovide (43 av. J.-C. - 17 apr. J.-C.), Catulle (82-53 av. J.-C.) et Martial (38-104) sont des poètes latins de l'ère impériale, approximativement. Leur poésie est beaucoup plus légère que celle des deux précédents, quand elle n'est pas tout simplement obscène.

32. Allusion à Pétrone (27-66), auteur du *Satyricon*, œuvre elle aussi assez osée. Voir Tacite, *Annales* XVI 18.

33. Il s'agit de Constantinople, aujourd'hui Istanbul, fondée par Constantin, vers l'époque où l'Empire romain se scinda en deux, laissant Rome comme capitale de l'Empire d'Occident. C'est ainsi que, lors de l'invasion des barbares à l'Ouest, les *intellectuels* ont pu se réfugier à Constantinople, capitale de l'Est.

34. Ce passage s'inspire de la description que fait Montesquieu de l'Empire d'Orient (*Considérations sur les causes de la grandeur des Romains et de leur décadence* 21-22), sauf que Rousseau tait le rôle important que l'Église joua, selon Montesquieu, dans la décadence des Romains d'Orient. La fin du paragraphe rappelle que c'est de cette même Constantinople que les précurseurs et les premiers inspirateurs de la Renaissance sortirent. Voir paragr. 8 pour mesurer

le renversement qui a été opéré en ce qui a trait au jugement porté sur le progrès des sciences et des arts et sur la barbarie du Moyen-Âge.

35. Les Tartares ou les Mongols, nom donné à des peuplades nomades de l'Asie centrale qui envahirent la Chine sous leurs chefs, Gengis Khan et Qoubilai Khan. Les Tartares régnèrent sur la Chine d'environ 1200 à 1400.

36. L'exemple de Rousseau n'est pas tout à fait innocent. La Chine a été et sera souvent proposée par les Philosophes et Encyclopédistes français comme le modèle de l'État sophistiqué que la France était appelée à devenir. Voir par exemple l'article « Chine » dans le *Dictionnaire philosophique* de Voltaire ou dans l'*Encyclopédie ou Dictionnaire raisonné des sciences, des arts et des métiers*, œuvre commune des Encyclopédistes, dirigée par Jean d'Alembert et Denis Diderot, alors le meilleur ami de Rousseau. On peut croire que Rousseau tentait déjà ici de se démarquer de ses *confrères*, quoiqu'il soit l'auteur de quelques articles de l'*Encyclopédie*. Voir aussi *Julie ou La Nouvelle Héloïse* livre IV lettre 3 (II 413-414). – Exception faite du *Second Discours*, toutes les citations de Rousseau sont tirées de l'édition de la Bibliothèque de la Pléiade. L'expression « I », par exemple, renvoie au texte qui se trouve dans le premier volume de la dite édition. Pour le *Second Discours*, on renvoie à l'édition Résurgences.

37. Première d'une série de citations implicites et explicites de l'essai vingt-quatrième du premier livre des *Essais* de Montaigne, intitulé « Du pédantisme », c'est-à-dire « De l'enseignement académique ».

38. Allusion à la *Cyropédie* de Xénophon, penseur grec, qui décrit la montée au pouvoir de Cyrus et en même temps du peuple perse pour exposer dans un dernier livre certaines des institutions perses. On continue aujourd'hui à suspecter la vérité historique de l'œuvre.

39. Peuple nomade habitant un territoire assez mal défini, qui équivaudrait à peu près au Turkestan actuel.

40. Il s'agit de Tacite (55-120), qui écrivit les *Annales* et les *Histoires*, c'est-à-dire le récit du règne des premiers empereurs romains depuis Auguste. Rousseau se réfère à une œuvre secondaire du grand auteur, intitulée *La Germanie*, où il décrit de façon assez fantaisiste le mode de vie de ces ennemis de Rome qu'étaient les Germains, ces « barbares » qui, quelques siècles plus tard, allaient envahir l'Empire romain d'Occident.

41. On dirait aujourd'hui « constitution » ou « législation ».

42. Platon (427-347 av. J.-C.), philosophe grec, auteur de nombreux dialogues qui d'ordinaire mettent en scène son maître Socrate. Deux de ces textes proposent des modèles de régime politique ; ce sont la *République*, plus *idéaliste*, et les *Lois*, plus *réaliste*.

43. Pour toute cette note de Rousseau et en particulier la dernière citation, voir *Essais* I 30 « Des cannibales ».

44. Rousseau parle de la Suisse. L'« adversité » est, par exemple, l'attaque que dirigea contre les premiers cantons suisses Léopold Ier d'Autriche en 1315 ; l'« exemple » est sans doute celui de la France.

45. Ces « hommes oisifs » sont les Grecs qui, en tant que penseurs, discutaient de la nature du bien, de la vertu et du vice et, en tant que Grecs, appelaient les autres des barbares, c'est-à-dire ceux dont les mots ressemblent à des bruits insignifiants comme « barbar ». Pour voir l'une et l'autre attitudes, examiner, par exemple, le *Premier Alcibiade* de Platon.

46. Voir Montaigne, *Essais* I 51 « De la vanité des paroles », d'où Rousseau tire peut-être cette idée. On peut penser aussi aux *Euménides* d'Eschyle.

47. Voir Montaigne, *Essais* II 37 « De la ressemblance des enfants aux pères ».

48. Voir Montaigne, *Essais* III 13 « De l'expérience ».

49. Le « tyran » est Pisistrate qui régna environ de 560 à 527 av. J.-C. ; le « prince des poètes » est Homère, auteur des deux grandes épopées du monde grec, l'*Iliade* et l'*Odyssée*. – Cette dernière expression n'est pas innocente : un des thèmes discrets du *Premier Discours* est la relation entre les lettres et l'inégalité politique.

50. Autre nom de la ville de Sparte.

51. Cette opposition entre Athènes et Sparte est classique : elle est déjà la toile de fond de la *Guerre du Péloponnèse* de Thucydide, le premier historien grec. Plutarque en fait un de ses thèmes préférés, par exemple dans les *Dits des Lacédémoniens*.

52. Soit Athènes, ou peut-être la Grèce dans son ensemble.

53. On dirait aujourd'hui « porter jugement sur ».

54. Socrate (469-399 av. J.-C.), philosophe athénien. Socrate est surtout connu pour sa méthode pédagogique, qui consistait à poser des questions à ses interlocuteurs afin de les amener à se contredire et à avouer leur ignorance. Son ironie était notoire : un de ses éléments principaux consistait à affirmer qu'il ne savait qu'une chose : qu'il ne savait pas. Il fut condamné à mort par la cité d'Athènes pour athéisme et corruption de la jeunesse.

55. Longue citation, considérablement remaniée, de l'*Apologie de Socrate* de Platon (21d-22c).

56. On dirait aujourd'hui « nos descendants ».

57. Caton l'Ancien (234-149 av. J.-C.), homme politique romain connu surtout comme censeur, c'est-à-dire comme magistrat chargé de surveiller l'honnêteté des mœurs de ses concitoyens. Ce passage du discours repose sans doute sur la *Vie de Caton l'Ancien* de Plutarque.

58. Épicure (342-270 av. J.-C.), philosophe grec, fondateur de la secte des épicuriens, qui considéraient, entre autres, que le plaisir est le souverain bien, que les dieux n'existent pas et que la vie apolitique est la meilleure.

59. Zénon de Citium, philosophe grec contemporain d'Épicure, fondateur de la secte des stoïciens, qu'on oppose d'ordinaire aux épicuriens, mais dont la pensée matérialiste fait l'apologie, en fin de compte, de l'ataraxie ou d'un état d'indifférence qui n'appartient qu'au sage situé hors du jeu de l'action politique.

60. Arcésilas (316-241 av. J.-C.), philosophe grec de la secte des sceptiques, dont la thèse centrale était qu'aucune vérité définitive ne pouvait être atteinte par les hommes.

61. Sénèque, *Lettres à Lucilius* ép. 95. Il est probable que Rousseau soit tombé sur cette phrase à partir des *Essais* de Montaigne (I 24 « Du pédantisme »).

62. Fabricius (env. IIIe siècle av. J.-C.), homme politique romain. Rousseau invente cette prosopopée ; mais il s'inspire d'un passage de la *Vie de Pyrrhus* (20-26) de Plutarque, où Fabricius se moque du raffinement de ces Grecs qui attaquent l'Italie et les Romains. — La prosopopée de Fabricius est la partie la plus ancienne du *Discours sur les sciences et les arts*. Voir *Confessions* I 351 et *Lettres à Malesherbes* I 1135-1136.

63. Le grec : du temps des empereurs et même avant, il était devenu la langue première de l'Empire romain, et on le parlait régulièrement même à Rome.

64. Allusion à l'empereur romain Néron (37-68).

65. Selon Plutarque, Cynéas, philosophe grec, accompagnait Pyrrhus, lui prêtait conseil et lui servait d'ambassadeur. Voir la *Vie de Pyrrhus* 14 et 18.

66. Louis XII (1462-1515), roi de France. Il fut un roi guerrier dont l'essentiel de l'activité se déploya en Italie.

67. Henri IV (1553-1610), roi de France. Il est le fondateur de la dynastie des Bourbons. Au moment où écrit Rousseau, Louis XV, un Bourbon, se trouve sur le trône de la France.

68. Dieu grec des sciences et des arts. Prométhée aurait volé le feu aux dieux de l'Olympe pour l'offrir aux hommes. Il fut puni par Zéus, qui le fit clouer sur un rocher. Par ailleurs, la mythologie grecque racontait aussi que le différend entre Zéus et Prométhée, et donc entre la piété et la justice, d'une part, et les sciences et les arts, de l'autre, fut réglé sinon à la satisfaction de

tous, du moins de façon à assurer un *modus vivendi* entre les dieux et les hommes.

69. Plutarque, *Comment tirer profit de ses ennemis* 86 F. Rousseau, semble-t-il, cite Plutarque à travers la traduction d'Amyot.

70. Le frontispice du *Premier Discours*, dessiné par Jean-Baptiste-Marie Pierre (voir la note 95), montrait un dieu offrant le feu à un satyre, sorte de monstre mythologique à tête et torse humains et à cornes et pieds de chèvre. Le demi-dieu Prométhée éloignait d'une main le satyre comme pour le protéger contre le feu. La suggestion de Rousseau est que les sciences et les arts sont tombés entre les mains de personnes qui ne savent pas s'en servir. D'où tout le mal qui en naît. Voir *Lettre à Lecat* III 102.

71. Voir Platon, *Phèdre* 274c-275b.

72. Allusion prophétique au travail que Rousseau accomplira dans le *Second Discours*, œuvre capitale qui reconstruit philosophiquement l'histoire probable de l'humanité, au moins dans ses grandes lignes.

73. C'est-à-dire que les observations de base de l'astronomie furent fournies par des peuples qui croyaient en l'astrologie et qui, en conséquence, prêtaient une attention particulière aux déplacements des astres.

74. L'étymologie du mot *géométrie* (mesure de la terre) laisse deviner ce que suggère Rousseau ici : la géométrie fut inventée par des hommes qui voulaient une délimitation sûre et nette de leurs terres pour mieux les posséder et protéger. Cette idée sera reprise au début de la seconde partie du *Second Discours* dans la fameuse phrase : « Le premier qui, ayant enclos un terrain, s'avisa de dire : " Ceci est à moi " et trouva des gens assez simples pour le croire, fut le premier fondateur de la société civile. »

75. Image qui remonte au philosophe grec Démocrite et que Rousseau a pu trouver chez Montaigne (*Essais* III 8 « De l'art de conférer ») ou chez Cicéron (*Seconds Académiques* I 11).

76. L'image est de Montaigne. Voir *Essais* I 9 « Des menteurs ».

77. Nom qu'on donne aux disciples du philosophe Aristote. Rousseau vise peut-être ici les disciples chrétiens d'Aristote, les scolastiques du Moyen-Âge.

78. René Descartes (1596-1650), philosophe, mathématicien et savant français, considéré comme le père de la philosophie moderne et de la science expérimentale. Son œuvre la mieux connue, et probablement la plus influente, est le *Discours de la méthode*, véritable déclaration d'indépendance intellectuelle qui vise, entre autres, à fonder une pensée scientifique. Comme on le voit, Rousseau, à l'instar de ses contemporains, reconnaissait que la cosmologie et la physique de Descartes étaient erronées, ce que confirme le paragraphe suivant

qui abandonne la métaphysique à Descartes, et à ses disciples, pour mieux suivre Newton en physique et en astronomie.

79. Ce paragraphe est pour ainsi dire un résumé de l'essai fleuve de Montaigne, l'« Apologie de Raymond Sebond » (*Essais* II 12).

80. Allusion aux déclarations d'Isaac Newton en astronomie (les trois premières), de René Descartes ou de son disciple Malebranche, ou encore de Leibnitz, en métaphysique (les deux suivantes) et peut-être de Francis Bacon, ou encore de Fontenelle et de Réamur, en sciences naturelles (les deux dernières).

81. Lois qui visent à limiter les dépenses consacrées au luxe.

82. Rousseau a en tête des auteurs comme Melon (*Essai politique sur le commerce*) et Petty (*An Essay in Political Arithmetic*), dont les propos sont semblables à ceux dénoncés dans ce paragraphe.

83. Voir Montesquieu, *De l'esprit des lois* XXIII 17, dont Rousseau s'inspire ici. La question des lois somptuaires et de leur relation aux régimes politiques est traitée au livre VII de la même œuvre.

84. Les Sybarites étaient les habitants d'une cité grecque ancienne renommée pour son luxe et ses vices ; elle fut conquise par les habitants de la ville de Crotone (voir Hérodote V 44 et VI 127). Les Lacédémoniens, ou Spartiates, rappelons-le, sont les habitants de la ville de Lacédémone, ou de Sparte, fameuse pour la frugalité de ses habitants comme pour ses stabilité et puissance politiques.

85. Allusion à la conquête de la Perse par Alexandre.

86. Allusion aux guerres puniques qui mirent aux prises Carthage et Rome.

87. Allusion à la conquête de l'Empire romain d'Occident par les Barbares. Rome fut prise et pillée en 410 après Jésus-Christ par les Wisigoths. Le dernier empereur romain, Romulus Augustulus, abdiqua en 476.

88. Ces conquêtes se firent vers 450 après Jésus-Christ.

89. Allusion aux premiers Suisses, qui résistèrent à Léopold Ier d'Autriche en 1315, puis, en 1476, à Charles le Téméraire, duc de Bourgogne.

90. En 1581, Philippe II, maître de l'Amérique du Sud, ou des Indes occidentales, dut reconnaître l'indépendance des Pays-Bas, que Rousseau appelle exagérément « une poignée de pêcheurs de hareng ». – Comme aux paragraphes 17 à 22, ces exemples sont présentés dans l'ordre historique.

91. Rousseau allait traiter à plusieurs reprises la question du rôle moral de la femme, par exemple, dans le cinquième livre de l'*Émile* ou dans les livres deuxième, quatrième et cinquième de son roman, *Julie ou La Nouvelle Héloïse*.

Dans le présent contexte, il faudrait surtout rappeler sa *Lettre à d'Alembert sur les spectacles*, où il traite de l'influence de la femme sur le théâtre français. – Platon a parlé du rôle de la femme dans une société idéale dans la *République* (451c-457c), où il affirme que la femme et l'homme sont égaux par nature et doivent l'être sur le plan politique. Mais, puisqu'il parle ici de l'influence de la femme sur l'âme d'un homme, peut-être Rousseau pense-t-il plutôt à l'enseignement que Diotime aurait livré à Socrate. Voir le *Banquet* de Platon (201d et suivants).

92. Francois-Marie Arouet est le nom originel de Voltaire (1694-1788). Voltaire était à la fois le poète le plus réputé de son siècle et le chef de file des philosophes français du XVIIIe siècle, ou des Encyclopédistes, les partisans de la philosophie des « lumières », ou de l'amélioration du sort humain par le développement et la vulgarisation des sciences et des arts. On devine que Voltaire et les siens sont la cible privilégiée de Rousseau et, en même temps, ses interlocuteurs premiers. Ici Rousseau suggère que l'œuvre poétique de Voltaire est faible tant quant à son contenu que quant à sa forme et que la motivation profonde d'Arouet est de se faire admirer en tant que monsieur de Voltaire. – Rousseau composera peu après le *Premier Discours* une opérette intitulée *Le Devin du village*, qui reprend sous une forme poétique les thèmes de ce texte-ci. L'œuvre connut un fulgurant succès. C'est là une première réplique effective, ou *par la chose*, à l'œuvre littéraire de Voltaire.

93. Charles-André Van Loo, peintre (1705-1765).

94. Jean-Baptiste-Marie Pierre, peintre (1713-1789). Il fit le dessin du frontispice du *Premier Discours*. – Noter l'opposition entre la peinture sacrée et la peinture érotique : elle sera reprise ici et au paragraphe suivant.

95. Voiture à deux sièges, l'un placé en face de l'autre.

96. Praxitèle et Phidias sont deux des plus fameux sculpteurs du *siècle de Périclès* (env. 440 av. J.-C.), période particulièrement féconde de l'art grec.

97. Jean-Baptiste Pigalle, sculpteur (1714-1785).

98. Il s'agit sans doute à la fois des dieux et des vices : qu'on songe à certains épisodes des mythologies grecque et romaine. Voir paragr. 52. – Rousseau établit trois étapes dans les développements parallèles de l'architecture, de l'impiété et de l'inégalité politique : il y a d'abord le moment zéro, celui des lares qui « habitent » auprès des hommes dispersés dans leurs huttes familiales, lequel est suivi de la construction des temples par les peuples démocratiques alors que la croyance religieuse est encore vivante dans le cœur des citoyens ; le dernier moment est celui de l'apparition des « grands » qui subventionnent les arts, se font construire des palais et ne conservent la mémoire des récits souvent scabreux de la mythologie que pour mieux orner leurs demeures. – Voir la *Fiction ou Morceau allégorique sur la révélation* pour une reprise sur le mode allégorique de cette dernière image.

99. Vers 395 apr. J.-C.

100. Il s'agit de l'invasion éclair de l'Italie en 1494 commandée et dirigée par Charles VIII (1470-1498), roi de France. Rousseau oublie de mentionner que les forces françaises furent promptement repoussées par une alliance de forces italiennes.

101. Les deux faits rapportés ici par Rousseau sont tirés, à quelques mots près, des *Essais* de Montaigne, I 24 « Du pédantisme ».

102. On dirait aujourd'hui « cité à caractère militaire ». Montaigne, toujours dans le même essai, parle de l'organisation politique, sociale et administrative d'un État consacré aux choses militaires : il s'agit en l'occurrence de la ville de Sparte.

103. Voir, par exemple, Suétone, *Vies des douze Césars*, particulièrement la *Vie de Néron*, où la déchéance de l'Empire romain est liée, discrètement, à un engouement pour les arts et spectacles ; ou encore Sénèque, *Épitres* 95. Voir paragr. 31.

104. Les Médicis, famille de banquiers et de mécènes italiens, furent longtemps puissants à Florence, en Toscane et donc en Italie. Les premiers maîtres de Florence, quoiqu'ils n'en portassent jamais le titre officiel, furent Côme de Médicis (1389-1469) et Laurent de Médicis, dit le Magnifique (1449-1492). Ce n'est qu'en 1536 qu'un membre de la famille, Alexandre de Médicis, fut nommé duc de Florence. La dynastie connut un mauvais début : Alexandre fut assassiné par un cousin, Lorenzaccio, en 1537. Le choix des Médicis est significatif pour un Français vivant sous les Bourbons : Catherine de Médicis fut l'épouse de Henri II et la mère des derniers Valois, alors que Marie de Médicis fut l'épouse de Henri IV, le premier roi Bourbon. L'une et l'autre reines sont des symboles de la sophistication italienne en France et de l'instabilité politique.

105. Voir, par exemple, Xénophon, *Économique* VII 1-2 et XI 8-25.

106. Annibal (247-183 av. J.-C.), général en chef des armées carthaginoises qui réussirent presque à écraser Rome. Le plus grand geste d'Annibal ne fut pas précisément militaire : ce fut la traversée des Alpes depuis la Gaule transalpine avec son armée et ses éléphants. La victoire de Cannes, en 216 avant Jésus-Christ, un an après celle du lac Trasimène, fut, durant cette deuxième guerre punique, la bataille décisive. Elle fut pourtant pour Annibal l'occasion d'une erreur tout aussi décisive : il n'attaqua pas immédiatement Rome, qui était alors à sa merci, donna aux Romains le temps de se réorganiser et perdit la guerre.

107. Jules César (102-44 av. J.-C.), général et homme politique romain. César, conquérant de la Gaule transalpine, c'est-à-dire en gros de la France et de la Suisse, fut le premier homme à prendre le contrôle total de la République

romaine. Après lui, les chefs politiques romains, ou empereurs, s'appelleraient « César ». Un des gestes cruciaux de sa montée vers le pouvoir suprême fut, en 49, de traverser le Rubicon, rivière du nord de l'Italie, et ce, contrairement à l'ordre explicite du Sénat romain.

108. Il s'agit du grec et surtout du latin, langues mortes et langues de culture, qu'on enseignait dans les collèges au XVIIIe siècle.

109. Allusion à la logique, et surtout à la rhétorique, qui apprend à défendre une cause de la façon la plus efficace possible.

110. Rousseau cite le huitième livre des *Pensées philosophiques* de son ami Denis Diderot.

111. Le sage est Montaigne, qui parle ainsi dans ses *Essais*, I 24 « Du pédantisme ».

112. Rousseau écrira plusieurs années après le *Premier Discours* un traité de pédagogie, qu'il jugera son livre le plus important : c'est l'*Émile ou De l'éducation*.

113. Voir, entre autres, Plutarque, *Dits des Lacédémoniens* 213 D et Montaigne *Essais* I 24 « Du pédantisme ».

114. Lycurgue est le législateur-fondateur à demi légendaire de Sparte.

115. Il s'agit donc aussi d'Athènes, ou en général de la Grèce.

116. Xénophon (430-354 av. J.-C.). Aristocrate athénien et disciple de Socrate, il écrivit, entre autres, la *Cyropédie ou Éducation de Cyrus*. Voir la note 38.

117. Verbe grec qui signifie « frapper ». Ce verbe était utilisé, semble-t-il, comme modèle de conjugaison par les professeurs de grec du temps de Montaigne.

118. En latin : sous forme de démonstration.

119. Rousseau cite encore une fois quelques passages des *Essais* de Montaigne, I 24 « Du pédantisme ».

120. La discordance entre *animée* et *rendu* se trouve dans toutes les éditions du XVIIIe siècle.

121. Allusion aux paysans français, qui étaient des cultivateurs au service des nobles et des riches qui, eux, possédaient les terres et menaient une vie plutôt frivole. Rousseau parlera longuement dans le premier livre de l'*Émile* contre la pratique d'engager des nourrices, tirées elles aussi de cette classe.

122. Plantes utilisées comme remèdes.

123. Il s'agit de Louis XIV (1639-1715), qui fonda diverses académies, par exemple l'Académie des Inscriptions et des Belles-Lettres en 1663.

124. Il s'agit de Louis XV (1710-1774), qui est roi de France au moment où Rousseau écrit.

125. L'étymologie du mot *philosophe* est justement « ami de la sagesse ». La remarque de Rousseau est dure, puisqu'il ramène les philosophes à n'être que quelques-uns de ces sophistes contre lesquels luttait Socrate.

126. Allusion à Berkeley (1685-1753), philosophe anglais, auteur du *Traité sur les principes de la connaissance* et des *Dialogues entre Hylas et Philonoüs.*

127. Allusion à Spinoza (1632-1677), philosophe juif, né aux Pays-Bas, auteur du *Traité théologico-politique* et de l'*Éthique à la manière géométrique.*

128. Allusion imprécise, qui pourrait viser Nicolas Machiavel (1469-1527), auteur du *Prince*, ou Bernard de Mandeville (1670-1733), auteur de *La Fable des abeilles*, œuvre cynique qui soutient que les vices privés sont la source de la prospérité publique.

129. Allusion à Thomas Hobbes (1588-1679), philosophe anglais, auteur du *Léviathan.* Pour ce qui est de Hobbes et de Spinoza, voir le paragraphe suivant.

130. Leucippe (460-370 av. J.-C.), philosophe grec atomiste et matérialiste. On accole ordinairement son nom à celui de Démocrite, surnommé l'athée.

131. Diagoras, philosophe grec. Il fut disciple de Démocrite.

132. On dirait aujourd'hui « ont péri ».

133. Ce serait Achmet III, qui régna de 1703 à 1730.

134. On dirait aujourd'hui « consenti à établir ».

135. Selon l'*Encyclopédie Britannica*, l'anecdote remonte à un certain Abulfaragius.

136. Rousseau vise des « savants » comme Voltaire (*Essai sur les mœurs*). – Voir aussi l'article de Diderot, « Bibliothèque », dans l'*Encyclopédie.*

137. Grégoire Ier, dit le Grand (540-604), pape et docteur de l'Église.

138. Allusion aux œuvres des philosophes.

139. Allusion aux romans écrits par les contemporains de Rousseau. Voir la préface au roman de Rousseau, *Julie ou La Nouvelle Héloïse*, publié plusieurs années après le *Premier Discours.*

140. Il est à remarquer que dans le résumé du texte originel de Rousseau, Gelot fait une quasi-citation de cette phrase et *remplace* « compilateurs d'ouvrages » par « compilateurs de dictionnaires ». (Voir appendice II paragr. 14.) Tel que Rousseau l'a écrit à l'origine, ou tel que Gelot l'entendait, ce passage vise les Encyclopédistes.

141. C'est-à-dire sans discernement, sans y avoir réfléchi.

142. Il s'agit de Francis Bacon, dit comte de Verulam (1561-1626), homme d'État et philosophe anglais, auteur de *La Nouvelle Méthode* et de *La Nouvelle Atlantide*, œuvres qui font l'apologie méthodologique et politique de la science expérimentale.

143. Isaac Newton (1642-1727), mathématicien, physicien, astronome et penseur anglais. On lui doit le principe de l'attraction universelle, principe de base de la physique classique.

144. Il s'agit de Cicéron (106-43 av. J.-C.), le plus grand orateur latin, consul de Rome et auteur de plusieurs livres de philosophie, comme les *Tusculanes* et *De la nature des dieux*, qui ne pouvaient pas plaire à l'orateur qui parle dans le présent discours. Cicéron consacra sa vie politique à la sauvegarde de la République romaine contre les diverses forces internes tendant à la détruire. Ce qui ne l'empêcha pas de connaître et de reconnaître la victoire de Jules César et ensuite d'être assassiné par les successeurs politiques de ce dernier.

145. Il y a eu deux chanceliers d'Angleterre qui furent philosophes. Thomas More (1478-1535), auteur de l'*Utopia*, et Francis Bacon. Il y a quelque paradoxe à ce que Rousseau parle ici de l'un ou de l'autre, car tous les deux voyaient le développement des sciences et des arts comme un grand bien pour la société. Par ailleurs, l'un et l'autre ont parlé dans leurs œuvres de la relation entre le pouvoir politique et le talent intellectuel, sujet de ce paragraphe de Rousseau, et tous deux ont fait les frais dans leur vie d'un rapprochement tenté entre le pouvoir et la raison. Puisqu'il a déjà fait allusion à Bacon dans son *Discours*, il est plus probable que Rousseau pense à ce dernier. D'autant plus que la paraphrase de Gelot nomme explicitement Bacon. Voir appendice II paragr. 15.

146. Image rebattue, mais significative dans le contexte du *Discours sur les sciences et les arts*: les gens de lettres forment une société à part de la société monarchique, un État dans l'État, dont l'égalité est le principe *politique*.

147. Les deux grands peuples dont il est question sont encore une fois Sparte, où l'on sait bien faire, et Athènes, où l'on sait bien dire. Voir Montaigne *Essais* I 24 « Du pédantisme ». Montaigne cite lui-même Cicéron, *De la vieillesse* 63-64, ou Plutarque, *Dits des Lacédémoniens* 235 D-E, deux autres sources possibles de Rousseau.

148. Cette préface fut écrite en 1753 pour accompagner l'édition d'une pièce de théâtre de Rousseau, *Narcisse ou L'Amant de lui-même*, jouée seulement deux fois en décembre 1752.

149. Première apparition dans l'œuvre de Rousseau d'une tendance presque maladive à l'autobiographie et à l'autojustification. Rousseau a constamment lié

sa pensée et sa vie, l'une servant d'explication de l'autre, l'autre servant de miroir de l'une. Du même coup, il a pris, comme il le fait ici, les attaques intellectuelles qu'ils subissaient pour des attaques personnelles, et vice versa.

150. Rousseau fait allusion à un texte intitulé *Réponse*, attribué au roi de Pologne Stanislas Leszczynski, mais, étant donné la faiblesse du français de ce monarque, probablement écrit par quelques-uns de ses courtisans. Rousseau s'empressa de répondre à une réfutation venue d'aussi haut dans un texte intitulé *Observations de Jean-Jacques Rousseau, de Genève, sur la Réponse qui a été faite à son Discours.*

151. Ce discours aurait bel et bien été prononcé le 5 septembre 1752 à la Faculté de philosophie de l'Université de Leipzig, et ensuite publié.

152. En date de janvier 1753, Rousseau avait écrit et publié la *Lettre à l'abbé Raynal*, la *Lettre à Grimm*, les *Observations*, la *Dernière Réponse* et la *Lettre à Lecat.* Tous ces textes servaient à défendre le *Premier Discours.*

153. Voir la note 26.

154. Voir la note 141. On dirait aujourd'hui « inconsidérées ».

155. Un certain Claude-Nicolas Lecat publia une *Réfutation du discours de Rousseau par un académicien de Dijon qui lui a refusé son suffrage.* Or l'auteur n'était pas membre de l'Académie de Dijon, mais secrétaire perpétuel de l'Académie des Sciences de Rouen. Comme l'indique ici Rousseau, cette supercherie fut promptement désavouée. N'empêche que Rousseau écrivit et publia une *Lettre à Lecat.*

156. Mathématicien grec du IIIe siècle avant Jésus-Christ. Ses *Éléments*, un traité de mathématique, sont devenus le symbole de la certitude rationnelle développée selon le mode de la démonstration.

157. En latin : assez d'éloquence, mais peu de sagesse.

158. On peut voir dans cette dernière phrase une allusion aux cinq enfants illégitimes qu'eut Rousseau par sa compagne Thérèse Levasseur et qu'il laissa à l'Hospice des Enfants-Trouvés, institution qui recevait les enfants abandonnés par leurs parents.

159. Voir la note 1.

160. Il s'agit sans doute des institutions politiques et religieuses de son temps, à savoir, entre autres, pour la France, le système monarchique et l'Église catholique. On rencontre souvent ce genre de réticence dans les œuvres de Rousseau. Rappelons que lorsqu'il osera toucher plus directement le problème des institutions politiques et religieuses, dans son *Émile* et son *Contrat social*, il se verra condamner à l'exil et par la France, sa terre d'adoption, et par Genève, sa terre natale.

161. On reconnaît ici quelque chose de la thèse qu'expose Montesquieu dans son traité *De l'esprit des lois*, en particulier aux livres XIV à XVIII. Cependant, alors que Montesquieu voit un avantage politique, social et même moral dans le commerce économique et l'échange culturel entre les peuples (thèse développée en particulier au livre XX), Rousseau y voit une autre source de la corruption politique qui s'ajoute à l'influence néfaste des lettres. – Sur la position de Montesquieu, voir *Les Lettres persanes*, lettres 105-106.

162. Comédie de Gresset, créée en 1747.

163. Cette critique du théâtre, qui doit plaire aux spectateurs et donc respecter leurs préjugés et ménager leurs défauts, sera reprise et amplifiée par Rousseau dans sa *Lettre à d'Alembert*, écrite en 1758.

164. Voir la note 130.

165. Diogène (413-327 av. J.-C.), philosophe grec de l'école cynique. Diogène le Cynique est surtout connu par de petites anecdotes et des remarques caustiques qui montrent son mépris pour les richesses, mais aussi pour le pouvoir politique et toutes les conventions sociales.

166. Pyrrhon (365-275 av. J.-C.), philosophe grec sceptique qui nie la possibilité pour l'homme d'atteindre la vérité. Sa pensée sera reprise par des auteurs comme Montaigne. Voir *PD* paragr. 14.

167. Protagoras (485-411 av. J.-C.), sophiste grec. Sa philosophie est sensualiste et relativiste et s'exprime à travers la célèbre formule, « l'homme est la mesure de toutes choses ».

168. Lucrèce (98-55 av. J.-C.), poète latin. Son poème *De la nature* expose la physique épicurienne matérialiste qui fonde une position morale mettant le plaisir au sommet des biens humains.

169. Voir la note 129.

170. Voir la note 128.

171. On dirait aujourd'hui « le corps ».

172. Selon l'ancienne physique des corps animés, les esprits, des corps légers et subtils, étaient principes de mouvement et véhicules du sentiment. – Les termes « machine » et « esprit » sont employés par Descartes lorsqu'il tente d'expliquer le corps humain ; ils étaient encore communs du temps de Rousseau.

173. L'île de Corse avait été conquise par la république de Gênes en 1284. – La note devait intéresser les lecteurs de Rousseau à plus d'un titre puisque depuis 1729, avec l'aide de la France, les habitants de la Corse tentaient de libérer leur île de cette emprise étrangère ; en 1769, la France allait annexer le territoire

acheté à la République de Gênes. – Rousseau écrira un *Projet de constitution pour la Corse* à l'invitation de certains patriotes corses en 1762.

174. Montaigne, *Essais* III 12 « De la physionomie ». La citation porte sur le personnage de Socrate et simultanément sur le bon usage de la réflexion et de la science, en particulier en ce qui a trait au courage face à la mort. Comparer à *Essais* I 19 « Que philosopher c'est apprendre à mourir ».

175. On dirait aujourd'hui « la foule » ou « la masse ».

176. Il faut distinguer entre la relation à l'autre fondée sur l'amour de soi et la pitié, qui est saine – je me rapproche de l'autre parce que mes besoins sont naturels, et donc simples, et que je vois en l'autre un autre moi-même –, et la relation à l'autre fondée sur l'amour-propre, qui est perverse et contradictoire – je me rapproche de l'autre et lui de moi parce que chacun ne pense qu'à lui, et qu'il se sert de l'autre comme instrument pour assouvir des besoins essentiellement imaginaires, lesquels croissent sans cesse parce qu'ils n'ont pas de limite naturelle.

177. Description succincte de la vision réaliste des relations humaines, telle qu'on peut la trouver par exemple chez Machiavel (*Le Prince*, chap. 15-19).

178. On dirait aujourd'hui « escroquent » ou « trompent ». Un fripon est un personnage vil et malhonnête, mais rusé et adroit, un escroc.

179. Virgile, *Géorgiques* 495-499. Le vers central, 497, est omis. – Le texte latin dit : « Celui-là ne fléchit pas à cause des faisceaux du peuple ni à cause du pourpre des rois, ni à cause de la discorde qui agite des frères infidèles, ni à cause des affaires de Rome, ni à cause d'un royaume destiné à périr. Il ne plaint pas avec compassion le pauvre, ni n'envie le riche. » Le vers omis porte sur les Daces, peuple de barbares et donc de « sauvages ». Cette omission est d'autant plus significative que le contexte originel montre qu'il est question, dans tous ces vers de Virgile, d'un homme civilisé et même d'un sage, mais certes pas d'un sauvage. On notera de plus que ce « sage » est insensible à l'envie, mais aussi à la pitié.

180. Rousseau fait allusion non seulement à son *Discours sur les sciences et les arts*, mais aussi aux réponses à des objections qu'il avait fait publier depuis quelques années.

181. Équilibre physico-moral d'un individu. On dirait peut-être aujourd'hui « s'attaque à son système nerveux » ou « crée du stress ».

182. Romulus et Numa. Pour comprendre pleinement ce dont parle Rousseau ici, il faudrait lire les *Vie de Romulus* et *Vie de Numa* de Plutarque, auxquelles l'auteur se réfère sans le dire.

183. Les lettres sans doute. Voir la note 13.

184. On dirait aujourd'hui « gouvernement » ou « législation ». La censure existait en France du temps de Rousseau.

185. Une opérette de Rousseau, *Le Devin du village*, connut un succès éclatant en 1752 devant le roi Louis XV. Passionné de musique, Rousseau composa de nombreuses chansons.

186. On dirait aujourd'hui : « je cherche à ».

187. Le succès du *Devin du village* avait mérité à Rousseau une pension royale, à la seule condition qu'il se présente lui-même au roi. Rousseau ne sut pas s'astreindre à cette obligation.

188. On dirait aujourd'hui « je méprise ».

189. Après avoir écrit le *Premier Discours*, Rousseau décida de se faire copiste de musique. « Dans l'indépendance où je voulais vivre, il fallait cependant subsister. J'en imaginai un moyen très simple : ce fut de copier de la musique à tant la page. Si quelque occupation plus solide eût rempli le même but, je l'aurais prise ; mais ce talent étant de mon goût et le seul qui, sans assujettissement personnel, pût me donner du pain au jour le jour, je m'y tins. Croyant n'avoir plus besoin de prévoyance et faisant taire la vanité, de caissier d'un financier, je me fis copiste de musique. Je crus avoir gagné beaucoup à ce choix, et je m'en suis si peu repenti que je n'ai quitté ce métier que par force pour le reprendre aussitôt que je pourrai (*Confessions* I 363). » Voir aussi *Rousseau juge* I 847 et 849.

190. Voir *PD* paragr. 55.

191. Voir, par exemple, Cicéron, *De la nature des dieux* et *De la divination*. On notera que Rousseau ne dit pas que cela soit vrai aussi des prêtres du christianisme.

192. C'est-à-dire le Soleil.

193. C'est-à-dire la Lune.

194. C'est-à-dire quelques-unes des planètes visibles à l'œil nu, par exemple Vénus et Mars.

195. Périphrase qui décrit, conformément à la vision précopernicienne, la calotte stellaire.

196. On dirait aujourd'hui « se mouvoir ».

197. C'est-à-dire l'étoile polaire.

198. Noter le passage de la troisième à la première personne du singulier.

199. Noter le retour à la troisième personne du singulier.

200. Le philosophe est indiscret parce qu'il manque de jugement et donc de modération.

201. On dirait aujourd'hui « prêt à ».

202. Ces statues représentent les sept péchés capitaux, dont quatre sont présentés ici : l'orgueil, la luxure ou la sensualité, la colère et l'avarice.

203. C'est-à-dire à l'endroit où le jeu de perspective fait disparaître à la vue l'aspect hideux des statues.

204. Rousseau décrit elliptiquement certaines des pratiques qu'il a condamnées dans d'autres œuvres : on peut deviner qu'il parle de l'avortement, de l'esclavage, du droit de décision des parents dans le choix d'un époux pour leur fille, du célibat religieux, de la prostitution ou encore du mariage de raison. Voir par exemple *Julie* II lettre 2 (II 192-193) ; II lettre 21 (II 271).

205. Imperfection du récit de Rousseau ? Aucun être invisible n'a encore parlé au philosophe, du moins dans son rêve. Avant le rêve, seul le sentiment intérieur, un être invisible certes, lui avait *parlé*. Voir paragr. 10.

206. Il est dit voilé, sans doute, parce qu'on ne peut distinguer ses traits.

207. Il est difficile d'identifier ce premier sage. Il est l'exemplaire d'une première tactique : la dénonciation pure et simple du subterfuge théologico-politique, intellectuel et moral par lequel on asservit les hommes.

208. La statue centrale représente une femme : le dieu de ce temple est une déesse.

209. Ce deuxième sage représente Socrate. On reconnaît sa protestation d'ignorance, son procès, sa condamnation par les Athéniens, sa mort par la ciguë et, finalement, son attitude ironique tolérante envers les erreurs incarnées dans les institutions politiques. Le jeune homme qui accompagne le philosophe semble représenter les disciples qui firent le portrait de Socrate : Xénophon et Platon. Rousseau s'inspire, entre autres, du *Criton* et du *Phédon* de Platon et de l'*Apologie de Socrate* de Xénophon. – Ce Socrate donne l'exemple d'une deuxième tactique pédagogique faite de ruse pour les ministres au pouvoir, d'ironie pour le peuple satisfait de son sort et de discussions exemplaires pour les disciples.

210. C'est probablement le philosophe de la fiction qui parle ici dans son propre rêve, mais il rejoint à peu près la pensée du Socrate de Platon et de celui de Xénophon.

211. Allusion à la parole entendue lors du baptême du Christ (*Matthieu* 3 13-16, *Marc* 1 9-11 ou *Luc* 3 21-22). Noter que la voix vient des airs et non des cieux ; que les mots (et leur sens ?) sont changés : il ne s'agit plus du fils bien-aimé du Père, mais du fils de l'homme, nom plus *terre-à-terre* du Christ ; que l'Esprit de

Dieu ne descend pas sous forme de colombe. Pour ce titre de « fils de l'homme », voir, entre autres, *Matthieu* 8 20.

212. Noter l'ambiguïté du propos : le troisième sage touche les gens du peuple si profondément qu'il pourrait provoquer une révolution ; pourtant, il ne veut pas les rejoindre en tant qu'ils constituent une force politique.

213. Ce troisième sage ressemble au Christ. Pourtant, il est moins révolutionnaire que le Christ ne le fut et, surtout, il ne meurt pas. La tactique du troisième sage, qui n'en est justement pas une, est de court-circuiter les préjugés par un appel direct au naturel, au sentiment et à l'attrait de la simplicité.

214. *Confessions* I 363.

215. I 352.

216. À l'abbé Raynal, qui avait proposé dans le *Mercure de France* des *Observations* sur le *Premier Discours* et qui avait critiqué, entre autres, le style artificiel de l'œuvre, Rousseau répondait en le citant : « *Il est aussi bien des lecteurs qui les goûteront mieux dans un style tout uni que dans cet habit de cérémonie qu'exigent les discours académiques.* Je suis fort du goût de ces lecteurs-là. Voici donc un point dans lequel je puis me conformer au sentiment de mes censeurs, comme je fais dès aujourd'hui (*Lettre à l'abbé Raynal* III 33). »

217. Dans une des *Lettres à Malesherbes*, qui sont une véritable esquisse des *Confessions*, Rousseau affirme le rôle capital que joue le *Discours sur les sciences et les arts* dans l'expression totale de sa pensée : « Tout ce que j'ai pu retenir de ces foules de grandes vérités, qui dans un quart d'heure m'illuminèrent sous cet arbre, a été bien faiblement épars dans les trois principaux de mes écrits, savoir ce premier discours, celui sur l'inégalité et le traité de l'éducation, lesquels trois ouvrages sont inséparables et forment ensemble un même tout (I 1136). » Il est remarquable que Rousseau ne mentionne parmi ses ouvrages principaux ni la *Nouvelle Héloïse*, ni la *Lettre à d'Alembert*, ni le *Contrat social*, qui sont tous les trois écrits, connus de Malesherbes et même publiés au moment où il envoie cette lettre.

218. Voir appendice II paragr. 1.

219. Pour la distinction entre l'auteur et l'orateur du *Discours sur les sciences et les arts*, voir le chapitre troisième de ce commentaire.

220. Voir aussi *Narcisse* paragr. 16.

221. L'orateur n'affirme pas que le déclin des sciences et des arts serait, inversement, la cause d'un regain moral : Rousseau aura raison de dire que, malgré les apparences qui trompent des lecteurs inattentifs, il n'a jamais dit, ni

jamais voulu dire, que la situation dénoncée trouverait remède dans un retrait culturel. Voir, par exemple, *Narcisse* paragr. 34.

222. Il y a une véritable atmosphère montanienne dans l'ensemble du *Premier Discours*, et surtout dans ces paragraphes.

223. Sur l'inégalité et l'orgueil, voir les chapitres troisième et cinquième de ce commentaire.

224. La *Préface au Narcisse*, qui reprend le *Discours sur les sciences et les arts*, et qui, de l'avis de Rousseau lui-même, est plus logique, proposera une filiation assez différente de celle-ci, qu'elle soit corrigée comme il est suggéré ici ou laissée dans son état initial. – Pour l'ordre des effets selon la *Préface au Narcisse*, voir le chapitre cinquième de ce commentaire. – Pour des remarques supplémentaires sur l'ordre du *Premier Discours*, voir appendice I.

225. Voir, par exemple, *Les Lettres philosophiques* de Voltaire, lettres 23-24.

226. Voir, pour fin de comparaison, *Les Lettres philosophiques*, lettre 11.

227. Voir, par opposition, *Les Lettres philosophiques*, lettre 20.

228. Sur l'importance des épigraphes, voir *Rousseau juge* I 941.

229. Voir *Narcisse* paragr. 18 sur la nécessité de la liaison, puis le chapitre cinquième de ce commentaire.

230. Voir les chapitres deuxième et troisième de ce commentaire.

231. En règle générale, pourrait-on affirmer, plus un art est nécessaire à la survie, plus il entretient l'indépendance de l'individu ou du groupe, plus Rousseau l'approuvera ; moins une science est complexe et vise des besoins artificiels, moins il la condamnera. De plus, le texte de Rousseau vise le mal que font les lettres, soit une sorte de sophistication généralisée, plutôt qu'un art précis ou une science donnée, lesquels sont jugés peu utiles, plutôt que nuisibles, à l'ensemble des citoyens.

232. Voir les chapitres troisième et cinquième de ce commentaire sur la distinction entre l'orateur et le penseur : s'il y a double émetteur, il y a double récepteur.

233. Malgré la dénégation de Rousseau, il y a au moins un passage du *Premier Discours* qui prend un ton violemment antilittéraire et où l'auteur, devenu radical, épouse une position intransigeante : c'est la note j. « On dit que le calife Omar, consulté sur ce qu'il fallait faire de la bibliothèque d'Alexandrie, répondit en ces termes : “Si les livres de cette bibliothèque contiennent des choses opposées à l'Alcoran, ils sont mauvais, et il faut les brûler. S'ils ne contiennent que la doctrine de l'Alcoran, brûlez-les encore : ils sont superflus.” Nos savants ont cité ce raisonnement comme le comble de

l'absurdité. Cependant, supposé Grégoire le Grand à la place d'Omar et l'Évangile à la place de l'Alcoran, la bibliothèque aurait encore été brûlée, et ce serait peut-être le plus beau trait de la vie de cet illustre pontife. » Charge rhétorique ou fond de la pensée de l'auteur ? La première hypothèse est la plus probable ou, plus exactement, la charge rhétorique pointe vers le fond de la pensée en lui ajoutant une énergie qui fait partie de la vérité *totale*.

234. Voir le chapitre cinquième de ce commentaire.

235. *Confessions* I 356.

236. I 351. Voir aussi *Malesherbes* I 1135-1136.

237. Voir, par exemple, ses remarques sur le mot *citoyen* dans le *Contrat social* III 361-362.

238. Voir Aristote, *Réfutations sophistiques* 169a22-25.

239. Conséquences que craignait Rousseau. « J'ai fait cent fois réflexion en écrivant qu'il est impossible dans un long ouvrage de donner toujours les mêmes sens aux mêmes mots. Il n'y a point de langue assez riche pour fournir autant de termes, de tours et de phrases que nos idées peuvent avoir de modifications [...] Malgré cela, je suis persuadé qu'on peut être clair, même dans la pauvreté de notre langue ; non pas en donnant toujours les mêmes acceptions aux mêmes mots, mais en faisant en sorte, autant de fois qu'on emploie chaque mot, que l'acception qu'on lui donne soit suffisamment déterminée par les idées qui s'y rapportent et que chaque période où ce mot se trouve lui serve, pour ainsi dire, de définition [...] je ne crois pas en cela me contredire dans mes idées, mais je ne puis disconvenir que je ne me contredise souvent dans mes expressions (*Émile* IV 345). »

240. Quoique Rousseau parle souvent de Sparte et des Spartiates pour les opposer à Athènes et à ses citoyens sans âme ni cœur, son modèle imaginaire de l'homme vertueux est d'abord et avant tout romain. « Je trouve dans l'histoire un exemple unique mais frappant, qui semble contredire cette maxime : c'est celui de la fondation de Rome faite par une troupe de bandits, dont les descendants devinrent en peu de générations *le plus vertueux peuple qui ait jamais existé* (*Narcisse*, note h). » Voir aussi, entre autres, *Dernière réponse* III 87 et les derniers chapitres du *Contrat social*.

241. Rousseau distingue un peu partout entre le savoir et la sagesse, entre le savant et le sage. Voir, par exemple, paragr. 26 et 59 (fin).

242. Même paragraphe. – Noter que les dieux jugent de la sagesse et les hommes de la science. Dans cette distinction, réaffirmée ici par Rousseau, se devine un des conflits de base entre les pensées ancienne et moderne. Sur ce point, mais à sa façon, Rousseau se place avec les Platons et les Plutarques contre les Bacons, les Descartes et les Hobbes.

243. Voir la fin de ce chapitre et le chapitre suivant de ce commentaire.

244. *SD* paragr. 46.

245. Plusieurs des notes de Rousseau, qui n'appartenaient pas au manuscrit initial envoyé à l'Académie de Dijon, font mention des sauvages. Ce qui permet de conclure que ce paragraphe est probablement un des deux passages ajoutés dont Rousseau parle au paragraphe 3. Voir appendice I.

246. Pour un développement de ce thème, voir « Au-delà et en deçà de l'homme social : les pôles de la pensée de Rousseau », dans *Philosophiques*, vol. XIV, n° 2.

247. Thème central de l'œuvre de Rousseau : sa pensée sur l'homme, son anthropologie, est morale en grande partie, mais a des causes et des conséquences politiques. Dans la *Lettre à Christophe de Beaumont*, où il explique la genèse et les grands thèmes de sa pensée, Rousseau écrit : « Aussitôt que je fus en état d'observer les hommes, je les regardais faire et je les écoutais parler ; puis, voyant que leurs actions ne ressemblaient point à leurs discours, je cherchai la raison de cette dissemblance et je trouvai qu'être et paraître étant pour eux deux choses aussi différentes qu'agir et parler, cette deuxième différence était la cause de l'autre, et avait elle-même une cause qui me restait à chercher. Je la trouvai dans notre ordre social, qui, de tout point contraire à la nature que rien ne détruit, la tyrannise sans cesse et lui fait sans cesse réclamer ses droits. Je suivis cette contradiction dans ses conséquences et je vis qu'elle expliquait seule tous les vices des hommes et tous les maux de la société (*Lettre à C de B* IV 966-967). » Voir aussi *Émile* IV 524.

248. *République* 543 a.

249. À ce titre, le dialogue qui, selon la Tradition, devait servir d'introduction à la *République*, le *Cléitophon*, offre une merveilleuse mise en scène pour le débat qui le suit.

250. L'ambiguïté de la phrase de Rousseau laisse quelque doute au sujet du statut final de Bacon : est-il le plus grand des philosophes ou le plus grand sauf un ? Cependant, il est mis parmi les premiers, avec Platon et, n'en déplaise aux apôtres de l'humilité, avec Rousseau lui-même. Par ailleurs, le contexte de la citation prouve que c'est en tant que philosophe politique que le citoyen de Genève admire le chancelier d'Angleterre. D'où les remarques qui suivent sur *La Nouvelle Atlantide*.

251. Le titre de l'œuvre en est déjà une illustration : la nouvelle Atlantide, Bensalem, réussira alors que l'ancienne Atlantide, décrite par Platon, fut punie par les dieux. De plus, vers le milieu de *La Nouvelle Atlantide*, Bacon fait dire à un de ses personnages que l'île de Bensalem, qui serait réelle, est supérieure à la cité parfaite imaginaire de Platon, à la fois sur le plan politique et sur le plan

moral. Sa supériorité sur le plan de la domination de la nature est le thème constant et le sens premier de tout le texte.

252. Le problème de l'action du sage est abordé à nouveau dans le chapitre suivant.

253. Voir *Narcisse* paragr. 7.

254. Comparer, par exemple, l'auteur qui affirme : « Mon sujet intéressant l'homme en général, je tâcherai de prendre un langage qui convienne à toutes les nations, ou plutôt, oubliant les temps et les lieux, pour ne songer qu'aux hommes à qui je parle, je me supposerai dans le Lycée d'Athènes, répétant les leçons de mes maîtres, ayant les Platons et les Xénocrates pour juges, et le genre humain pour auditeur (*SD* paragr. 43) » ; et l'homme qu'il décrit deux pages plus loin : « je vois [l'homme dans l'état de nature] se rassasiant sous un chêne, se désaltérant au premier ruisseau, trouvant son lit au pied du même arbre qui lui a fourni son repas, et voilà ses besoins satisfaits (paragr. 46). »

255. *Jean-Jacques Rousseau : la transparence et l'obstacle*, Paris, Gallimard, 1971, p. 252.

256. Sur la relation entre la pensée de Rousseau et sa vie, voir le début du chapitre sixième de ce commentaire.

257. Dans la *Lettre à Lecat*, écrite pourtant après le couronnement du *Premier Discours*, Rousseau, ayant abandonné la toge de l'orateur, prend une position moins naïve au sujet de l'objectivité de ses juges : « j'étais bien éloigné d'attendre d'une académie cette impartialité dont les savants ne se piquent nullement toutes les fois qu'il s'agit de leurs intérêts (III 97). » Ce jugement dur, qu'il a répété nombre de fois au cours de sa vie, est plus près de son sentiment véritable.

258. Comme on le voit dans le *Second Discours*, Rousseau distingue entre les philosophies nationales et la philosophie tout court, entre la « tourbe philosophesque » ou le « peuple lettré » et le vrai sage cosmopolite. Voir *SD* paragr. 193 et 205. Ces passages ne font que reprendre, plus clairement, une distinction faite dans le *Premier Discours* entre les vrais savants et la « foule d'écrivains obscurs et de lettrés oisifs (paragr. 39) ». En somme, se distinguent du vrai sage, et même s'y opposent, à la fois les bonnes gens, plus ou moins touchés par les lettres, et la majorité des *intellectuels*.

259. *Préface d'une seconde lettre* III 105-106. On notera qu'ici Rousseau identifie le lecteur et l'auditeur, l'écrivain et l'orateur. – Pour toute cette question d'une double présentation de la pensée de Rousseau, voir « L'*ars occultandi*, partie intégrante de l'art d'enseigner », dans *Laval théologique et philosophique*, octobre 1983.

260. Sur l'importance de l'impression que fait la personne même de l'orateur, voir Aristote, *Rhétorique* 1356a1-13.

261. On ne veut pas par là suggérer que le *vrai* Rousseau ait pensé autre chose que son *personnage* : au contraire, et le penseur et l'orateur sont Rousseau et, en tant que tels, expriment sa pensée. Cette distinction entre l'orateur et le penseur est une sorte de jeu intellectuel par lequel sont manifestées différentes dimensions du *Discours sur les sciences et les arts* : on ne suppose pas qu'il est prouvé, ni tente-t-on de prouver, que Rousseau s'est dédoublé pour créer son texte. Cependant il était capable d'un tel exercice. Le *Rousseau juge de Jean-Jacques* est construit tout entier sur un dédoublement. « J'ai pris la liberté de reprendre dans ces entretiens mon nom de famille, que le public a jugé à propos de m'ôter, et je me suis désigné en tiers à son exemple par celui de baptême, auquel il lui a plu de me réduire (I 663). » En clair, l'auteur crée un personnage, Rousseau, qui au fond n'est personne d'autre que l'auteur lui-même raisonnant honnêtement, lequel examine le cas d'un autre personnage, Jean-Jacques, qui est toujours l'auteur mais vu de l'extérieur, ou par le public. Voir le début du chapitre sixième de ce commentaire. – Pour ce qui est des masques que Rousseau a portés dans la vie, voir, entre autres, *Confessions* I 247 et suivantes.

262. Rousseau louera pourtant l'Académie d'avoir laissé la question sous forme de problème, ce qui lui permettait quand même de répondre par la négative : « C'est de la question elle-même qu'on pourrait être surpris : grande et belle question s'il en fut jamais, et qui pourra bien n'être pas sitôt renouvelée. L'Académie française vient de proposer pour le prix de l'éloquence de l'année 1752 un sujet fort semblable à celui-là. Il s'agit de soutenir que *l'amour des lettres inspire l'amour de la vertu*. L'Académie n'a pas jugé à propos de laisser un tel sujet en problème ; et cette sage compagnie a doublé dans cette occasion le temps qu'elle accordait ci-devant aux auteurs, même pour les sujets les plus difficiles (*Observations* III 38). » Que l'Académie française se soit mêlée de cette question en proposant un nouveau concours sur les lettres et la vertu est un signe supplémentaire, s'il en fallait, des répercussions que le *Premier Discours* eut sur le Siècle des lumières déclinant. – Gelot a fait l'apologie de l'ouverture d'esprit des membres de l'Académie. Voir appendice II paragr. 22.

263. Gelot, mais encore une fois après avoir pris connaissance de la réponse de Rousseau, entend la question plus profondément. Voir appendice II paragr. 23.

264. Que le « corollaire » examiné dans le *Discours sur les sciences et les arts* conduit à des questions plus dangereuses se voit par certaines réticences de Rousseau même dans ses écrits plus hardis : « Il y a parmi les hommes mille sources de corruption et, quoique les sciences soient peut-être la plus abondante et la plus rapide, il s'en faut bien que ce soit la seule [...] Les croisades, le commerce, la découverte des Indes, la navigation, les voyages de long cours et d'autres causes encore que je ne veux pas dire, ont entretenu et augmenté le désordre (*Narcisse* note d). » – Rousseau ne veut pas en parler dans cette note, il ne veut

pas en parler trop directement dans la *Préface* non plus, mais il y fait allusion depuis le *Premier Discours*. Quand il en traitera de front par exemple dans l'*Émile* et le *Contrat social*, il sera poursuivi par les autorités politiques et religieuses.

265. *Préface d'une seconde lettre* III 106.

266. *Confessions* I 388.

267. Comme on l'a déjà dit, Rousseau affirma ailleurs (*Malesherbes* I 1136), dans une sorte de bilan de son œuvre philosophique, que le *Premier Discours*, le *Second Discours* et l'*Émile* forment un tout qui expose l'essentiel de sa pensée. Bien mieux, dans ses mêmes lettres, il attribue un rôle particulièrement important au *Discours sur les sciences et les arts* dans la genèse de sa pensée : tout son œuvre n'est que la tentative, ratée en partie, de reproduire l'intuition qui fut au principe de tout, mais qui trouva une expression immédiate et encore toute *chaude* dans la fameuse prosopopée de Fabricius.

268. Voir les chapitres premier et second de ce commentaire.

269. Gelot l'avait bien senti. Voir appendice II paragr. 18.

270. Voir le chapitre cinquième de ce commentaire.

271. Cette question sera examinée dans les chapitres sixième et neuvième de ce commentaire. Pour l'idée de Rousseau sur le rôle du sentiment dans l'expression juste de sa pensée et de toute pensée vraie sur l'homme, voir les pages décisives de *Rousseau juge* I 686 et suivantes.

272. Pour Montaigne, voir *SD* paragr. 174 et *Émile* IV 530, entre autres. Pour Plutarque, voir *SD* paragr. 17 et *Émile* IV 531, entre autres. Enfin pour Platon, voir *SD* paragr. 13, 52, 137, 194 et 206, et *Émile* IV 699, entre autres.

273. Paragr. 47 et 51.

274. Voir, par exemple, le paragr. 47 et la longue note i, où l'auteur se contente de changer l'ordre des morceaux, qui sont, pour le reste, tirés mot à mot du texte de Montaigne.

275. L'essai « Du pédantisme » est suivi d'un autre, intitulé « De l'institution des enfants », qui y a rapport: Montaigne lui-même fait référence au premier dans le second. En somme, le premier essai offre une critique des conceptions pédagogiques courantes, tandis que le second propose la solution montanienne. On trouvera ici un résumé des deux essais.

276. Début du résumé de « De l'institution des enfants ».

277. *Narcisse* paragr. 31. – Sans doute Montaigne dit-il ici et là des choses tout à fait consonantes. Néanmoins, ce que Rousseau dénonce comme quelque chose à révolutionner par une attitude toute nouvelle sur le plan politique et sur le plan humain, Montaigne le voit comme un résultat malheureux que plusieurs

pourraient éviter, comme un défaut factuel qu'il s'agit de souffrir ou de modérer, grâce à une prudence qui se nourrit, dans les meilleurs cas, de la réflexion.

278. Héros de Plutarque qu'on trouve dans ses *Vies des hommes illustres.*

279. Héros de romans. – *Confessions* I 9. Voir aussi *Rousseau juge* I 819.

280. *Rêveries du promeneur solitaire* I 1024.

281. N'est-il pas significatif que Rousseau, dans une ébauche des *Confessions*, décrivait son projet d'autobiographie en opposition à l'intention de Montaigne dans les *Essais* ? – Voir I 1149-1150.

282. On remarquera, par exemple, qu'il fait allusion à chacune des cinq illustrations de son *Émile* dans le corps de son texte. Ou, ce qui revient au même, qu'il a tenu à ce que les illustrations qui accompagnaient son traité d'éducation renvoient aux images centrales de chacun des cinq livres. Voir *Émile* IV 259, 393, 454, 606, 810 et 869. – Pour l'interprétation de l'illustration du *Premier Discours*, voir la *Lettre à Lecat* III 102.

283. Voir la fin du chapitre premier de ce commentaire.

284. À la fois parce qu'elles furent toujours les œuvres préférées de Rousseau, comme il a été dit, et qu'il puise souvent en elles pour illustrer son *Premier Discours*.

285. Comparer la *Vie de Numa* de Plutarque à : « [D]es deux premiers rois de Rome qui donnèrent une forme à la république et instituèrent ses coutumes et ses mœurs, l'un ne s'occupait que de guerre, l'autre que de rites sacrés, les deux choses du monde les plus éloignées de la philosophie (*Narcisse* note h). » À l'opposé, l'intention de Plutarque est de montrer que ni la religion ni la guerre ne sont éloignées de la philosophie ou, plus exactement, que la philosophie n'éloigne ni de l'une ni de l'autre.

286. Voir paragr. 9, en notant l'ironie dure qui anime des phrases comme : « Le besoin éleva les trônes ; les sciences et les arts les ont affermis. Puissances de la terre, aimez les talents et protégez ceux qui les cultivent. Peuples policés, cultivez-les ; heureux esclaves, vous leur devez ce goût délicat et fin dont vous vous piquez : cette douceur de caractère et cette urbanité de mœurs qui rendent parmi vous le commerce si liant et si facile, en un mot, les apparences de toutes les vertus sans en avoir aucune. »

287. Cette intrication de la philosophie et de la politique explique d'ailleurs pourquoi Plutarque chapeaute la description de la révolution thébaine du titre le *Génie de Socrate* : la philosophie (représentée par Socrate) et la politique (dont l'acte radical est la révolution) ont partie liée.

288. Voir *Dernière réponse* III 72 pour mesurer encore une fois la différence entre Rousseau et Plutarque.

289. Voir la note g.

290. *Émile* IV 250.

291. Pour chacune de ses trois remarques, comparer l'*Apologie de Socrate* 21d et le paragr. 29.

292. Voir III 1246, note 2 de la page 13.

293. Comparer l'*Apologie de Socrate* 22e et le paragr. 28.

294. Voir par exemple, le *Lakhès* de Platon, où l'on voit Socrate interroger et réfuter à plusieurs reprises Nikias et Lakhès.

295. Que Rousseau perçoit la différence entre les mots *artiste* et *artisan* est patent. Voir, par exemple, *Observations* III 45, ou encore ce passage : « ces importants qu'on n'appelle pas artisans mais artistes, travaillant uniquement pour les oisifs et les riches, mettent un prix arbitraire à leurs babioles (*Émile* IV 457) » Émile sera un artisan et non un artiste, évidemment.

296. Comparer cette citation à l'*Apologie de Socrate* 38a.

297. Cette comparaison serrée des deux textes est inspirée d'une thèse de Leo Strauss, qu'on trouvera dans son *Persecution and the Art of Writing*, Greenwood Press, 1973.

298. Voir le chapitre deuxième de ce commentaire, qui pourrait paraître contredire ces remarques. – En somme, la vertu intellectuelle ne suffit pas à la tâche qui lui incombe. Elle est justifiée si elle est mise au service de la vertu et de l'innocence, pas par une noblesse qui lui est intrinsèque. Mais elle ne peut servir la vertu et l'innocence qu'en minant à mesure ce qu'elle tente de renforcer. Le penseur doit se faire homme d'action, et doit pour ainsi dire recouvrer son innocence ; ou le penseur doit se faire exemple d'une sensibilité exquise qui soutiendra en même temps la moralité et l'innocence comme le modèle platonicien de la rationalité n'a jamais su le faire. – Pour confirmer cette remarque, voir comment dans la *Vie de Caton* de Plutarque, le héros romain critique Socrate le philosophe après lui avoir trouvé certaines qualités en tant qu'homme. Rousseau suit le modèle que lui offre son maître Plutarque : mais il comprend Socrate à la lumière de Caton (ou Fabricius), alors que Plutarque fait tout le contraire. Pour confirmer ces remarques, lire la *Vie d'Alcibiade*, en cherchant le *centre* autour duquel se déploient les *pérégrinations* politiques et militaires du héros.

299. *Émile* IV 626 ; et *Lettre à C de B* IV 993. – Voir aussi *Fiction* paragr. 21.

300. Il suffit de relire l'*Ion* de Platon dans cette optique pour saisir l'effet dévastateur que Socrate pouvait avoir sur l'admiration commune pour les poésies grecques et leurs interprètes. – Sur le respect de la démocratie chez Rousseau, voir la fin du chapitre troisième de ce commentaire.

301. Voir l'*Euthyphron* de Platon, où Socrate réduit à néant les mythes grecs sous prétexte qu'ils ne sont pas assez cohérents.

302. Voilà pourquoi dans la *Fiction* le philosophe de Rousseau est si troublé par l'apologie que Socrate fait de la déesse *Amour-propre* : pour Rousseau, en dernière analyse, Socrate défend ce qui, dans la vie humaine, doit être critiqué, voire déraciné pour libérer l'amour de soi et la pitié. Pour le dire autrement, Socrate, l'apologiste de l'*eros*, est corrupteur de la jeunesse, car *eros* est le nom païen de l'amour-propre.

303. *Confessions* I 387-388.

304. Il faut tomber d'accord avec Rousseau au sujet du manque de pertinence du *Narcisse*, du moins quant à l'exposition de sa pensée, et ce, contrairement au *Devin du village* par exemple. Même si la pièce porte le sous-titre *L'Amant de lui-même*, qui, croirait-on, renverrait au thème de l'amour de soi, il paraît après analyse que l'anecdote d'un Valère qui perd la tête pour une image de lui-même ne soit pas une illustration de la pensée de Rousseau sur les passions fondamentales de l'âme humaine. Mais certes la question reste ouverte. – Pour ce qui est de la possibilité de créer une œuvre littéraire à sens philosophique, Rousseau est clair : un roman tel que *La Nouvelle Héloïse* développe selon un mode particulier, celui de l'anecdote et de l'imaginaire, les thèses rousseauistes. « Tout ce qu'il y a de hardi dans le *Contrat social* était auparavant dans le *Discours sur l'inégalité* ; tout ce qu'il y a de hardi dans l'*Émile* était auparavant dans la *Julie* (*Confessions* I 407) » Voir aussi la *Lettre à C. de B* IV 933. – Voir *Le Discours sur l'inégalité de Rousseau*, « De l'amour de soi à l'amour romantique ».

305. Critique à laquelle Rousseau n'était pas insensible. Voir *Rousseau juge* I 930. N'empêche qu'aux yeux de Rousseau, n'y voir que de la rhétorique justement, c'était manquer peut-être l'essentiel du *Premier Discours* : d'après lui, le ton est tout, ou presque. Voir, par exemple, *Confessions* I 495-496.

306. Voir le chapitre premier de ce commentaire.

307. Les phrases qui suivent résument les paragraphes 18 à 30.

308. « L'Auteur de toutes choses est la source de la vérité ; tout connaître est un de ses divins attributs. C'est donc participer en quelque sorte à la suprême intelligence que d'acquérir des connaissances et d'étendre ses lumières. En ce sens j'ai loué le savoir [...] la science toute belle, toute sublime qu'elle est, n'est point faite pour l'homme (*Observations* III 36). »

309. Sur le comportement d'un homme moderne, voir, par exemple, *Rousseau juge* I 855-856.

310. *Confessions* I 352.

311. Voir le chapitre troisième de ce commentaire.

312. On pourrait « allonger la liste » des passages semblables, même si on ne s'en tenait qu'aux textes que Rousseau a écrits pour défendre le *Discours sur les sciences et les arts*. Voir, par exemple, *Lettre à monsieur l'abbé Raynal* III 33, *Observations* III 37 et 46, et *Lettre à Grimm* III 65. C'est dire qu'il y a eu, du texte originel à ses apologies, un mouvement inverse à celui qui a présidé à sa création : le penseur, qui, pour les besoins de sa cause, s'était fait orateur, se refait penseur, argumentant ferme, raisonnant serré, révélant de plus en plus et exposant de mieux en mieux les thèses fondamentales de sa position.

313. On notera sans doute qu'au moment même d'abandonner les tours oratoires, Rousseau les emploie encore et toujours : c'est l'argument *ad hominem* par excellence que d'accuser son interlocuteur de n'utiliser que des arguments *ad hominem* ; de plus, dans la longue note sur ses adversaires qui ne sont pas ses adversaires, Rousseau manie le ridicule en maître. Il n'en reste pas moins que la *Préface au Narcisse* se trouve moins sous la coupe de l'argumentation rhétorique que ne l'est le *Premier Discours*. Voir la note suivante.

314. Comme toujours, Rousseau ne se cache pas, et ne cache pas beaucoup à ses lecteurs, l'existence de deux types d'auditoire : « Plusieurs ont entrepris de me réfuter hautement ; les sages ont pu voir avec quelle force, et le public avec quel succès, ils l'ont fait (paragr. 3). » Il faut une intelligence plus valide pour juger de la force d'une argumentation que pour en constater l'effet objectif : c'est cette validité de l'intelligence qui distingue les sages du public. – La *Préface au Narcisse* renverse les proportions du *Discours sur les sciences et les arts* : il s'agissait dans le premier écrit de rejoindre un auditoire moins bien formé sans ennuyer les sages, alors qu'ici Rousseau s'adresse surtout aux penseurs qui saisissent le fond de sa pensée, mais sans oublier le public en général. Cette nouvelle situation sera aussi celle du *Discours sur l'inégalité* : « je me supposerai dans le Lycée d'Athènes, répétant les leçons de mes maîtres, ayant les Platons et Xénocrates pour juges, et le genre humain pour auditeur (paragr. 43). » Lors du *Premier Discours*, les juges se situaient plutôt parmi les gens ordinaires, les auditeurs parmi les sages.

315. Voir par exemple le paragr. 7 et la note f.

316. Rudesse qu'il avait employée avant. Voir *Observations*, où Rousseau répond au roi Stanislas Leszczynski en l'appelant, à plusieurs reprises, son adversaire.

317. « Après mon *Premier Discours*, j'étais homme à paradoxes, qui se faisait un jeu de prouver ce qu'il ne pensait pas (*Lettre à C de B* IV 928). » Voir aussi la *Lettre à Grimm* III 67 et surtout *Dernière Réponse* III 71.

318. Le *Discours sur les sciences et les arts* ne connut pas que des partisans et des convertis ; il y eut de nombreuses *réfutations* de la thèse de Rousseau, signe que ce dernier avait touché un point sensible. Faisant preuve d'un talent de polémiste qu'il allait utiliser toute sa vie, Rousseau écrivit et publia au moins cinq défenses du *Premier Discours*, dont cette *Préface au Narcisse*.

319. L'étymologie grecque du mot est la suivante : *para*, c'est-à-dire « à côté de » ou « opposé à » et *doxa*, « l'opinion ». Un paradoxe est donc d'abord une idée qui est hors des bornes de l'opinion reçue, une opinion *marginale*.

320. *Dernière réponse* III 71. – Noter l'expression « vrais philosophes » : on peut être un lettré et pourtant faire partie des gens superficiels. Cette idée est même une conséquence du système de Rousseau : si la vérité est d'abord fonction d'une évidence du cœur, beaucoup de lettrés, ayant déformé leur cœur par la pratique des sciences et des arts, ne sauront pas voir la vérité que portent les livres de Rousseau ; et même si la vérité est d'abord une *idée idéale* sur le cœur, les savants qui, en nouveaux Thalès, se perdent dans l'observation des astres, par exemple le Soleil, ou observent, calculent et mathématisent les règles de la nature, par exemple les lois de l'optique, pour mieux la conquérir, les savants donc ne voient pas la vérité par une espèce de déformation ou de *préoccupation* professionnelles.

321. C'est dans la *Dernière Réponse* que, pour la première fois, Rousseau revendique pour ses thèses le statut de vérités démontrées : « Si l'expérience ne s'accordait pas avec ces propositions démontrées, il faudrait chercher les causes particulières de cette contrariété. Mais la première idée de ces propositions est née elle-même d'une longue méditation sur l'expérience, et pour voir à quel point elle les confirme, il ne faut qu'ouvrir les annales du monde (III 74). » Cependant, nous semble-t-il, dans le *Discours sur les sciences et les arts*, le penseur sans doute, par opposition à l'orateur, leur supposait déjà ce statut, quoique sans le dire en toutes lettres.

322. « Si le seul discours de Dijon a tant excité de murmures et causé de scandale, qu'eût-ce été si j'avais développé du premier instant toute l'étendue d'un système vrai mais affligeant, dont la question traitée dans ce discours n'est qu'un corollaire (*Préface d'une seconde lettre* III 106) ? » – Noter l'emploi du mot *corollaire* qui renforce le rapprochement avec la démonstration mathématique.

323. Cette affirmation de la supériorité et de la radicalité de la réflexion anthropologique et morale est une constante dans l'œuvre de Rousseau. Voir, entre autres, *SD* paragr. 24.

324. Voir le chapitre troisième de ce commentaire.

325. Pour la supériorité de Rousseau sur Descartes, Hobbes et Platon, voir les trois chapitres suivants de ce commentaire.

326. Dans ce contexte, on pourrait rappeler que Socrate se croit supérieur aux artisans même s'il avoue qu'ils ont une certaine sagesse ; c'est que la sagesse de Socrate porte sur une matière plus fondamentale que celle des artisans. Voir *Apologie de Socrate* 22d-e.

327. Dès le paragraphe suivant, le loisir a disparu comme cause pour ne plus réapparaître de tout le texte : « Le goût des lettres, qui naît du *désir de se distinguer*, produit nécessairement des maux infiniment plus dangereux que tout le bien qu'elles font n'est utile ; c'est de rendre à la fin ceux qui s'y livrent très peu scrupuleux sur les moyens de réussir. » Voir aussi *Observations* III 49-50. – Le loisir dans la pensée de Jean-Jacques Rousseau a plutôt teinte de bien-être et de bonheur, qu'on pense à l'indolent homme dans l'état de nature ou à la description que Rousseau fait de son idée du bonheur, dans l'*Émile* IV 678-691, dans *Rousseau juge* I 822 ou dans les *Rêveries* I 1040-1049.

328. À la limite, c'est l'intention qui seule permet de distinguer le bien moral du mal. Voir *Lettres morales* IV 1106. Néanmoins, les comportements objectivement bons naissent la plupart du temps et comme par nature de l'intention de l'homme subjectivement bon. Aussi la question de la qualité du cœur, apparemment un intangible, n'est pas oiseuse pour le penseur politique et l'homme concerné par la quantité des malheurs bien réels que les hommes se font les uns aux autres.

329. On dirait que, selon Rousseau, il y a chez l'espèce humaine une propension chez les individus à s'imaginer plus grands ou nobles qu'ils ne le sont. Entrevoyant ce que pourrait être tel homme à partir des possibilités que révèlent sa nature, tous s'imaginent avoir atteint ce niveau à partir de leur appartenance à l'espèce : « Les nouvelles lumières qui résultèrent de ce développement augmentèrent sa supériorité sur les autres animaux en la lui faisant connaître. Il s'exerça à leur dresser des pièges, il leur donna le change en mille manières et, quoique plusieurs le surpassassent en force au combat ou en vitesse à la course, de ceux qui pouvaient lui servir ou lui nuire, il devint avec le temps le maître des uns et le fléau des autres. *C'est ainsi que le premier regard qu'il porta sur lui-même y produisit le premier mouvement d'orgueil ; c'est ainsi que sachant encore à peine distinguer les rangs et se contemplant au premier par son espèce, il se préparait de loin à y prétendre par son individu* (*SD* paragr. 101). » – Les italiques ne sont pas dans le texte d'origine.

330. « Dans un État bien constitué, tous les citoyens sont si bien égaux que nul ne peut être préféré aux autres comme le plus savant, ni même comme le plus habile, mais tout au plus comme le meilleur. Encore cette dernière distinction est-elle souvent dangereuse, car elle fait des fourbes et des hypocrites (paragr. 19). » Il semble donc que le seul état de l'homme où il soit possible

d'imaginer les hommes ordinaires libres de l'amour-propre soit un état hors de la société, que cet état se situe avant l'apparition de la société ou en deçà de la société actuelle. – Voir le chapitre septième de ce commentaire pour toute la question de l'amour-propre et de son origine.

331. Plutôt que de dire que la réflexion a commencé avec l'étonnement et qu'elle est portée par un désir de sortir de soi, comme le veulent Platon et Aristote, Rousseau soutiendrait que la pensée est pratique chez la plupart des hommes et que quand elle ne l'est pas et est pourtant saine, c'est parce qu'elle est l'effet d'un trop plein d'énergie par lequel l'individu d'exception se retrouve dans l'exercice de ses facultés. L'*eros* des Grecs est remplacé par l'amour de soi. – Sur l'amour de soi, voir le chapitre septième de ce commentaire. Sur l'enfance des êtres d'exception, voir, évidemment, la vie de Rousseau (*Confessions* I 62).

332. Évidemment, il peut arriver que l'influence du milieu fasse dégénérer une âme par nature exempte de la vanité intellectuelle. Mais dans le cas des gens ordinaires, il est impossible de trouver un puissant désir de connaître philosophique ou scientifique, un puissant élan de création littéraire ou artistique, sans y trouver une importante part d'orgueil, ou de désir de bien paraître.

333. On trouvera cette œuvre remarquable, et trop peu analysée par les interprètes des thèses rousseauistes, dans le premier tome des *Œuvres complètes* de l'édition de la Pléiade aux pages 657-992. – Voir « La pensée politique des *Dialogues* : le juste, l'injuste et le juge » dans *Lectures de Rousseau*, 2003, pages 105-126.

334. Jean Starobinski, *Jean-Jacques Rousseau : la transparence et l'obstacle*, p. 6. – Cette donnée d'histoire de la philosophie a un pendant pour ainsi dire pédagogique : si Rousseau doit être jugé en même temps que sa pensée, si la nature individuelle de l'auteur s'explique par la théorie qu'il expose et vice versa, le lecteur est tout autant enjeu : son incapacité de comprendre ou d'accepter les thèses rousseauistes deviendra un signe d'une mauvaise volonté, d'une incapacité *cordiale*, qui est expliquée par le système. Penser avec Rousseau ou contre lui, c'est se penser et se révéler.

335. Rousseau, le chantre de la transparence, est aussi le magicien du dédoublement. Voir le chapitre troisième de ce commentaire.

336. La fin du paragraphe 9 avec son allusion voilée aux enfants illégitimes de Rousseau serait une autre preuve, s'il en fallait, que le problème du témoignage de la vie d'un penseur préoccupait Rousseau.

337. Voir le chapitre cinquième de ce commentaire.

338. Avec cette différence non négligeable que Platon ne se prend jamais lui-même comme exemple. Il faut attendre saint Augustin, disciple de Platon, mais surtout disciple du Christ, pour voir la vie de l'auteur lui-même devenir le foyer de l'attention et le socle de la théorie. Ce qui rend compte de l'ambiguïté du titre de son autobiographie : les *Confessions* sont d'abord la biographie du pécheur repenti et sauvé – une confession dans un premier sens, une confession des péchés – puis, à partir du livre dixième, l'analyse de quelques questions théoriques fort difficiles entourant le récit de la création dans la *Genèse* – une confession dans un second sens, une confession de foi.

339. *Apologie de Socrate* 23a-b.

340. *Discours de la méthode* I paragr. 4-5.

341. VI paragr. 4.

342. Voir *PD* paragr. 39 et 59.

343. *Lettres morales* IV 1099. – Les remarques qui suivent reposent, quant au texte, sur cette œuvre peu connue de Rousseau. Quant aux thèses, elles reprennent de façon concentrée ce qu'on peut trouver diffus dans ses autres livres.

344. IV 1109.

345. « Tout animal a des idées puisqu'il a des sens, il combine même ses idées jusqu'à un certain point, et l'homme ne diffère à cet égard de la bête que du plus au moins [...] ce n'est donc pas tant l'entendement qui fait parmi les animaux la distinction spécifique de l'homme que sa qualité d'agent libre (*SD* paragr. 59). »

346. *Lettres morales* IV 1109.

347. L'argument laisse à désirer : ce qu'on reprocherait à Rousseau est d'avoir persévéré dans ce péché de jeunesse, car il a fait jouer et publier cette pièce.

348. *Rousseau juge* I 867. – Rousseau a défendu son *Devin du village* avec un acharnement qu'on s'explique mal, à moins que cette œuvre exprime à sa façon l'essentiel de la vision de son auteur. « Une chose encore animait le zèle de mes recherches. L'auteur du *Devin du village* n'est pas, quel qu'il soit, un auteur ordinaire, non plus que celui des autres ouvrages qui portent le même nom (p. 866). » La pensée et la musique de Rousseau coulent de la même source ; en tant que telles, elles portent le même message.

349. *Confessions* I 388. – Il faut bien garder en tête cependant que si le *Second Discours*, selon les paroles de Rousseau, dévoile tout à fait sa pensée, il n'est pas l'ouvrage de *la* plus grande importance. Ce titre est réservé à l'*Émile*, l'œuvre maîtresse. « Eh ! comment me résoudrais-je à justifier cet ouvrage ? moi qui crois effacer par lui les fautes de ma vie entière ; moi qui mets les maux qu'il

m'attire en compensation de ceux que j'ai faits ; moi qui, plein de confiance, espère un jour dire au juge suprême : " Daigne juger dans ta clémence un homme faible. J'ai fait le mal sur la terre, mais j'ai publié cet écrit (*Lettres écrites de la montagne* III 697). " »

350. La bonté dont il est question ici est d'abord et avant tout biologique. L'homme est bon comme le lion est bon. Le mot, pour autant qu'il a une connotation morale, signifie innocent.

351. Voir *PD* paragr. 46 et *Narcisse* note g.

352. *SD* paragr. 95. – Si ce *Second Discours* est une œuvre adressée à des savants, l'état de nature est, pour Rousseau, une hypothèse scientifique acceptable, étant donné l'état des études de son temps en biologie et en anthropologie, une hypothèse qui lui permet de montrer comme en image ce qu'il a découvert en méditant sur l'âme humaine. Le fond de sa pensée ne se verrait pas alors premièrement dans les supposés faits qu'il établit, « des faits donnés *comme* réels (paragr. 95) », mais ces derniers conduiraient celui qui réfléchit aux observations psychologiques fondamentales qui sont à l'origine de l'hypothèse scientifique.

353. *PD* paragr. 32.

354. *PD* paragr. 57-58. – Voir aussi paragr. 60 et *Narcisse* paragr. 20.

355. Étant donné que l'objectif de ce commentaire est d'exposer la pensée de Jean-Jacques Rousseau, cette présentation, trop brève, des thèses hobbiennes se fait à partir de l'analyse qu'en propose Rousseau, particulièrement dans son *Second Discours*. Il y aurait sans doute lieu de contrôler l'interprétation rousseauiste du *Léviathan*, exercice qui prouverait la clairvoyance du citoyen de Genève sinon dans ses critiques, du moins dans sa détermination des bases de la pensée de son maître et adversaire.

356. *Léviathan* I 13 : « De la condition naturelle de l'humanité, en ce qui a trait au bonheur et au malheur ».

357. Même chapitre.

358. *Léviathan* I 6 : « Des débuts intérieurs des mouvements volontaires, ordinairement appelés les passions, et des discours par lesquels ils sont énoncés ».

359. *Léviathan* II 28 : « Des punitions et des récompenses ».

360. *SD* paragr. 42. – Noter l'apparition de l'orgueil en fin de liste.

361. Le *Contrat social* est construit pour ainsi dire sur la vision de l'histoire que propose de *Second Discours* : « Je suppose les hommes parvenus à ce point où les obstacles qui nuisent à leur conservation dans l'état de nature l'emportent par

leur résistance sur les forces que chaque individu peut employer pour se maintenir dans cet état. Alors cet état primitif ne peut plus subsister et le genre humain périrait s'il ne changeait sa manière d'être (*Du contrat social* III 360). »

362. *SD* paragr. 207.

363. *Rousseau juge* I 806. – Voir aussi p. 669 et suivantes.

364. *SD* paragr. 80.

365. L'homme est par nature un, c'est-à-dire tout pour lui-même. Sur ce point important, voir *Émile* IV 249 et *Rousseau juge* I 860.

366. *SD* paragr. 79.

367. Voir les chapitres deuxième et quatrième de ce commentaire.

368. Dialogue qui est le lieu de la réflexion philosophique ou de l'âme en tant que raison. « Épicure et Montaigne, Goethe et Spinoza, Platon et Rousseau, Pascal et Schopenhauer. C'est avec eux qu'il me faut m'expliquer quand j'ai longtemps marché seul, par eux que j'entends me faire donner tort ou raison, eux que je veux écouter quand ils se donnent alors eux-mêmes tort et raison entre eux (Nietzsche, *Opinions et sentences mêlées* § 408). »

369. Une remarque sur la datation du texte : en un mot, on ne sait pas quand Rousseau a écrit la *Fiction*, qui ne fut pas publiée de son vivant. Les hypothèses vont de 1751, soit immédiatement après le *Premier Discours*, à 1777, soit l'année avant la mort de Jean-Jacques : une fourchette de 26 ans qui laisse passer l'œuvre entier de Rousseau, ou peu s'en faut. Ce qui est certain, c'est que la critique de la société qu'on trouve dans cette allégorie ainsi que le jugement ambigu porté sur Socrate appartiennent à la pensée de Rousseau depuis le début et jusqu'aux dernières productions du penseur.

370. *République* 514a-517a.

371. L'interprétation de l'allégorie développée ici est politique et psychologique plutôt qu'épistémologique et métaphysique. Certes, Socrate rattache l'allégorie à l'analogie de la ligne, présentée au livre sixième, laquelle représente les divers degrés d'intelligibilité et les divers types d'êtres. Cependant, étant donné le contexte politique dans lequel apparaît l'allégorie, à savoir un dialogue où on tente d'établir les structures d'une cité juste, étant donné aussi les remarques dans l'allégorie elle-même au sujet de la relation entre un prisonnier libéré et libérateur et ses concitoyens, étant donné l'insistance sur les réactions émotives de l'un et des autres, les fameuses pages souffriraient sans problème une interprétation comme celle suggérée ici.

372. *République* 515c4. – Socrate ne lui signale pas qu'il a mis de côté toute la seconde partie de cette description initiale, à savoir l'existence d'hommes libres dans la même caverne que les prisonniers. Les lecteurs de Platon reconnaîtront

ici que Socrate suit l'argument selon les réponses de son interlocuteur, et non selon les exigences d'une saine compréhension du problème. Voir *Phédon* 89d-90b ou *Euthyphron* 14b-c.

373. Quoiqu'on puisse douter que les « marionnettistes » habitent l'intérieur de la caverne, il est indiscutable 1) que ceux-ci sont d'une façon ou d'une autre la source des ombres, des échos et des illusions, 2) qu'ils ne jouent aucun rôle dans la libération des prisonniers, 3) qu'ils sont libres de corps tout en étant pris par ce qui se passe dans la caverne plutôt que de s'occuper des choses réelles à l'extérieur, 4) qu'ils sont les grands *négligés* de l'allégorie de la caverne.

374. *Du contrat social* III 359.

375. Sur le rôle des auteurs, des penseurs, et du système d'éducation publique, voir la *Lettre à C de B* IV 967.

376. Cette différence est l'annonce, le symptôme ou l'avatar – selon la date de l'œuvre à l'étude – de la célèbre paranoïa de Rousseau. Dans la *Fiction*, la situation des hommes est en fin de compte le résultat d'un complot entre les « maîtres du lieu » ; les révélations du premier sage et du Socrate ne réussissent pas à cause des « ministres du temple » ; celle du troisième sage réussit aussitôt que les hommes entendent sa voix : il leur aurait fallu empêcher qu'il parle ou qu'il soit entendu. Pour en revenir au citoyen de Genève, comment pouvait-il s'expliquer le peu de résonance de certaines de ses œuvres sans un complot total à peine imaginable, où son message était faussé par les philosophes, ses textes mutilés par les Jésuites, sa voix étouffée par les autorités politiques ? Entouré de toutes parts, il lancera au hasard des apologies dans le monde, porté qu'il est par le fol espoir qu'une de ses bouteilles jetées à la mer arrive à destination : « Que deviendra cet écrit ? Quel usage en pourrai-je faire ? Je l'ignore, et cette incertitude a beaucoup augmenté le découragement qui ne m'a point quitté en y travaillant. Ceux qui disposent de moi en ont eu connaissance aussitôt qu'il a été commencé, et je ne vois dans ma situation aucun moyen possible d'empêcher qu'il ne tombe entre leurs mains tôt ou tard. Ainsi, selon le cours naturel des choses, toute la peine que j'ai prise est à pure perte [...] Dans quelques mains que le Ciel fasse tomber ces feuilles, si parmi ceux qui les liront peut-être il est encore un cœur d'homme, cela me suffit (*Rousseau juge* I 666). » Voir aussi p. 977 et 992. – Sur l'athéisme des philosophes ennemis de Rousseau, voir *Rêveries* I 1015-1016.

377. Il pourrait aussi ressembler à quelqu'un qui aurait décelé les maux des sociétés humaines, par exemple que le progrès des sciences et des arts nuit aux hommes en société, mais ne saurait pas s'attaquer à la cause première de ces effets : l'amour-propre.

378. Voir l'explication de la statue centrale dans le dernier chapitre de ce commentaire.

379. Pour ce qui est de la possibilité que ce sage soit le Christ, voir le chapitre neuvième de ce commentaire.

380. Voir *Rousseau juge* I 814 et 828. Pour une discussion plus complète de ce thème, voir « Le rôle de l'imaginaire dans la pensée de Jean-Jacques Rousseau », dans *Urgence de la philosophie*, Québec, Presses de l'Université Laval, 1986.

381. *Confessions* I 427.

382. « Ayant donc formé le projet de décrire l'état habituel de mon âme dans la plus étrange position où se puisse jamais trouver un mortel, je n'ai vu nulle manière plus simple et plus sûre d'exécuter cette entreprise que de tenir un registre fidèle de mes promenades solitaires et des rêveries qui les remplissent quand je laisse ma tête entièrement libre et mes idées suivre leur pente sans résistance et sans gêne. Ces heures de solitude et de méditation sont les seules de la journée où je sois pleinement moi et à moi sans diversion, sans obstacle, et où je puisse véritablement dire être ce que la nature a voulu (*Rêveries* I 1002). » – L'intention des *Rêveries* est, malgré tout, semblable à celle des *Confessions* : montrer l'homme naturel, ce qui ramène Rousseau, par la porte de derrière peut-être, à son projet d'éducation du cœur des autres hommes. En revanche, les *Rêveries* prétendent offrir une figure de l'œuvre littéraire au degré zéro, qui est en un sens fait pour remplacer toutes les œuvres littéraires produites auparavant.

383. Voir Kant, *Critique de la raison pure* II 2 2 « De l'idéal du souverain bien comme principe qui détermine la fin suprême de la raison ».

384. « Heureux d'être né dans la religion la plus raisonnable et la plus sainte qui soit sur la terre, je reste inviolablement attaché au culte de mes pères (*Lettre à C de B* IV 961. Voir la page précédente aussi.). » – À l'instar de ce qu'on voit Rousseau faire dans la première partie de la *Lettre à d'Alembert*, la *Lettre à Christophe de Beaumont* n'est qu'une longue protestation de fidélité chrétienne, suivie d'une série de subtiles distinctions, d'habiles conditions, d'infimes corrections qui tendent toutes à vider le christianisme de Rousseau de tout contenu distinct du système rousseauiste.

385. La secte remonte à un certain Lelio Sozzini, réformateur italien, qui rejetait le dogme de la Trinité et celui de la divinité du Christ. Un socinianisme extrême était devenu pour les philosophes modernes une forme acceptable que pouvait prendre le christianisme. C'est ainsi qu'après s'être moqué du quakerisme, de l'anglicanisme, du presbytérianisme, et évidemment du catholicisme, Voltaire, dans ses *Lettres philosophiques*, fait l'éloge du socinianisme supposé de certains grands esprits tel que Newton. – Sur toute cette question, voir R. E. Florida, « Voltaire and the Socinians », dans *Studies on Voltaire and the Eighteenth Century*, The Voltaire Foundation, Thorpe Mandeville House, Banbury, Oxfordshire, 1974.

386. *Lettre à d'Alembert* V 9.

387. Voir par exemple la septième lettre des *Lettres philosophiques* de Voltaire.

388. *Lettre à d'Alembert* V10-11. Comparer cette phrase à la suivante : « Un philosophe jette sur eux un coup d'œil rapide ; il les pénètre, il les voit ariens, sociniens ; il le dit, et pense leur faire honneur ; mais il ne voit pas qu'il expose leur intérêt temporel, la seule chose qui généralement décide ici-bas de la foi des hommes (*Lettres écrites de la montagne* III 717). » Le ton de Rousseau a changé du tout au tout de la première lettre adressée à d'Alembert à celles qui défendent une œuvre attaquée de toutes parts et surtout par les autorités théologico-politiques. C'était admettre, ou presque, dans les *Lettres écrites de la montagne* que l'auteur de la *Lettre à d'Alembert* manquait de sincérité lorsqu'il défendait les pasteurs genevois contre l'accusation de socinianisme.

389. *Lettre à d'Alembert* V 11.

390. Sur le sens blasphématoire de cette remarque, du moins en ce qui a trait aux catholiques, voir la *Lettre à C de B* IV 999 et la note 1.

391. *Lettre à d'Alembert* V 12.

392. *Ibid.*

393. *Lettre à d'Alembert* V 14. Sur l'idée véritable que Rousseau se faisait des ministres genevois, voir *Lettres écrites de la montagne* III 711-726.

394. « When one comes across sentences like this [...], one can understand that some of Rousseau's contemporaries found his writing obscure and contradictory. Obscure or not, this enabled him to take up the subject with minimum fear of being charged with either hypocrisy or heresy (« Voltaire and the Socinians », p. 212). » Éviter l'accusation d'hypocrisie et d'hérésie, ce n'est pas prouver qu'on ne la mérite pas, au contraire.

395. Pour l'analyse du problème, mais chez Thomas More, voir la troisième partie de l'article de « L'*Utopie* de Thomas More, ou le penseur, la politique et l'engagement », dans le *Laval théologique et philosophique*, octobre 1984.

396. Voir *Matthieu* 13, *Marc* 4 33-34 et *Luc* 10 21.

397. Voir *Matthieu* 7 28-29.

398. Voir *Matthieu* 21 23-27 et 22 15-22.

399. Voir *Jean* 14 6.

400. Voir, de saint Paul, l'*Épitre aux Hébreux* 5 11-14 et l'*Épitre aux Corinthiens* 3 1-2, et, de saint Pierre, la *Première Épître* 2 2.

401. *Lettres écrites de la montagne* III 696-697. – Voir aussi *Confessions* I 656 et *Lettre à C de B* IV 963.

402. Voir *Première Épître* de saint Jean 1 8-10. – Le christianisme est une doctrine centrée sur la personne du Christ; or le Christ est d'abord et avant tout sauveur; mais il n'y a aucun besoin d'un sauveur si l'homme n'est pas pécheur.

403. Voir la *Lettre à C de B* IV 936 et suivantes et les *Lettres écrites de la montagne* III 689, où Rousseau cite ses adversaires et condamnateurs.

404. Et à peu près inefficace quand on tient compte de ces chefs-d'œuvre de polémique que sont la *Lettre à Christophe de Beaumont* et les *Lettres écrites de la montagne*.

405. Sur toute cette partie de la *Fiction*, voir la troisième promenade des *Rêveries*.

406. *Lettre à C de B* IV 937.

407. Paragr. 15 et 23.

408. *Lettre à C de B* IV 1003. – Sur l'éducation du cœur, voir Philip Knee, « Agir sur les cœurs : spectacle et duplicité chez Rousseau », dans *Philosophiques* XIV 2 automne 1987.

409. *Jean* 14 6.

410. Voir *SD* paragr. 24. – Pour les prédécesseurs de Rousseau, voir, par exemple, le *Premier Alcibiade* de Platon (128e et suivantes), les *Mémorables* de Xénophon (IV 2) et le *Léviathan* de Hobbes (fin de la préface).

411. *Rousseau juge* I 936. – On comprendra donc que les *Confessions* ne sont pas du tout un appendice à l'œuvre systématique: décrire Jean-Jacques, c'est décrire l'homme naturel. Voir *Confessions* I 5.

412. La réponse à la question de la priorité d'un de ces systèmes sur l'autre paraît assez clairement, par exemple, dans la *Lettre à C de B* IV 994 et suivantes.

413. *Du contrat social* III 383, 384. Voir aussi l'article fascinant de A. Ridelgha : « Rousseau as God – the Erménonville pilgrammages in the Revolution », Studies on Voltaire and the Eighteenth Century, 1990.

414. Diels-Kranz, fragment 32.

CHRONOLOGIE

1712	Rousseau naît à Genève. La même année, sa mère meurt. L'enfant vivra seul avec son père puis avec des parents, et enfin chez un patron où il apprendra la gravure.
1715	Mort de Louis XIV, le « Roi-Soleil ». Sous ce roi absolu, la France avait connu une longue période de grandeur politique, militaire et culturelle. Son successeur, Louis XV, guidera son pays près de soixante ans, soit la quasi-totalité de la vie de Rousseau ; ce sera un règne paisible et prospère dans l'ensemble, malgré quelques problèmes financiers importants.
1728	Rousseau quitte Genève pour errer à l'aventure. Une certaine madame de Warens, *convertisseuse*, incitera ce jeune protestant en fugue à se faire catholique. Après un séjour de quelques mois en Italie, le nouveau converti retrouvera madame de Warens, auprès de qui il vivra de façon fort instable pendant plus de douze ans. Il tentera de maîtriser plusieurs métiers pour ne réussir que médiocrement.
1734	Voltaire publie les *Lettres philosophiques ou Lettres anglaises.* François Maric Arouct de son vrai nom, Voltaire est le premier écrivain de ce siècle ; ce poète, dramaturge, essayiste, nouvelliste est le chef de file des penseurs du Siècle des lumières et sait malignement critiquer les institutions politiques et religieuses de son temps, ce qui lui [illegible] d'être régulièrement pris en grippe par divers chefs d'État.
1742	Rousseau se rend à Paris : il tentera pendant plusieurs années de se faire connaître et reconnaître par la classe intellectuelle et artistique de la capitale la plus civilisée de son temps. C'est durant ses années qu'il se liera d'amitié avec d'autres jeunes penseurs comme Condillac et surtout Denis Diderot. Par ailleurs, il fera la connaissance de Thérèse Levasseur qui lui donnera cinq enfants.
1747	Début des travaux en vue de la publication de l'*Encyclopédie ou Dictionnaire raisonné des sciences, des arts et des métiers*, ouvrage de vulgarisation scientifique et philosophique. D'Alembert chargera Rousseau des articles sur la musique, mais l'influence du Genevois s'étendra sur d'autres matières, en particulier l'économie et la politique. Un article de d'Alembert sur Genève, paru dans l'Encyclopédie, sera l'occasion de la rupture publique entre Rousseau et ses anciens amis, en 1758.
1749	Rousseau, soudainement inspiré à la lecture du libellé d'une question de concours de morale, écrit le *Discours sur les sciences et les arts.* Un an

plus tard, c'est la consécration lors de la publication du texte. Dans les années qui suivent, Rousseau défendra ses thèses et les développera en particulier dans un *Second Discours*, intitulé *Discours sur l'origine et les fondements de l'inégalité parmi les hommes*. Rousseau est sur-le-champ et pour de bon une force majeure dans le monde intellectuel européen.

1756 — Rousseau se retire de Paris avec Thérèse. Il vivra auprès de divers amis riches et puissants, comme madame d'Épinay ou le maréchal de Luxembourg. Cette période est celle d'une intense production littéraire et philosophique ; on voit sortir de la plume de Rousseau des centaines de pages, ce qui donne, entre autres, *Julie ou La Nouvelle Héloïse*, *Émile ou De l'éducation* et *Du contrat social*. Sur le plan sentimental, Rousseau connaît une série de bouleversements. Signalons sa passion pour Sophie d'Houdetot et sa rupture avec Denis Diderot.

1762 — *L'Émile* et le *Contrat social* sont contestés dans les milieux intellectuels et même condamnés par les autorités publiques en France et à Genève. Cette date marque le début d'une existence nomade, où Rousseau s'efforce de se trouver un asile sûr. Il quittera la France, voyagera dans différents États limitrophes, puis traversera la France pour se rendre en Angleterre, et enfin abandonnera la campagne anglaise pour retrouver le sol français, qu'il ne quittera plus.

1768 — Rousseau souffre d'une terrible folie de la persécution. C'est de ces années que datent les derniers livres : les *Confessions* et les *Dialogues ou Rousseau juge de Jean-Jacques*. Le philosophe tente de se disculper devant un public qu'il croit manipulé par les agents d'un complot monté contre lui à l'échelle de l'Europe. Vers la fin, il écrit quelques-unes de ses plus belles pages qui deviendront les *Rêveries du promeneur solitaire*, où il décrit son état d'esprit dans ses ultimes années.

1774 — Début du règne de Louis XVI, roi de bonne volonté mais sans caractère. Il sera exécuté en 1793 par les députés de la Convention nationale de la République française.

1778 — Rousseau meurt le 2 juillet.

1789 — Début de la Révolution française. Les principes de cette révolution sont la liberté, l'égalité et la fraternité, idées développées et défendues par Rousseau, entre autres. Le mouvement révolutionnaire s'emballera, emportant devant lui la plupart des institutions et des hommes de la France monarchique et les premiers révolutionnaires eux-mêmes. En 1799, le pouvoir passe au premier consul, Napoléon Bonaparte qui deviendra bientôt l'Empereur des Français.

1794 — Les restes de Rousseau sont transférés en grande pompe au Panthéon de Paris ; ils reposeront à côté de ceux de Voltaire, cet autre père de la Révolution française.

BIBLIOGRAPHIE

Les titres qui suivent ne prétendent nullement constituer une bibliographie exhaustive. Leur seul point commun, à part la qualité de l'analyse qu'ils proposent, est l'importance qu'ils accordent à Rousseau comme penseur, et au *Discours sur les sciences et les arts* comme œuvre philosophique.

Goldschmidt, Victor, *Anthropologie politique : les principes du système de Rousseau*, Paris, Librairie philosophique J. Vrin, 1974.

Masters, Roger, *The Political Philosophy of Jean-Jacques Rousseau*, New Jersey, Princeton University Press, 1968.

Philonenko, Alexis, *Jean-Jacques Rousseau et la pensée du malheur*, tome 1 : *Le traité du mal*, Paris, Librairie philosophique. J. Vrin, 1984.

Starobinski, Jean, *Jean-Jacques Rousseau : la transparence et l'obstacle*, Paris, Gallimard NRF, 1971.

Strauss, Leo, *Natural Right and History*, Chicago (IL), University of Chicago Press, 1965, chapitre 6 a).

Todorov, Tzvetan, *Frêle bonheur : essai sur Rousseau*, Paris, Hachette, 1985.

RÉSURGENCES

Marquis imprimeur inc.

Québec, Canada
2008